Introdução às Obras de

FREUD • FERENCZI • GRODDECK
KLEIN • WINNICOTT
DOLTO • LACAN

Transmissão da Psicanálise
diretor: Marco Antonio Coutinho Jorge

Sob a direção de
J.-D NASIO

Introdução às Obras de
**FREUD • FERENCZI • GRODDECK
KLEIN • WINNICOTT
DOLTO • LACAN**

com as contribuições de
A.-M. Arcangioli, M.-H. Ledoux, L. Le Vaguerèse,
J.-D. Nasio, G. Taillandier, B. This e M.-C. Thomas

Tradução:
Vera Ribeiro
psicanalista

Revisão:
Marcos Comaru
mestre em teoria psicanalítica, UFRJ

13ª reimpressão

ZAHAR

Copyright ©1994 by Éditions Payot & Rivages

Tradução autorizada da primeira edição francesa, publicada
em 1994 por Éditions Payot & Rivages, de Paris, França,
na coleção Rivages-Psychanalyse, dirigida por J.-D. Nasio

Título original
Introduction aux œuvres de Freud, Ferenczi, Groddeck, Klein,
Winnicott, Dolto, Lacan

Capa
Sérgio Campante

CIP-Brasil. Catalogação na fonte
Sindicato Nacional dos Editores de Livros, RJ

I48	Introdução às obras de Freud, Ferenczi, Groddeck, Klein, Winnicott, Dolto, Lacan / sob a direção de J.-D. Nasio, com as contribuições de A.-M. Arcangioli... [et al]; tradução, Vera Ribeiro; revisão, Marcos Comaru. — 1ª ed. — Rio de Janeiro: Zahar, 1995.

(Transmissão da psicanálise)

Tradução de: Introduction aux œuvres de Freud, Ferenczi, Groddeck, Klein, Winnicott, Dolto, Lacan.
Bibliografia
ISBN 978-85-7110-325-2

1. Psicanálise. 2.Psicanalistas — Biografia. I. Nasio, Juan- David. II. Série.

95-1197
CDD: 150.195
CDU: 159.964.2

Todos os direitos desta edição reservados à
EDITORA SCHWARCZ S.A.
Praça Floriano, 19, sala 3001 — Cinelândia
20031-050 — Rio de Janeiro — RJ
Telefone: (21) 3993-7510
www.companhiadasletras.com.br
www.blogdacompanhia.com.br
facebook.com/editorazahar
instagram.com/editorazahar
twitter.com/editorazahar

Sumário

Liminar 7

*

Introdução à obra de FREUD 9
Excertos da obra de Freud   48
Biografia de Sigmund Freud   55
Seleção bibliográfica   58

*

Introdução à obra de FERENCZI 59
Excertos da obra de Ferenczi   95
Biografia de Sándor Ferenczi   98
Seleção bibliográfica   101

*

Introdução à obra de GRODDECK 103
Excertos da obra de Groddeck   127
Biografia de Georg Groddeck   129
Seleção bibliográfica   130

*

Introdução à obra de Melanie KLEIN 133
Excertos da obra de Klein   167
Biografia de Melanie Klein   170
Seleção bibliográfica   174

*

Introdução à obra de WINNICOTT 177
Excertos da obra de Winnicott 197
Biografia de Donald Woods Winnicott 200
Seleção bibliográfica 201

*

Introdução à obra de Françoise DOLTO 203
Excertos da obra de Dolto 238
Biografia de Françoise Dolto 241
Seleção bibliográfica 245

*

Um testemunho sobre a clínica de Françoise DOLTO 247

*

Introdução à obra de LACAN 259
Excertos da obra de Lacan 283
Biografia de Jacques-Marie Lacan 286
Seleção bibliográfica 287

*

Notas 289

*

Índice geral 301

Liminar

Aqui estão, reunidos pela primeira vez num único volume, os grandes autores da psicanálise. É nossa intenção expor a essência da vida e da obra de cada um desses pioneiros que marcaram nossa maneira de pensar e de praticar a análise, nossa linguagem e, mais genericamente, a cultura de hoje. Concebemos este livro como um instrumento de trabalho em que cada capítulo, consagrado a um dos sete grandes psicanalistas, propõe ao leitor uma apresentação de sua biografia, uma exposição clara e rigorosa das idéias fundamentais de sua obra, trechos seletos da obra, um quadro cronológico dos acontecimentos decisivos de sua vida e, por fim, uma seleção bibliográfica. Essas diferentes rubricas permitirão ao leitor ingressar neste livro pela entrada que lhe convier. Com esta introdução, fazemos votos de que o leitor tenha o desejo e o entusiasmo de consultar diretamente os textos originais das obras.

Os psicanalistas que colaboraram neste volume coletivo esforçaram-se por mostrar as especificidades das obras estudadas. Empenharam-se não apenas em expor uma teoria, mas sobretudo em fazer reviver a alma de cada autor, os desejos e os conflitos que moldaram seu estilo e marcaram sua obra para além dos conceitos. Cada colaborador redigiu sua contribuição, impregnado não somente do conteúdo da obra comentada, mas também da imagem interna do autor abordado.

Destinamos esta obra tanto ao estudante desejoso de dispor de um dossiê completo sobre cada uma das grandes figuras da psicanálise, quanto ao psicanalista experiente, que — a exemplo de Freud — não pára de voltar aos fundamentos da teoria. Lembremo-nos dos numerosos textos em que Freud efetivamente retornou aos fundamentos de sua doutrina para deles retirar o essencial, como fez, por exemplo, em seu último texto, o *Esboço de psicanálise*, que redigiu aos 82 anos de idade. Que houve então? Com a redação do *Esboço*, Freud continuou a inventar novos conceitos. Por isso, o retorno aos fundamentos comporta, muita vez, a inesperada gestação do novo. O ensino converte-se em pesquisa e o antigo saber, numa nova verdade. O princípio que tem constantemente guiado nosso trabalho de transmissão da psicanálise pode ser resumido numa fórmula: *procuremos dizer bem o que já foi dito, e talvez tenhamos uma oportunidade de dizer o novo*. Foi dentro desse espírito que concebemos esta obra.

* * *

Cada um dos capítulos que leremos é uma versão bastante reformulada de conferências proferidas por cada colaborador deste livro, no âmbito do *Ensino das sete grandes correntes da psicanálise*. O ciclo dessas conferências de ensino foi organizado pelos Seminários Psicanalíticos de Paris entre dezembro de 1991 e junho de 1992.

J.-D. N.

Introdução à Obra de FREUD

J.-D. Nasio

Esquema da lógica do pensamento freudiano

*

Definições do inconsciente
Definição do inconsciente do ponto de vista descritivo
Definição do inconsciente do ponto de vista sistemático
Definição do inconsciente do ponto de vista dinâmico
O conceito de recalcamento
Definição do inconsciente do ponto de vista econômico
Definição do inconsciente do ponto de vista ético

*

O sentido sexual de nossos atos

*

O conceito psicanalítico de sexualidade
Necessidade, desejo e amor

*

Os três principais destinos das pulsões sexuais: recalcamento, sublimação e fantasia.

O conceito de narcisismo

*

As fases da sexualidade infantil e o complexo de Édipo
Observação sobre o Édipo do menino: o papel essencial do pai

*

**Pulsões de vida e pulsões de morte.
O desejo ativo do passado**

*

**A transferência é uma fantasia cujo objeto é o
inconsciente do psicanalista**

* * *

Excertos da obra de Freud

Biografia de Sigmund Freud

Seleção bibliográfica

> *A aceitação de processos psíquicos inconscientes, o reconhecimento da doutrina da resistência e do recalcamento e a consideração da sexualidade e do complexo de Édipo são os conteúdos principais da psicanálise e os fundamentos de sua teoria, e quem não estiver em condições de subscrever todos eles não deve figurar entre os psicanalistas.*
>
> S. Freud

Um século — e que século! — nos separa de Freud, desde o dia em que ele decidiu abrir seu consultório em Viena e redigir a primeira obra fundadora da psicanálise, *A interpretação dos sonhos*.

Um século é muito extenso; extenso para a história, para a ciência e para as técnicas. Muito extenso para a vida. E, no entanto, é muito pouco para nossa jovem ciência, a psicanálise. A psicanálise, admito, não progride à maneira dos avanços científicos e sociais. Ocupa-se de coisas simples, sumamente simples, que são também imensamente complexas. Ocupa-se do amor e do ódio, do desejo e da lei, dos sofrimentos e do prazer, de nossos atos de fala, nossos sonhos e nossas fantasias. A psicanálise ocupa-se das coisas simples e complexas, mas eternamente atuais. Ocupa-se delas não apenas por meio de um pensamento abstrato, de uma teoria que registrarei neste capítulo, mas através da experiência humana de uma relação concreta entre dois parceiros, analista e analisando, mutuamente expostos à incidência de um no outro[1].

Porém um século, mais uma vez, é muita coisa. E, no decurso desses cem anos, os problemas abordados pela psicanálise foram amiúde designados e conceituados de diferentes formas. De fato, a experiência sempre singular de cada tratamento analítico obriga o psicanalista que nele se engaja a repensar, em cada situação, a teoria que justifica sua prática. Entretanto, o fio inalterável dos princípios fundamentais da psicanálise atravessa o século, ordena as singularidades do pensamento analítico e assegura o rigor que legitima o trabalho do psicanalista. Ora, qual é esse fio que garante tal continuidade, quais são os fundamentos da obra freudiana? Esses fundamentos foram comentados, resumidos e reafirmados inúmeras vezes. Como, então, transmiti-los aos leitores de uma nova maneira? Como falar de Freud nos dias atuais?

Optei por lhes submeter minha leitura da obra freudiana a partir de uma questão que habitou em mim durante estes últimos dias, enquanto eu escrevia este texto. Perguntei-me incessantemente o que mais me impressionava em Freud, o que dele vivia em mim, no trabalho com meus analisandos, na reflexão teórica que orienta minha escuta, e no desejo que me anima, de transmitir e fazer a psicanálise existir, tal como ela existe neste instante em que vocês lêem estas linhas. O que mais me impressiona em Freud, aquilo em sua obra que me remete a mim mesmo e que, portanto, assim transmite à obra sua atualidade viva, não é a teoria dele, embora eu lhes vá falar sobre isso, nem tampouco seu método, que aplico em minha prática. Não. O que me encanta quando leio Freud, quando penso nele e lhe dou vida, é sua força, sua loucura, sua força louca e genial de querer captar no outro as causas de seus atos, de querer descobrir a fonte que anima um ser. Sem dúvida, Freud é, antes de mais nada, uma vontade, um desejo ferrenho de saber; mas sua genialidade está em outro lugar. A genialidade é uma coisa diferente do querer ou do desejo. A genialidade de Freud está em ele haver compreendido que, para apreender as causas secretas que movem um ser, que movem esse outro que sofre e a quem escutamos, é preciso, primeiro e acima de tudo, descobrir essas causas em si mesmo, refazer em si — enquanto se mantém o contato com o outro que está diante de nós — o caminho que vai de nossos próprios atos a suas causas. A genialidade não reside, pois, no desejo de desvendar um enigma, mas em emprestar o próprio eu a esse desejo; em fazer de nosso eu o instrumento capaz de se aproximar da origem velada do sofrimento daquele que fala. A vontade de descobrir, tão tenaz em Freud, conjugada com essa modéstia excepcional de comprometer seu eu para consegui-lo, isso é o que mais admiro, e do que jamais lhes poderei prestar contas plenamente através de palavras e conceitos. A genialidade freudiana não se explica nem se transmite e, no entanto, não pode persistir como uma graça inaudita do fundador. Não, a genialidade freudiana é o salto que todo analista é conclamado a realizar em si mesmo, todas as vezes que escuta verdadeiramente seu analisando.

*

Esquema da lógica do pensamento freudiano

Freud nos deixou uma obra imensa — ele foi, como sabemos, um trabalhador infatigável — e toda a sua doutrina é marcada por seu desejo de identificar a origem do sofrimento do outro, servindo-se de seu próprio eu. Assim, tentarei apresentar-lhes a essência dessa doutrina, os fundamentos da teoria freudiana, sem esquecer que ela continua a ser uma tentativa incessantemente renovada de dizer o que nos move, de dizer o indizível. Toda a obra freudiana é, nesse aspecto, uma imensa resposta, uma resposta inacabada à pergunta: qual é a causa de nossos atos? Como funciona nossa vida psíquica?

Eu gostaria, justamente, de fazê-los compreender o essencial do funcionamento mental, tal como é visto pela psicanálise e tal como se confirma quando o psicanalista está com seu paciente. A concepção freudiana da vida mental, com efeito, pode formalizar-se num esquema lógico elementar, que se nos evidenciou durante nossa releitura dos escritos de Freud. À medida que fomos procurando aproximar-nos mais do cerne da teoria, em vez de apreendê-la de fora, vimos que ela se transfigurava. Primeiro, a complexidade reduziu-se. Depois, as diferentes partes imbricaram-se umas nas outras, para enfim se ordenarem numa épura simples de sua relação. Se eu lograr transmitir-lhes esse esquema, terei realizado plenamente meu propósito de introduzi-los na obra de Freud, porque esse esquema retoma de maneira surpreendente a lógica implícita e interna do conjunto dos textos freudianos. Desde o *Projeto para uma psicologia científica*, redigido em 1895, até sua última obra, o *Esboço de psicanálise*, escrito em 1938, Freud não parou de reproduzir espontaneamente, muitas vezes de modo inadvertido, num quase-automatismo do pensamento, um mesmo esquema básico, expresso segundo diversas variantes. É precisamente essa lógica essencial que agora tentarei expor-lhes.

Procederemos da seguinte maneira: começarei por construir com vocês este esquema elementar e o irei modificando progressivamente, à medida que desenvolvermos os temas fundamentais que são *o inconsciente, o recalcamento, a sexualidade, o complexo de Édipo* e *a transferência no tratamento analítico*.

*

Passemos a nosso esquema básico. Em que consiste ele? Para responder, preciso lembrar, inicialmente, que ele é uma versão corrigida de um modelo conceitual já clássico, utilizado pela neurofisiologia do século XIX para explicar a circulação do influxo nervoso, e batizado de esquema do *arco reflexo*. Esclareço desde logo que o modelo do arco reflexo continua a ser um paradigma ainda fundamental da neurologia moderna.

O esquema neurológico do arco reflexo é muito simples e bastante conhecido (*Figura 1*). Ele comporta duas extremidades: a da esquerda, extremidade sensível em que o sujeito percebe a excitação, isto é, a injeção de uma quantidade "x" de energia — quando ele recebe, por exemplo, uma leve martelada médica no joelho. A da direita, extremidade motora, transforma a energia recebida numa resposta imediata do corpo — em nosso exemplo, a perna reage prontamente com um movimento reflexo de extensão. Entre os dois extremos, instala-se, pois, uma tensão que aparece com a excitação e desaparece com a descarga escoada pela resposta motora. O princípio que rege esse trajeto em forma de arco é muito claro, portanto: receber a energia, transformá-la em ação e, conseqüentemente, reduzir a tensão do circuito.

Figura 1.

Esquema do arco reflexo

Cremos que [o princípio de prazer] é cada vez provocado por uma tensão desprazerosa, e assume uma direção tal que seu resultado final coincide com um rebaixamento dessa tensão, isto é, com uma evitação de desprazer ou uma produção de prazer.

S. Freud

Apliquemos agora esse mesmo esquema reflexo ao funcionamento do psiquismo. Pois bem, o psiquismo é igualmente regido pelo princípio que visa a reabsorver a excitação e reduzir a tensão, exceto pelo fato de que justamente, como veremos, o psiquismo escapa a esse princípio. Na vida psíquica, com efeito, a tensão nunca se esgota. Estamos, enquanto vivemos, em constante tensão psíquica. Esse princípio de redução da tensão, que devemos antes considerar como uma tendência, e nunca como uma realização efetiva, leva, em psicanálise, o nome de *Princípio de desprazer-prazer*. Por que chamá-lo dessa maneira, "desprazer-prazer"? E por que afirmar que o psiquismo está sempre sob tensão? Para responder, retomemos as duas extremidades do arco reflexo, mas imaginando, desta vez, que se trata dos dois pólos do próprio aparelho psíquico, imerso como está no meio composto pela realidade externa. A fronteira do aparelho, portanto, separa um interior de um exterior que o circunda (*Figura 2*).

*

No pólo esquerdo, a extremidade sensível, discernimos duas características próprias do psiquismo:
a) A excitação é sempre de origem interna, e nunca externa. Quer se trate de uma excitação proveniente de uma fonte externa, como, por exemplo, o choque provocado pela visão de um violento acidente de automóvel, quer se trate de uma excitação proveniente de uma fonte corporal, de uma necessidade como a fome, a excitação continua a ser sempre interna no

psiquismo, já que tanto o choque externo quanto as necessidades internas criam uma marca psíquica, à maneira de um selo impresso na cera. Numa palavra, a fonte da excitação endógena é uma marca, uma idéia, uma imagem, ou, para empregar o termo apropriado, um representante ideativo carregado de energia, também chamado representante das pulsões. Termo este — pulsão — que reencontraremos muitas vezes neste capítulo.

b) Segunda característica: esse representante, depois de carregado uma primeira vez, tem a particularidade de continuar tão duradouramente excitado, como se fosse uma pilha, que qualquer tentativa do aparelho psíquico de reabsorver a excitação e eliminar a tensão revela-se uma tentativa fadada ao fracasso.

Pois bem, essa estimulação ininterrupta mantém no aparelho um nível elevado de tensão, dolorosamente vivenciado pelo sujeito como um apelo permanente à descarga. É a essa tensão penosa, que o aparelho psíquico tenta em vão abolir, sem nunca chegar verdadeiramente a fazê-lo, que Freud chama *desprazer*. Temos, assim, um estado de *desprazer* efetivo e incontornável e, inversamente, um estado hipotético de *prazer* absoluto, que seria obtido se o aparelho conseguisse escoar imediatamente toda a energia e eliminar a tensão. Esclareçamos bem o sentido de cada uma dessas duas palavras: desprazer significa manutenção ou aumento da tensão, e prazer, supressão da tensão. Todavia, não nos esqueçamos de que o estado de tensão desprazeroso e penoso não é outra coisa senão a chama vital de nossa atividade mental; desprazer, tensão e vida são eternamente inseparáveis.

No psiquismo, portanto, a tensão nunca desaparece totalmente, afirmação esta que pode ser traduzida por: no psiquismo, o prazer absoluto nunca é obtido. Mas, por que a tensão é sempre premente e o prazer absoluto nunca é atingido? Por três razões. A primeira, vocês já a conhecem: a fonte psíquica da excitação é tão inesgotável que a tensão é eternamente reativada. A segunda razão concerne ao pólo direito de nosso esquema. O psiquismo não pode funcionar como o sistema nervoso e resolver a excitação através de uma ação motora imediata, capaz de evacuar a tensão. Não, o psiquismo só pode reagir à excitação através de uma metáfora da ação, uma imagem, um pensamento ou uma fala que represente a ação, e não a ação concreta, que permitiria a descarga completa da energia. No psiquismo, toda resposta é inevitavelmente mediatizada por uma representação, que só pode efetuar uma descarga parcial. Do mesmo modo que pusemos no pólo esquerdo o representante psíquico da pulsão (excitação pulsional contínua), colocamos no pólo direito o representante psíquico de uma ação. Por isso, o aparelho psíquico permanece submetido a uma tensão irredutível: na porta de entrada, o afluxo das excitações é constante e excessivo; na saída, há apenas um simulacro de resposta, uma resposta virtual, que efetua somente uma descarga parcial.

Mas há ainda uma terceira razão, a mais importante e mais interessante para nós, que explica por que o psiquismo está sempre sob tensão. Ela consiste na intervenção de um fator decisivo, que Freud denomina de *recalcamento*. Antes de explicar o que é o recalcamento, convém eu esclarecer que entre o representante-excitação e o representante-ação estende-se uma rede de muitos outros representantes, que tecem a trama de nosso aparelho. A energia que aflui e circula da esquerda para a direita, da excitação para a descarga, atravessa necessariamente essa rede intermediária. Entretanto, a energia não circula da mesma maneira entre todos os representantes (*Figura 2*).

Se imaginarmos o recalcamento como uma barra que separa nosso esquema em duas partes, a rede intermediária ficará assim dividida: alguns representantes, que reunimos como um grupo majoritário, situado à esquerda da barra, são muito carregados de energia e se ligam de tal modo que formam o caminho mais curto e mais rápido para tentar chegar à descarga. Às vezes, organizam-se à maneira de um cacho e fazem toda a energia confluir para um único representante (condensação); noutras vezes, ligam-se um atrás do outro, em fila indiana, para deixar a energia fluir com mais facilidade (deslocamento).*

Alguns outros representantes da rede — que reuniremos como um grupo mais restrito, situado à direita da barra — são igualmente carregados de energia e também procuram livrar-se dela, mas numa descarga lenta e controlada. Estes se opõem à descarga rápida, pretendida pelo primeiro grupo majoritário de representantes. Instaura-se, pois, um conflito entre esses dois grupos: um que quer de imediato o prazer de uma descarga total — o prazer é soberano, nesse caso —, e outro que se opõe a essa loucura,

---

* Essa visão econômica do movimento e da distribuição da energia pode traduzir-se numa visão "semiótica", segundo a qual a *energia* investida numa representação corresponde à *significação* da representação. Dizer que uma representação é carregada de energia equivale a dizer que uma representação é significante, portadora de significação.
Assim, o mecanismo de condensação de energia corresponde à figura da *metonímia*, segundo a qual uma única representação concentra todas as significações; e o mecanismo do deslocamento corresponde à figura da *metáfora*, na qual as representações se vêem atribuir sucessivamente, uma por uma, todas as significações. Observe-se, por outro lado, que essa relação se inverte para Lacan: a condensação é da alçada da metáfora, e o deslocamento, da alçada da metonímia.

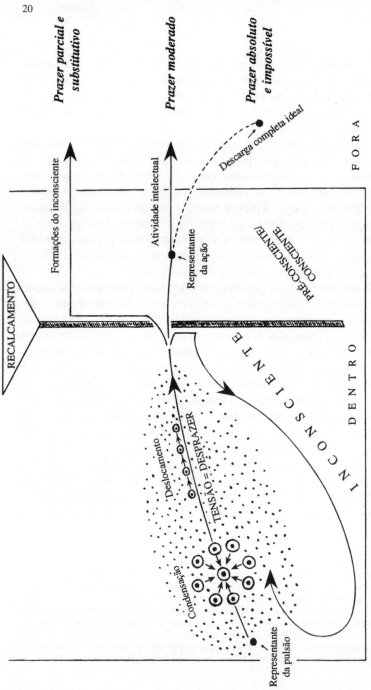

Figura 2.
Esquema do arco reflexo aplicado ao funcionamento do psiquismo

lembra as exigências da realidade e incita à moderação — nele, a realidade é soberana. O princípio que rege esse segundo grupo de representantes chama-se *Princípio de realidade*.

O primeiro grupo constitui o *sistema inconsciente*, que tem por missão, portanto, escoar a tensão o mais depressa possível e tentar atingir o prazer absoluto. Esse sistema tem as seguintes características: compõe-se exclusivamente de representantes pulsionais, como se o representante do pólo esquerdo se multiplicasse em muitos outros. Freud os denomina de "representações inconscientes". Essas representações, ele também as chama "representações de coisa", por elas consistirem em imagens (acústicas, visuais ou tácteis) de coisas ou de pedaços de coisa impressas no inconsciente. As representações de coisa são de natureza principalmente visual e fornecem a matéria com que se moldam os sonhos e, em especial, as fantasias. Acrescentemos que essas imagens ou traços mnêmicos só são denominados de "representações" sob a condição de estarem investidos de energia. Por isso, um representante psíquico é a conjunção de um traço imajado (um traço deixado pela inscrição de fragmentos de coisas ou acontecimentos reais) com a energia que reaviva esse traço. As representações inconscientes de coisa não respeitam os limites da razão, da realidade ou do tempo — o inconsciente não tem idade. Elas atendem a uma única exigência: buscar instantaneamente o prazer absoluto. Para esse fim, o sistema inconsciente funciona segundo os mecanismos de condensação e deslocamento, destinados a favorecer uma circulação fluente da energia. A energia é chamada livre, uma vez que circule com toda a mobilidade e com poucos entraves na rede inconsciente.

O segundo grupo de representantes também constitui um sistema, o sistema *pré-consciente/consciente*. Esse grupo busca igualmente o prazer, mas, diferindo do inconsciente, tem por missão redistribuir a energia — energia *ligada* — e escoá-la lentamente, seguindo as indicações do Princípio de realidade. Os representantes dessa rede são chamados "representações pré-conscientes e representações conscientes". As primeiras são representações de palavra; elas abarcam diferentes aspectos da palavra, como sua imagem acústica ao ser pronunciada, sua imagem gráfica ou sua imagem gestual de escrita. Quanto às representações conscientes, cada uma é composta de uma representação de coisa, agregada à representação da palavra que designa essa coisa. A imagem acústica de uma palavra, por exemplo, associa-se a uma imagem mnêmica visual da coisa para lhe conferir um nome, marcar sua qualidade específica e, assim, torná-la consciente.

Sublinhemos: os dois sistemas buscam a descarga, ou seja, o prazer; mas, enquanto o primeiro tende ao prazer absoluto e obtém apenas, como veremos, um prazer parcial, o segundo, por sua vez, visa a obter e obtém um prazer moderado.

*

Isto posto, podemos agora perguntar-nos: que é o recalcamento? Dentre as definições possíveis, proporei a seguinte: o recalcamento é um espessamento de energia, uma capa de energia que impede a passagem dos conteúdos inconscientes para o pré-consciente. Ora, essa censura não é infalível: alguns elementos recalcados vão adiante, irrompem abruptamente na consciência, sob forma disfarçada, e surpreendem o sujeito, incapaz de identificar sua origem inconsciente. Eles aparecem na consciência, portanto, mas permanecem incompreensíveis e enigmáticos para o sujeito.

Essas exteriorizações deturpadas do inconsciente conseguem assim descarregar uma parte da energia pulsional, descarga esta que proporciona apenas um prazer *parcial* e *substitutivo*, comparado ao ideal perseguido de uma satisfação completa e imediata, que seria obtida por uma hipotética descarga total. A outra parte da energia pulsional, a que não transpõe o recalcamento, continua confinada no inconsciente e realimenta sem cessar a tensão penosa.

Tínhamos dito que o aparelho psíquico tem por função reduzir a tensão e provocar a descarga de energia. Sabendo, agora, que a estimulação endógena é ininterrupta, que a resposta é sempre incompleta, e que o recalcamento aumenta a tensão e a obriga a buscar expressões deturpadas, podemos concluir, portanto, que existem diferentes tipos de descarga proporcionadores de prazer:
- Uma *descarga hipotética, imediata e total*, que provocaria um prazer absoluto. Essa descarga plena aparenta-se com o caso do desaparecimento da tensão quando de uma resposta motora do corpo. Ora, para o psiquismo, como sabemos, essa solução ideal é impossível. Todavia, quando abordarmos o tema da sexualidade, veremos como esse ideal de um prazer absoluto mantém-se como referência incontornável das pulsões sexuais.
- Uma *descarga mediata e controlada* pela atividade intelectual (pensamento, memória, julgamento, atenção etc.), que proporciona um prazer moderado.
- E, por fim, uma *descarga mediata e parcial*, obtida quando a energia e os

conteúdos do inconsciente transpõem a barreira do recalcamento. Essa descarga gera um prazer parcial e substitutivo, inerente às formações do inconsciente. Esses três tipos de prazer estão representados na *Figura 2*, na página 20.

*

Antes de retomarmos e resumirmos nosso esquema do funcionamento psíquico, convém fazer alguns esclarecimentos importantes no que concerne à significação da palavra "prazer" e à função do recalcamento. A propósito do prazer, assinalemos que a satisfação parcial e substitutiva ligada às formações do inconsciente não é necessariamente sentida pelo sujeito como uma sensação agradável de prazer. Muitas vezes, sucede até essa satisfação ser vivida, paradoxalmente, como um desprazer, ou até como um sofrimento suportado por um sujeito que esteja às voltas com sintomas neuróticos ou conflitos afetivos. Mas, sendo assim, por que empregar o termo prazer para qualificar o caráter doloroso da manifestação de uma pulsão? É que, a rigor, a noção freudiana de prazer deve ser entendida no sentido econômico de "baixa da tensão". É o sistema inconsciente que, através de uma descarga parcial, encontra prazer em aliviar sua tensão. Por isso, diante de um sintoma que causa sofrimento, devemos discernir claramente o *sofrimento* experimentado pelo paciente e o *prazer* não sentido, conquistado pelo inconsciente.

Passemos agora ao papel do recalcamento e levantemos o seguinte problema: por que tem que haver recalcamento? Por que é preciso que o eu se oponha às solicitações de uma pulsão que apenas pede para se satisfazer e, desse modo, liberar a tensão desprazerosa que reina no inconsciente? Por que barrar a descarga liberadora da pressão inconsciente? Qual é a finalidade do recalcamento? O objetivo do recalcamento não é tanto evitar o desprazer que reina no inconsciente, mas evitar o risco extremo que o eu correria por satisfazer a exigência pulsional de maneira integral e direta. Com efeito, a satisfação imediata e total da pressão pulsional destruiria, por seu descomedimento, o equilíbrio do aparelho psíquico. Existem, pois, duas espécies de satisfações pulsionais. Uma, total, que o eu idealiza como um prazer absoluto, mas evita — graças ao recalcamento — como um excesso destrutivo[2]. A outra satisfação é uma satisfação parcial, moderada e isenta de perigos, que o eu tolera.

Podemos agora resumir, numa palavra, o esquema lógico que perpassa nas entrelinhas a obra de Freud e, assim fazendo, definir o inconsciente. Reportemo-nos à *Figura 3* e formulemos a pergunta: como funciona o psiquismo? O essencial da lógica do funcionamento psíquico, considerado do ponto de vista da circulação da energia, resume-se, pois, em quatro tempos:

Primeiro tempo: excitação contínua da fonte e movimentação da energia à procura de uma descarga completa, nunca atingida → *Segundo tempo*: a barreira do recalcamento opõe-se à movimentação da energia → *Terceiro tempo*: a parcela de energia que não transpõe a barreira resta confinada no inconsciente e retroage para a fonte de excitação → *Quarto tempo*: a parcela de energia que transpõe a barreira do recalcamento exterioriza-se sob a forma do prazer parcial inerente às formações do inconsciente.

Quatro tempos, portanto: a pressão constante do inconsciente, o obstáculo que se opõe a ele, a energia que resta e a energia que passa. É esse o esquema que eu gostaria de lhes propor, pedindo-lhes que o ponham à prova em sua leitura dos textos freudianos. Talvez vocês constatem o quanto Freud raciocina de acordo com essa lógica essencial dos quatro tempos[3].

Definições do inconsciente

Abordemos agora o inconsciente conforme os diferentes pontos de vista estabelecidos por Freud, levando em conta os vocábulos particulares que designam os dois extremos do esquema: a fonte de excitação (*tempo 1*) e as formações exteriores do inconsciente (*tempo 4*). Cada uma dessas extremidades assume um nome diferente, conforme a perspectiva e a terminologia com que Freud define o inconsciente.

Definição do inconsciente do ponto de vista descritivo

Se considerarmos o inconsciente de fora, isto é, do ponto de vista descritivo

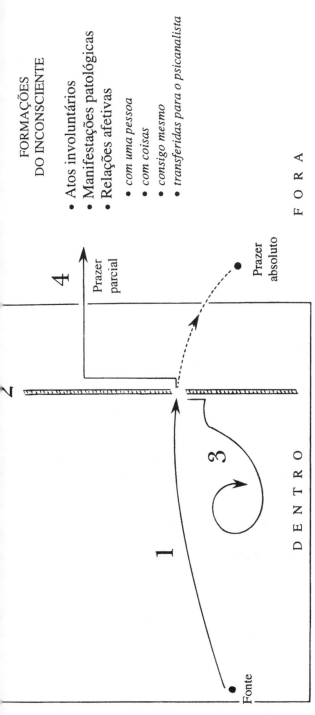

Figura 3.

Esquema dos 4 tempos do funcionamento psíquico

1. Movimento contínuo da energia em direção ao prazer absoluto.
2. Barreira do recalcamento que se opõe à movimentação da energia.
3. Energia que não transpõe a barreira do recalcamento e dá início a uma nova excitação.
4. Energia que transpõe a barreira do recalcamento e se exterioriza sob a forma do prazer parcial inerente às formações do inconsciente.

FORMAÇÕES DO INCONSCIENTE

- Atos involuntários
- Manifestações patológicas
- Relações afetivas
  - *com uma pessoa*
  - *com coisas*
  - *consigo mesmo*
  - *transferidas para o psicanalista*

de um observador, como eu mesmo, por exemplo, diante de minhas próprias manifestações inconscientes ou das manifestações provenientes do inconsciente do outro, perceberemos apenas produtos. O inconsciente em si continua suposto como um processo obscuro e incognoscível, que se acha na origem dessas manifestações. Um sujeito comete um lapso, por exemplo, e logo concluímos: "Seu inconsciente está falando." Mas nada explicamos sobre o processo subjacente a esse ato; o inconsciente nos é inacessível.

E, muito embora desconheçamos a natureza do inconsciente, resta-nos saber como identificar os produtos do inconsciente. Dentre a infinita variedade das expressões e comportamentos humanos, qual identificar como um ato surgido do inconsciente? Quando podemos afirmar: há inconsciente aqui? As formações do inconsciente apresentam-se diante de nós como atos inesperados, que surgem abruptamente em nossa consciência e ultrapassam nossas intenções e nosso saber consciente. Esses atos podem ser condutas corriqueiras, como, por exemplo, os atos falhos, os esquecimentos, os sonhos, ou mesmo o aparecimento repentino desta ou daquela idéia, ou a invenção imprevista de um poema ou de um conceito abstrato, ou ainda certas manifestações patológicas que fazem sofrer, como os sintomas neuróticos ou psicóticos. Mas, sejam eles normais ou patológicos, os produtos do inconsciente são sempre atos surpreendentes e enigmáticos para a consciência do sujeito e para a do psicanalista. A partir dessas produções psíquicas finais e observáveis, supomos a existência de um processo inconsciente, obscuro e ativo, que atua em nós sem que o saibamos naquele momento. Estamos, no que tange ao inconsciente, diante de um fenômeno que se consuma independentemente de nós e que, no entanto, determina aquilo que somos. Na presença de um ato não intencional, postulamos a existência do inconsciente, não apenas como causa desse ato, mas também como a qualidade essencial, a essência mesma do psiquismo, o psiquismo em si. O consciente, portanto, seria apenas um epifenômeno, um efeito secundário do processo psíquico inconsciente. "Convém ver no inconsciente", diz-nos Freud, "a base de toda a vida psíquica. O inconsciente assemelha-se a um grande círculo que encerrasse o consciente como um círculo menor (...). O inconsciente é o psíquico em si e sua realidade essencial"[4].

Definição do inconsciente do ponto de vista sistemático

Já definimos o inconsciente como um sistema, ao abordarmos a estrutura da rede das representações. Nessa perspectiva, a fonte de excitação chama-se *representação de coisa*, e os produtos finais são *manifestações deturpadas do inconsciente*. O sonho é o melhor exemplo delas.

Definição do inconsciente do ponto de vista dinâmico. O conceito de recalcamento

> A teoria do recalcamento
> é o pilar sobre o qual repousa
> o edifício da psicanálise.
>
> S. Freud

Se agora definirmos o inconsciente do ponto de vista dinâmico, isto é, do ponto de vista da luta entre a moção que impulsiona e o recalcamento que impede, a fonte de excitação receberá o nome de *representantes recalcados*, e as produções finais corresponderão a escapadas irreconhecíveis do inconsciente subtraídas à ação do recalcamento[5]. Esses derivados do recalcado chamam-se *retornos do recalcado, produtos do recalcado*, ou ainda, *produtos do inconsciente*. Produtos, no sentido de jovens brotos do inconsciente, que, a despeito da capa do recalcamento, eclodem disfarçados na superfície da consciência. Os exemplos mais freqüentes desses produtos deturpados do recalcado são os sintomas neuróticos. Lembro-me de um analisando que, ao volante de seu carro, foi subitamente assaltado pela imagem obsedante de uma cena em que se via deliberadamente atropelando uma mulher idosa que atravessava a rua. Essa idéia fixa que se impunha a ele, que o fazia sofrer e que, muitas vezes, impedia-o de utilizar seu veículo, revelou, no correr da análise, ser o produto consciente e dissimulado do representante recalcado do amor incestuoso que ele nutria por sua mãe. Assim, a representação inconsciente "amor incestuoso" transpôs a barreira do recalcamento para aparecer na consciência, transformada em seu contrário, ou seja, numa imagem obsedante de um "impulso assassino".

Note-se que essas aparições conscientes do recalcado, esses retornos do recalcado podem ser igualmente concebidos como soluções de compromisso no conflito que opõe o movimento do recalcado em direção à consciência ao recalcamento que o repele. "Solução de compromisso" significa que o retorno do recalcado é uma mistura que se compõe, em parte, do recalcado e, em parte, de um elemento consciente que o mascara. Em outras palavras, o retorno do recalcado é um disfarce consciente do recalcado, porém incapaz, apesar disso, de mascará-lo por completo. Assim, em nosso exemplo, a figura da vítima, encarnada pela velha, deixava transparecer, sob os traços de uma mulher idosa, a figura recalcada da mãe. Outra ilustração dos traços visíveis do recalcado no retorno do recalcado foi-nos proposta por Freud, quando ele comentou uma célebre gravura de Félicien Rops. Nela, o artista figurou a situação de um asceta que, para rechaçar a tentação da carne (o recalcado), refugiou-se aos pés da Cruz (recalcamento) e viu surgir, estupefato, a imagem de uma mulher nua, crucificada (retorno do recalcado como solução de compromisso) no lugar de Cristo. O retorno do recalcado, nesse caso, foi um compromisso entre a mulher nua (parte visível do recalcado) e a cruz que a sustentava (recalcamento).

Por outro lado, acrescentemos que os produtos do inconsciente, uma vez chegados à consciência, podem sofrer uma nova ação do recalcamento, que os manda de volta para o inconsciente (o chamado recalcamento secundário ou recalcamento a posteriori).

Resta dizermos uma palavra para justificar a definição de recalcamento que propusemos anteriormente como sendo uma capa de energia que impede a passagem dos conteúdos inconscientes para o pré-consciente.* Com efeito, Freud nunca renunciou a considerar o recalcamento como um jogo complexo de movimentos de energia. Um jogo destinado, de um lado, a conter e fixar nos recônditos do inconsciente as representações recalcadas, e de outro, a reconduzir ao inconsciente as representações fugitivas que chegam ao pré-consciente ou à consciência, depois de haverem burlado a vigilância do recalcamento. Por isso, Freud distinguiu dois tipos de recalca-

---

* Os "elementos recalcados" que atravessam a barreira do recalcamento podem ser a representação, munida de sua carga energética, ou então (o que Freud privilegiou) apenas a carga, desligada de sua representação. Mais adiante, examinaremos a primeira eventualidade, a da passagem para o consciente da representação investida de sua carga. Quanto à segunda eventualidade, a da passagem apenas da carga, Freud vislumbrou quatro destinos possíveis: permanecer inteiramente recalcada; atravessar a barreira e se transmudar em angústia fóbica; atravessar a barreira e se converter em distúrbios somáticos, na histeria; ou, ainda, atravessar a barra e se transformar em angústia moral, na obsessão.

mento: um *recalcamento primário*, que contém e fixa as representações recalcadas no solo do inconsciente, e um *recalcamento secundário*, que recalca — no sentido literal de fazer retroceder — no sistema inconsciente os produtos pré-conscientes do recalcado.

O recalcamento primário, o mais primitivo, é não apenas uma fixação das representações recalcadas no solo do inconsciente, como também um tapume energético que o pré-consciente e o consciente erguem contra a pressão de energia livre oriunda do inconsciente. Esse tapume é chamado "contra-investimento", ou seja, um investimento contrário que o sistema Pré-consciente/Consciente opõe às tentativas de investimento da pressão inconsciente.

O segundo tipo de recalcamento, cujo objetivo é restituir o produto a seu lugar de origem, é também um movimento de energia, porém mais complexo. Em essência, ele se resume nas seguintes operações, centradas no produto consciente ou pré-consciente do recalcado:

• Primeiro, retirada da carga pré-consciente/consciente de energia ligada que o produto havia adquirido durante sua estada no pré-consciente ou no consciente.

• Uma vez desprendido de sua carga pré-consciente/consciente e vendo reativada sua antiga carga inconsciente, o produto é atraído, é como que imantado pelas outras representações inconscientes, perenemente fixadas no sistema inconsciente pelo recalcamento primário. O produto fugitivo retorna então ao âmago do inconsciente.

Definição do inconsciente do ponto de vista econômico

Se, desta vez, definirmos o inconsciente do ponto de vista econômico, aquele que adotamos para desenvolver nosso esquema, a fonte de excitação se chamará *representante das pulsões*, e as produções finais do inconsciente serão *fantasias*, ou, mais exatamente, comportamentos afetivos e escolhas amorosas inexplicados, escorados em fantasias. Explicarei dentro em pouco a natureza dessas fantasias, mas sua localização tópica em nosso esquema levanta o seguinte problema. As fantasias podem não apenas aparecer na consciência — como acabamos de dizer —, a título de produções finais do inconsciente, tais como laços afetivos despropositados, ou, mais particularmente, como devaneios diurnos e formações delirantes; como também podem permanecer enfurnadas e recalcadas no inconsciente, tendo então o estatuto de representações inconscientes de coisa. Mas as fantasias podem ainda desempenhar o papel de defesas do eu contra a pressão inconsciente. Ou seja, uma fantasia tanto pode assumir o papel de um produto pré-consciente do recalcado quanto de um conteúdo inconsciente recalcado, ou ainda de uma defesa recalcante. Em nosso esquema, localizamos a fantasia tanto aquém da barra do recalcamento (*tempo 1*) quanto no nível dela (*tempo 2*), ou ainda além da barra (*tempo 4*).

Definição do inconsciente do ponto de vista ético

Se, por fim, definirmos o inconsciente do ponto de vista ético, iremos chamá-lo de desejo. O desejo é o movimento de uma *intenção* inconsciente que aspira a um objetivo, o da satisfação absoluta. As produções finais do inconsciente devem ser consideradas, aqui, como *realizações parciais do desejo*, ou, se preferirmos, satisfações parciais e substitutivas do desejo diante da satisfação ideal, jamais atingida. Qualificamos como ética essa definição do inconsciente, na medida em que assemelhamos o movimento *energia* → *descarga* à tendência do inconsciente para se fazer ouvir e se fazer reconhecer como um Outro. Ela é ética, também, na medida em que conferimos um valor ao objetivo ideal do desejo: o valor inultrapassável de um bem superior, de um Bem Supremo, a que a psicanálise chama incesto. Intrinsecamente, o desejo é sempre desejo do incesto. Voltaremos a isso.

*

Depois de mostrar o funcionamento do aparelho psíquico segundo a lógica de um esquema espacial, eu lhes propus uma visão descritiva, sistemática, dinâmica, econômica e ética do inconsciente, mas tudo isso estaria incompleto se não inscrevêssemos nosso aparelho no fio do tempo e não o incluíssemos no universo dos outros. Dois fatores emolduram a vida psíquica: o tempo e os outros (*Figura 4*). O tempo, primeiramente, pois o funcionamento psíquico não pára de se renovar ao longo de toda a história de um sujeito, a ponto de escapar à mensuração do tempo. O inconsciente é extratemporal, ou seja, é perpétuo no tempo histórico. Silencioso aqui, ele reaparece ali e não definha nunca. É só tentar fazê-lo calar-se para que ele reviva prontamente, voltando a desabrochar em novas manifestações. Por isso, seja qual for a idade, o inconsciente continua a ser um processo irreprimivelmente ativo e inesgotável em suas produções. Quer vocês tenham dois dias de vida ou 83 anos, ele persevera em seu ímpeto e sempre consegue fazer-se ouvir.

Mas devemos ainda compreender que a vida psíquica está imersa no mundo dos outros, no mundo daqueles a quem estamos ligados pela linguagem, por nossas fantasias e nossos afetos. Nosso psiquismo prolonga, necessariamente, o psiquismo do outro com quem nos relacionamos. As fontes de nossas excitações são os vestígios deixados em nós pelo impacto do desejo do outro, daquele ou daqueles que nos têm por objeto de seu desejo. É como se a seta do *tempo 4* do esquema do aparelho psíquico do outro se unisse, para estimulá-la, à fonte de excitação de nosso próprio aparelho. E, inversamente, é como se nossas próprias produções reavivassem, por sua vez, o desejo do outro. Examinemos a *Figura 4*.

O sentido sexual de nossos atos

Estamos agora em condições de formular a premissa fundadora da psicanálise. Nossos atos, aqueles que nos escapam, não somente são determinados por um processo inconsciente, mas sobretudo têm um sentido. Eles veiculam uma mensagem e querem dizer algo diferente daquilo que mostram à primeira vista. Antes de Freud, os atos mais inesperados passavam por atos anódinos. Hoje em dia, com Freud, supor um sentido nas condutas e nas palavras que nos escapam tornou-se um gesto costumeiro. Basta alguém cometer um lapso para logo sorrir ou, quem sabe, enrubescer, considerando-se traído pela revelação de um desejo, de um sentido até então velado.

Mas, que é um sentido? Que vem a ser o sentido de um ato? A significação de um ato involuntário reside no fato de ele ser o substituto de um ato ideal, de uma ação impossível que, em termos absolutos, deveria ter-se produzido, mas não ocorreu. Quando o psicanalista interpreta e desvenda a significação de um sonho, por exemplo, que faz ele senão mostrar que o sonho, como ato, é o substituto de um outro ato que não veio à tona, mostrar que aquilo que *é* é o *substituto* daquilo que *não foi*? Nossos atos involuntários têm um sentido, portanto. Mas, como qualificar esse sentido? Qual é o teor do sentido oculto de nossos atos? A resposta a essa pergunta enuncia a grande descoberta da psicanálise. Que diz ela? Que a significação de nossos atos é uma significação sexual. Mas, por que sexual? Reportemo-nos à *Figura 5* e vejamos de que natureza é a fonte que está na origem da

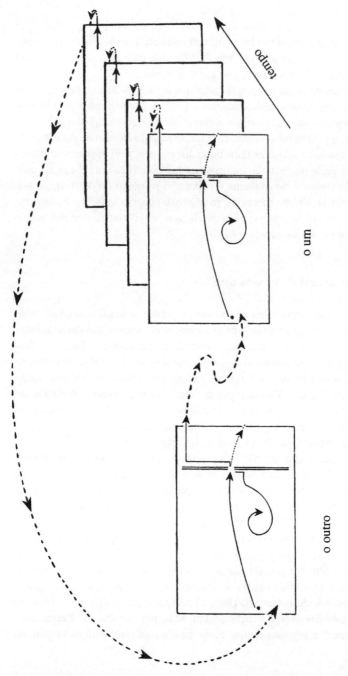

Figura 4.
**As produções do inconsciente do outro estimulam as fontes de meu inconsciente.
E minhas próprias produções estimulam as fontes do inconsciente do outro.**

tendência pulsional, e de que natureza é o alvo ideal a que essa tendência aspira, isto é, a ação ideal e impossível que não se deu, e da qual nossos atos são os substitutos. O sentido de nossos atos é um sentido sexual porque a fonte e o alvo dessas tendências são sexuais. A fonte é um representante pulsional cujo conteúdo representativo corresponde a uma região do corpo que é muito sensível e excitável, chamada *zona erógena*. Quanto ao alvo, sempre ideal, ele é o prazer perfeito de uma ação perfeita, de uma perfeita união entre dois sexos, cuja imagem mítica e universal seria encarnada pelo *incesto*.

*

O conceito psicanalítico de sexualidade

Essas tendências, que aspiram ao ideal impossível de uma satisfação sexual absoluta, que nascem na representação de uma zona erógena do corpo, esbarram no recalcamento e, finalmente, exteriorizam-se por atos substitutivos do impossível[6] ato incestuoso — essas tendências chamam-se pulsões sexuais. As pulsões sexuais são múltiplas, povoam o território do inconsciente, e sua existência remonta a um ponto longínquo de nossa história, desde o estado embrionário, só vindo a cessar com a morte. Suas manifestações mais marcantes aparecem durante os primeiros cinco anos de nossa infância.

Freud decompõe a pulsão sexual em quatro elementos. Deixando de lado a *fonte* de onde ela brota (zona erógena), a *força* que a move e o *objetivo* que a atrai, a pulsão serve-se de um *objeto* por meio do qual tenta chegar a seu objetivo ideal. Esse objeto pode ser uma coisa ou uma pessoa, ora a própria pessoa, ora uma outra, mas é sempre um *objeto fantasiado*, e não real. Isso é importante para compreender que os atos substitutivos através dos quais as pulsões sexuais se exprimem (uma palavra inesperada, um gesto involuntário, ou laços afetivos que não escolhemos) são atos moldados em fantasias e organizados em torno de um objeto fantasiado.

Mas devo ainda acrescentar um elemento essencial que caracteriza essas pulsões, a saber, o prazer particular que elas proporcionam. Não o prazer absoluto a que visam, mas o prazer limitado que obtêm: um prazer parcial, qualificado de sexual. Ora, que é o prazer sexual? E, em termos mais gerais: que é a sexualidade? Do ponto de vista da psicanálise, a sexualidade humana não se reduz ao contato dos órgãos genitais de dois indivíduos, nem à estimulação de sensações genitais. Não, o conceito de "sexual" reveste-se, em psicanálise, de uma acepção muito mais ampla que a de "genital". Foram as crianças e os perversos que mostraram a Freud a vasta extensão da idéia de sexualidade. Chamamos sexual a toda conduta que, partindo de uma região erógena do corpo (boca, ânus, olhos, voz, pele etc.), e apoiando-se numa fantasia, proporciona um certo tipo de prazer. Que prazer? Um prazer que comporta dois aspectos. Primeiro, sua diferença radical daquele outro prazer que é proporcionado pela satisfação de uma necessidade fisiológica (comer, eliminar, dormir etc.). O prazer de mamar do bebê, por exemplo, seu prazer da sucção, corresponde, do ponto de vista psicanalítico, a um prazer sexual que não se confunde com o alívio de saciar a fome. Alívio e prazer por certo estão associados, mas o prazer sexual de sucção logo se transforma numa satisfação buscada por si mesma, fora da necessidade natural. O sujeito passa a ter prazer em sugar, independentemente de qualquer sensação de fome. Segundo aspecto: o prazer sexual — bem distinto, portanto, do prazer funcional —, polarizado em torno de uma zona erógena, obtido graças à mediação de um objeto fantasiado (e não de um objeto real), é encontrado entre os diferentes prazeres das carícias preliminares ao coito em si. Para conservar nosso exemplo, o prazer de sucção irá prolongar-se como o prazer de abraçar o corpo do ser amado.

Necessidade, desejo e amor

Para melhor situar a distância entre prazer funcional e prazer sexual, detenhamo-nos por um instante e definamos com clareza as noções de necessidade, desejo e amor. A *necessidade* é a exigência de um órgão cuja satisfação se dá, realmente, com um objeto concreto (o alimento, por exemplo), e não com uma fantasia. O prazer de bem-estar proveniente daí nada tem de sexual. O *desejo*, em contrapartida, é uma expressão da pulsão sexual, ou melhor, é a própria pulsão sexual, quando lhe atribuímos uma intencionalidade orientada para o absoluto do incesto e a vemos contentar-se com um objeto fantasiado, encarnado pela pessoa de um outro desejante. Diferentemente da necessidade, o desejo nasce de uma zona erógena do corpo e se satisfaz parcialmente com uma fantasia cujo objeto é um outro desejante. Assim, o apego ao outro equivale ao apego a um objeto fantasiado, polarizado em torno de um órgão erógeno particular. O *amor*, por último, é também um apego ao outro, mas de maneira global e sem o suporte de uma zona erógena

definida. Esses três estados, bem entendido, imbricam-se e se confundem em toda relação amorosa.
  Mas, por que essas pulsões sexuais só obtêm um prazer limitado? E mais, por que se contentam com objetos fantasiados, e não com objetos concretos e reais? Para responder, reportemo-nos à *Figura 5*. Pois bem, as pulsões sexuais só obtêm um prazer parcial e substitutivo porque esse foi o único prazer que elas conseguiram conquistar, com muita garra, depois de se livrarem das defesas do eu. Que defesas? Em primeiro lugar, o recalcamento. Ora, o recalcamento também é, a sua maneira, uma força, ou melhor, uma pulsão. Acaso isso significa que haveria dois grupos de pulsões opostas: o grupo das pulsões que tendem à descarga e o grupo das pulsões que se opõem a elas? Sim, foi justamente essa a primeira teoria das pulsões, proposta por Freud no início de sua obra e até 1915, quando ele introduziu o conceito de narcisismo. Logo veremos qual foi a segunda teoria, formulada depois dessa data, mas, por enquanto, vamos distinguir duas tendências pulsionais antagônicas: as pulsões sexuais recalcadas e as pulsões do eu recalcantes.[*] As primeiras buscam o prazer sexual absoluto, enquanto as últimas se opõem a ele. O resultado desse conflito consiste, precisamente, no prazer derivado e parcial que denominamos de prazer sexual.

Os três principais destinos das pulsões sexuais: recalcamento, sublimação e fantasia.
O conceito de narcisismo

Se vocês se houverem assenhoreado da lógica em quatro tempos do funcionamento psíquico, facilmente admitirão que o destino das pulsões sexuais é sempre o mesmo: elas estão condenadas a deparar sempre, no caminho de seu alvo ideal, com a oposição das pulsões do eu, isto é, com o obstáculo do recalcamento. Mas, além do recalcamento, o eu opõe duas outras obstruções às pulsões sexuais: a sublimação e a fantasia.

---

[*] Com essa expressão, "pulsões do eu recalcantes", reduzimos o vasto campo das pulsões do eu a seu aspecto essencial. Estudar exaustivamente o campo das pulsões do eu ultrapassaria os limites deste trabalho.

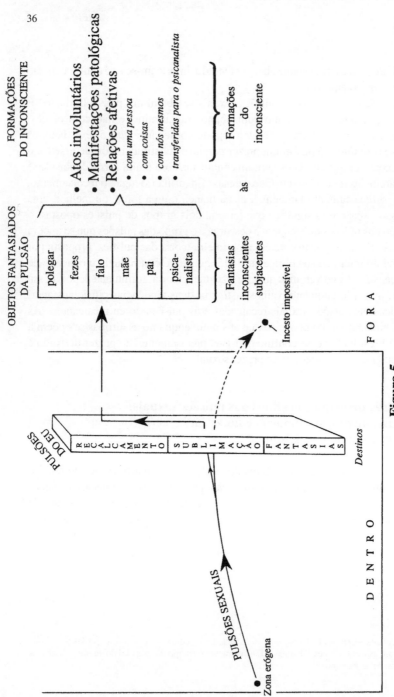

Figura 5.

As pulsões sexuais, seus 3 principais destinos

A sublimação

O primeiro desses entraves consiste em desviar o trajeto da pulsão, *mudando seu alvo*; essa manobra é chamada sublimação e reside na substituição do alvo sexual ideal (incesto) por um outro alvo, não sexual, de valor social. As realizações culturais e artísticas, as relações de ternura entre pais e filhos, os sentimentos de amizade e os laços sentimentais do casal são, todos eles, expressões sociais das pulsões sexuais desviadas de seu alvo virtual.

A fantasia

A outra barreira imposta pelo eu é mais complicada, porém a compreensão de seu mecanismo nos permitirá explicar por que os objetos com que a pulsão obtém prazer sexual são objetos fantasiados, e não reais. Esse outro obstáculo que o eu opõe às pulsões sexuais consiste não numa mudança de alvo, como foi o caso da sublimação, mas numa *mudança de objeto*. No lugar de um objeto real, o eu instala um objeto fantasiado, como se, para deter o ímpeto da pulsão sexual, o eu contentasse a pulsão enganando-a com a ilusão de um objeto fantasiado.

Mas, como é que o eu consegue realizar essa mágica? Pois bem, para transmudar o objeto real num objeto fantasiado, ele precisa, primeiro, incorporar dentro de si o objeto real, até transformá-lo em fantasia. Tomemos um exemplo e decomponhamos artificialmente esse estratagema do eu, em seis etapas.

1. Imaginemos uma relação afetiva com uma pessoa que nos atraia e a quem amemos. Sem distinguir necessidade, desejo e amor, vamos preocupar-nos com o estatuto dessa pessoa, quando ela é transformada, de objeto real, em objeto fantasiado. Suponhamos, primeiro, que essa pessoa seja o objeto real para o qual se orienta a pulsão sexual.

2. Nós (isto é, o eu) amamos essa pessoa até incorporá-la em nosso interior e fazer dela uma parte de nós mesmos.

3. Assim, identificamo-nos com o ser amado que está em nós e o tratamos com um amor ainda mais poderoso do que aquele que lhe votávamos quando ele era real.

4. Então, a pessoa amada deixa de estar do lado de fora e vive dentro de nós como um objeto fantasiado, que mantém e reaviva constantemente a pulsão sexual. Assim, a pessoa real passa a não mais existir para nós senão

sob a forma de uma fantasia, mesmo que, conjuntamente, continuemos a reconhecer nela uma existência autônoma no mundo. Por conseguinte, quando amamos, sempre amamos um ser que é feito da fantasia e está referido ao outro ser real que reconhecemos do lado de fora.

5. A relação amorosa, assim fundamentada numa fantasia que aplaca a sede da pulsão, proporciona, pois, o prazer parcial que qualificamos de sexual.

6. Amaremos ou odiaremos nosso próximo conforme o modo que tivermos de acalentar ou odiar, dentro de nós, seu duplo fantasiado. Todas as nossas relações afetivas e, em particular, a relação que se estabelece entre o paciente e seu psicanalista — o amor de transferência —, todas essas relações conformam-se aos moldes da fantasia; fantasia que mobiliza a atividade das pulsões sexuais e proporciona prazer.

O conceito de narcisismo

Entretanto, nas seqüências que acabamos de distinguir, não demos destaque ao gesto essencial do eu que lhe permite transformar o objeto real em objeto fantasiado. Que gesto é esse? É uma torção do eu chamada narcisismo. O narcisismo é o estado singular do eu quando — a fim de incorporar o objeto real e transformá-lo em fantasia — ele toma o lugar do objeto sexual e se faz amar e desejar pela pulsão sexual. É como se o eu, para domar a pulsão, a desviasse de seu alvo ideal e a enganasse, dizendo-lhe: "Já que você está procurando um objeto para chegar a seus fins sexuais, venha, sirva-se de mim!" A dificuldade teórica do conceito de narcisismo é justamente compreender que as pulsões sexuais e o eu — identificado com o objeto fantasiado — constituem duas partes de nós mesmos. O eu-pulsão sexual ama o eu-objeto. Assim é que podemos formular: o eu-pulsão ama a si mesmo como a um objeto sexual. O narcisismo não se define, de maneira alguma, por um simples voltar-se para si num "amar a si mesmo", mas por um "amar a si mesmo como *objeto sexual*": o eu-pulsão sexual ama o eu-objeto sexual. O amor narcísico do eu por ele mesmo, enquanto objeto sexual, está na base da constituição de todas as nossas fantasias. Por isso, podemos concluir que a matéria das fantasias é, sempre e inevitavelmente, o eu.

Resumamos, pois, os principais destinos das pulsões sexuais: ser recalcadas, sublimadas ou tapeadas por uma fantasia.

As fases da sexualidade infantil e o complexo de Édipo

Mas as pulsões sexuais remontam a um ponto longínquo em nossa infância. Têm uma história que pontua o desenvolvimento de nosso corpo de criança. Sua evolução começa desde o nascimento e culmina entre os três e cinco anos, com o aparecimento do complexo de Édipo, que marca o apego da criança àquele dos pais que é do sexo oposto ao dela e sua hostilidade para com o do mesmo sexo. A resolução desse complexo é que irá conduzir a criança a encontrar sua identidade de homem ou de mulher. A maioria dos acontecimentos sobrevindos durante esses primeiros anos da vida é atingida pelo esquecimento, um apagamento a que Freud chamou *amnésia infantil*.

Podemos destacar, sucintamente, três fases na história das pulsões sexuais infantis. Três fases que se distinguem de acordo com a dominância da zona erógena: a fase oral, em que a zona dominante é a boca, a fase anal, em que é o ânus que prevalece, e a fase fálica, com a primazia do órgão genital masculino.

*

A *fase oral* abrange os primeiros seis meses do bebê; a boca é a zona erógena preponderante e proporciona ao bebê não apenas a satisfação de se alimentar, mas sobretudo o prazer de sugar, isto é, de pôr em movimento os lábios, a língua e o palato, numa alternância ritmada. Quando empregamos a expressão "pulsão oral" ou "prazer oral", devemos afastar qualquer relação exclusiva com o alimento. O prazer oral é, fundamentalmente, o prazer de exercer uma sucção sobre um objeto que se tem na boca ou que se leva à boca, e que obriga a cavidade bucal a se contrair e se relaxar sucessivamente. No bebê, como vimos, esse ganho de prazer à margem da saciação deve ser qualificado de sexual. O objeto da pulsão oral não é, portanto, o leite que ele ingere como alimento, mas o afluxo de leite quente que excita a mucosa, ou então o mamilo do seio materno, a mamadeira e, algum tempo depois, uma parte do próprio corpo — na maioria das vezes, os dedos e, em especial, o polegar, que são, todos eles, objetos reais que mantêm o movimento cadenciado da sucção. E que são, todos, objetos-pretexto que sustentam as fantasias. Quando observamos uma criança que chupa o polegar bem apoiado contra a concavidade do palato, com seu olhar sonhador, deduzimos que, nesse momento, ela está experimentando — psicanaliticamente falando — um intenso prazer sexual. Não nos esqueçamos de que o apego aos objetos reais é, acima de tudo, um apego a objetos fantasiados. Assim, o polegar real que a criança suga é, na verdade, um objeto fantasiado que ela acaricia, ou seja, ela mesma (narcisismo). Acrescentemos que existe ainda uma fase oral tardia, que começa por volta do sexto mês de vida, com o surgimento dos primeiros dentes. O prazer sexual de morder, às vezes com raiva, completa o prazer da sucção.

*

A *fase anal* desenvolve-se durante o segundo e terceiro anos. O orifício anal é a zona erógena dominante, e as fezes constituem o objeto real que dá ensejo ao objeto fantasiado das pulsões anais. Do mesmo modo que havíamos distinguido o prazer de comer do prazer sexual da sucção, devemos aqui separar o prazer funcional de defecar, aliviando-se de uma necessidade corporal, do prazer sexual de reter as fezes e ejetá-las bruscamente. A excitação sexual da mucosa anal é provocada, antes de mais nada, por um ritmo particular do esfíncter anal, quando ele se contrai para reter e se dilata para evacuar.

> *Originalmente, conhecemos apenas objetos sexuais: a psicanálise nos mostra que as pessoas a quem acreditamos apenas respeitar e estimar podem, para nosso inconsciente, continuar a ser objetos sexuais.*
>
> S. Freud

A *fase fálica* precede o estado final do desenvolvimento sexual, isto é, a organização genital definitiva. Entre a fase fálica, que se estende dos três aos cinco anos, e a organização genital propriamente dita, que aparece quando da puberdade, intercala-se um período chamado "de latência", durante o qual as pulsões sexuais são inibidas.

No curso da fase fálica, o órgão genital masculino — o pênis — desempenha o papel dominante. Na menina, o clitóris é considerado, segundo Freud, um atributo fálico, fonte de excitação. À semelhança das outras fases, o objeto real serve de base para o objeto fantasiado. Aqui, o pênis e o clitóris são apenas os suportes concretos e reais de um objeto fantasiado chamado falo[7]. Quanto ao prazer sexual, ele resulta das carícias masturbatórias e dos toques ritmados das partes genitais, tão ritmados quanto podem ser os movimentos alternados da sucção no prazer oral e os da retenção/expulsão no prazer anal.

No começo dessa fase, meninos e meninas acreditam que todos os seres humanos têm ou deveriam ter "um falo". A diferença entre os sexos, homem/mulher, é então percebida pela criança como uma oposição possuidor do falo/privado do falo (castrado). Depois, a menina e o menino seguirão um caminho diferente, até sua identidade sexual definitiva. Essas vias divergem porque o objeto (falo) com o qual a pulsão fálica se satisfaz assume, num e noutro, uma forma diferente. Para o menino, o objeto da pulsão, ou seja, o falo, é a pessoa da mãe, ou melhor, a mãe fantasiada, e às vezes, curiosamente, como veremos, o próprio pai. Para a menina, o objeto é inicialmente a mãe fantasiada, e depois, num segundo tempo, o pai. O garotinho entra no Édipo e começa a manipular seu pênis, entregando-se a fantasias ligadas a sua mãe. Depois, sob o efeito conjunto da ameaça de castração proferida pelo pai e da angústia provocada pela percepção do corpo feminino, privado de falo, o menino acaba renunciando a possuir o objeto-mãe. O afeto em torno do qual o Édipo masculino se organiza, culmina e chega ao desenlace é a *angústia*; a chamada angústia de castração, isto é, o medo de ser privado daquela parte do corpo que, nessa idade, o menino tem por objeto mais estimável: seu pênis, cuja fantasia tem o nome de "falo".

Na menina, a passagem da mãe para o pai é mais complicada. O grande acontecimento durante o Édipo feminino é a decepção que a menina sente ao constatar a falta do falo de que ela acreditava ter sido dotada. Esse sentimento de decepção, onde se misturam rancor e nostalgia, assume a forma acabada de um afeto de inveja: a inveja do pênis. Pênis — não nos esqueçamos — cuja fantasia é o falo. O afeto em torno do qual gravita o Édipo feminino não é, portanto, a angústia, como no menino, mas a *inveja*. Inveja do pênis, que logo se transformará no desejo de ter um filho do pai e, mais tarde, quando a menina se houver transformado em mulher, no desejo de ter um filho do homem eleito. Mas vamos deixar claro que Freud, muito depois, complementou a teoria da castração na menina, reconhecendo que a inveja não era a única resposta à castração que ela acreditava já e definitivamente consumada, em virtude de sua falta de pênis. Existe ainda na mulher um afeto diferente da inveja, o de angústia. De uma angústia que deve ser compreendida como o medo, não de perder o pênis/falo que ela nunca teve, mas de perder o outro "falo" inestimável que é o amor proveniente do objeto amado. A angústia de castração, na mulher, não é outra coisa, portanto, senão a angústia de perder o amor do ser amado. Numa palavra, os dois grandes afetos que decidirão sobre o desfecho do Édipo feminino são a *inveja do pênis* e a *angústia de perder o amor*.

Observação sobre o Édipo do menino: o papel essencial do pai

Eu gostaria de desfazer, aqui, um freqüente mal-entendido concernente ao Édipo do menino e, em particular, ao papel que o pai desempenha nele. Habitualmente, como nós mesmos acabamos de fazer, enfatizamos o apego do menino à mãe como objeto sexual e seu ódio pelo pai. Pois bem, sem renegar essa configuração clássica do Édipo, Freud privilegiou tanto a relação do menino com o pai que não hesitaremos em fazer do pai — e não da mãe — o personagem principal do Édipo masculino. Eis o argumento para isso. Na primeira etapa da formação do Édipo, reconhecemos dois tipos de ligação afetiva do menino: um apego desejante à mãe, considerada como objeto sexual, e sobretudo um apego ao pai como modelo a ser imitado. O menino faz de seu pai um ideal em que ele próprio gostaria de se transformar. O vínculo com a mãe — objeto sexual — não é outra coisa senão o ímpeto de um *desejo*, ao passo que o vínculo com o pai — objeto ideal — repousa num sentimento de *amor*, produzido pela *identificação* com um ideal. Esses dois sentimentos, o desejo pela mãe e o amor pelo pai, diz-nos Freud, "aproximam-se um do outro, acabam por se encontrar, e é desse encontro que resulta o complexo de Édipo normal"[8]. Ora, o que se passa durante esse encontro? O menino fica aborrecido com a presença da pessoa do pai, que barra seu impulso desejante dirigido à mãe. A identificação amorosa com o pai ideal transforma-se, então, numa atitude hostil contra o pai, e acaba por derivar para uma identificação com o pai como homem da mãe. O menino passa então a querer substituir o pai junto da mãe, tomada como objeto sexual. Certamente, todos esses afetos dirigidos ao pai cruzam-se e combinam-se numa mescla de ternura pelo ideal, animosidade em relação ao intruso e vontade de possuir os atributos do homem.

Entretanto, pode ainda suceder ao Édipo virar-se numa curiosa inversão. O verdadeiro Édipo invertido — expressão muito usada e raramente bem compreendida — consiste numa mudança radical do estatuto do objeto-pai:

o pai aparece aos olhos do menino como um objeto sexual desejável. Tudo sofre uma reviravolta. De objeto ideal que despertava admiração, ternura e amor, o pai transforma-se então num objeto sexual que excita o desejo. Antes, o pai era aquilo que se queria *ser*, um ideal; agora, o pai é o que se gostaria de *ter*, um objeto sexual. Numa palavra, para o menino, o pai se apresenta sob três imagens diferentes: amado como um ideal, odiado como um rival e desejado como um objeto sexual. É isso que nos empenhamos em sublinhar: o essencial do Édipo masculino são as vicissitudes da relação do menino com o pai, e não — como se costuma acreditar — com a mãe.

*

Mais uma palavra para sublinhar as particularidades da fase fálica, tão essencial em relação às fases precedentes, já que de seu desfecho dependerá a futura identidade sexual da criança transformada em adulto. Aqui estão os aspectos a serem guardados em mente. Primeiro, note-se que, nessa fase, o objeto fantasiado da pulsão não se apóia, como antes, numa parte do corpo do indivíduo, como o polegar ou as fezes, mas numa pessoa. O objeto fantasiado da pulsão (falo) assume a imagem de uma mãe ou de um pai às voltas com desejos e pulsões. Assim, a mãe é percebida pelo menino da fase fálica através da fantasia de uma mãe desejante.

Observe-se ainda que, no decorrer dessa fase, a criança, pela primeira vez, tem a experiência de perder o objeto da pulsão, não como conseqüência de uma evolução natural, como nos estágios precedentes (o desmame, por exemplo), mas em resposta a uma obrigação incontornável. O menino perde seu objeto-mãe para se submeter à lei universal da proibição do incesto. Lei que o pai lhe ordena respeitar, sob pena de privá-lo de seu pênis.

Por último, observe-se que a fase fálica é a única que se conclui pela resolução de uma opção decisiva: o sujeito terá de escolher entre salvar uma parte de seu próprio corpo ou salvar o objeto de sua pulsão. Essa alternativa equivale, definitivamente, a eleger uma ou outra forma de falo: ou o pênis, ou a mãe. O menino terá que decidir entre preservar seu corpo da ameaça da castração, isto é, preservar o pênis, ou conservar o objeto de sua pulsão, ou seja, a mãe. Terá que escolher entre salvar seu pênis e renunciar à mãe, ou não renunciar à mãe, mas sacrificar seu pênis. Sem dúvida, o desfecho normal consiste em renunciar ao objeto e salvar a integridade de sua pessoa. O amor narcísico tem primazia sobre o amor objetal. Essa alternativa, que apresento como o drama que seria vivido por uma criança mítica, é, na verdade, a mesma alternativa que todos atravessamos em certos momentos de nossa existência, quando somos forçados a tomar decisões em que o que está em jogo é perder aquilo que nos é mais caro. Então, para preservar o ser, é o objeto que abandonamos.

*

**Pulsões de vida e pulsões de morte.
O desejo ativo do passado**

Anunciei-lhes que Freud havia modificado sua primeira teoria das pulsões, que opõe as pulsões recalcantes do eu às pulsões sexuais. O motivo principal disso foi a descoberta do narcisismo. Com efeito, lembremo-nos de que, para enganar as pulsões, o eu torna-se um objeto sexual fantasiado: já não há distinções a estabelecer entre um suposto objeto sexual externo e real, sobre o qual incidiria a libido das pulsões, e o próprio eu. O objeto sexual externo, o objeto sexual fantasiado e o eu são uma só e mesma coisa, que chamamos objeto da pulsão. Desse ponto de vista, podemos afirmar: o eu ama a si mesmo como objeto das pulsões.

Mas, se a libido das pulsões sexuais pode incidir sobre esse objeto único que é o eu, já não há por que reconhecer no eu uma vontade defensiva e recalcante contra as referidas pulsões sexuais. Por conseguinte, as pulsões do eu desaparecem da teoria de Freud e, com elas, o par de opostos pulsões do eu/pulsões sexuais. Freud propõe então reagrupar os movimentos libidinais, que incidem tanto no eu quanto nos objetos sexuais externos, sob o termo único *pulsões de vida*, opondo-o ao termo *pulsões de morte*. O alvo das pulsões de vida é a ligação libidinal, isto é, o atamento dos laços, por intermédio da libido, entre nosso psiquismo, nosso corpo, os seres e as coisas. As pulsões de vida tendem a investir tudo libidinalmente e a manter a coesão das partes da substância viva. Em contrapartida, as pulsões de morte visam ao desligamento, ao desprendimento da libido dos objetos e ao retorno inelutável do ser vivo à tensão zero, ao estado inorgânico. No tocante a isso, esclarecemos que a "morte" que rege essas pulsões nem sempre é sinônimo de destruição, guerra ou agressão. As pulsões de morte representam a tendência do ser vivo a encontrar a calma da morte, do repouso e do silêncio. Podem também estar na origem das mais mortíferas manifestações humanas, quando a tensão busca aliviar-se no mundo externo. Entretanto, quando as pulsões de morte permanecem dentro de nós, elas são profundamente benéficas.

Note-se que esses dois grupos de pulsões agem não apenas de comum acordo, mas compartilham um traço comum. Eu gostaria de me deter nisso, porque esse traço constituiu um conceito absolutamente novo, um salto no pensamento freudiano. Qual é esse traço comum às pulsões de vida e de morte? Qual é esse novo conceito? À parte sua diferença, tanto a pulsão de vida quanto a pulsão de morte visam a restabelecer um estado anterior no tempo. Seja a pulsão de vida, que procura aumentar a tensão, seja a pulsão de morte, que aspira à calma e ao retorno a zero, ambas tendem a reproduzir e a repetir uma situação passada, quer tenha sido agradável ou desagradável, prazerosa ou desprazerosa, com ou sem tensão. Nossa vida e a vida daqueles que falam conosco, nossos pacientes, mostram que amiúde tendemos a repetir nossos fracassos e nossos sofrimentos, com uma força mais poderosa, às vezes, do que a que nos leva a reencontrar os acontecimentos agradáveis. É o caso do soldado com um trauma de guerra, que não consegue impedir-se de rever em sonhos, repetidamente, o evento traumático em que a bomba explodiu a seu lado.

Em suma, o novo conceito introduzido por Freud com a segunda teoria das pulsões foi o da *compulsão à repetição no tempo*. A exigência de repetir o passado é mais forte do que a exigência de buscar no futuro o acontecimento prazeroso. A compulsão a repetir é uma pulsão primária e fundamental, a pulsão das pulsões; já não se trata de um princípio que orienta, mas de uma tendência que exige retornar, reencontrar aquilo que já aconteceu. O desejo ativo do passado, mesmo que o passado tenha sido ruim para o eu, explica-se por essa compulsão a retomar o que não foi concluído, com vontade de completá-lo. Havíamos mostrado que nossos atos involuntários eram substitutos de uma ação ideal e não consumada. Por isso, a compulsão à repetição seria o desejo de retornar ao passado e rematar, sem entraves e sem desvios, a ação que se revelou impossível, como se as pulsões inconscientes nunca se resignassem a ficar condenadas ao recalcamento.

Por conseguinte, podemos afirmar que a pulsão de repetir no tempo é ainda mais irresistível que a de buscar o prazer. A tendência conservadora que é própria das duas pulsões — a de voltar atrás — prevalece sobre a outra tendência, igualmente conservadora, regida pelo princípio de prazer — a de reencontrar um estado sem tensão. Por isso, Freud considerou a compulsão à repetição como uma força que ultrapassa os limites do princípio de prazer, que vai além da busca do prazer. Não obstante, o par pulsões de vida/pulsões de morte continua a ser regido pela ação conjunta desses dois princípios fundamentais do funcionamento mental: encontrar o passado e encontrar o prazer.

A transferência é uma fantasia cujo objeto é o inconsciente do psicanalista

Devo concluir agora. Gostaria de fazê-lo pedindo-lhes para entrar no consultório do psicanalista e reconhecer, ali, que a relação do paciente com o analista também pode ser entendida como uma expressão da vida pulsional. Desde o apego mais apaixonado até a mais obstinada hostilidade, a relação analítica retira todas as suas particularidades das fantasias que sustentam e sustentaram as relações afetivas que o analisando já viveu no passado. Esse é o fenômeno da transferência. Vamos deixar bem claro que o vínculo transferencial com o analista não é a simples reprodução, no presente, dos laços afetivos e desejantes do passado. A transferência é, antes de mais nada, a colocação em ato das mesmas fantasias que outrora se expressaram sob a forma dos primeiros laços afetivos. Portanto, convém entender que a transferência não é a repetição de uma antiga relação, mas a atualização de uma fantasia.

O manejo da transferência exige do analista não só uma grande habilidade e experiência, mas também uma constante atividade de autopercepção. O instrumento do psicanalista não é apenas o saber, mas, acima de tudo, seu próprio inconsciente, único meio de que ele dispõe para captar o inconsciente do paciente. Se, no complexo de Édipo, o objeto da pulsão fálica é o desejo da mãe, deveríamos adiantar que, na transferência, o objeto da pulsão analítica — vamos chamá-lo assim — é o inconsciente do psicanalista.

Essa disponibilidade singular do analista, que lhe permite agir com seu inconsciente, mas também expor-se ao inconsciente do outro, explica por que as produções do inconsciente surgidas ao longo do tratamento podem aparecer, alternadamente, num ou noutro dos parceiros da análise. Foi essa alternância que me levou a propor a tese de um inconsciente único. Não há dois inconscientes, um pertencente ao analista e outro ao analisando, mas um só e único inconsciente. As formações do inconsciente, cujo aparecimento se alterna entre analista e analisando, podem ser legitimamente consideradas como a dupla expressão de um único inconsciente, o da relação analítica.

*

A psicanálise não é um sistema fechado, à maneira de uma teoria abstrata. Ela é obrigada a se abrir constantemente e a avançar de modo tateante, guiada por uma única exigência: empenhar-se na escuta daquele que sofre e verbaliza seu sofrimento. Esse fato, o simples fato de haver pacientes que exprimem sua dor, obriga o psicanalista a voltar constantemente aos fundamentos da psicanálise, a rever, retomar e atualizar os princípios e conceitos básicos — como acabo de tentar fazer através deste trabalho. A psicanálise, diversamente de outras disciplinas do espírito, é inevitavelmente aberta, por ser ininterruptamente submetida à prova da verdade que é a realidade clínica.

Excertos da obra de Freud*

A psicanálise é um procedimento, um método e a teoria daí derivada

Psicanálise é o nome: 1) de um método de investigação dos processos psíquicos que, de outro modo, são praticamente inacessíveis; 2) de um método de tratamento dos distúrbios neuróticos que se fundamenta nessa investigação; 3) de uma série de concepções psicológicas adquiridas por esse meio (...).[1]

*

O conhecimento favorece o tratamento, e o tratamento faz conhecer

(...) há outra coisa que sei. Houve na psicanálise, desde o começo, uma estreita união entre tratamento e pesquisa, o conhecimento levava ao sucesso, e era impossível tratar sem aprender alguma coisa nova, não se adquiria nenhum esclarecimento sem experimentar sua ação benéfica. Nosso procedimento analítico é o único em que essa preciosa conjunção se conservou.[2]

*

Quais são os conteúdos da teoria psicanalítica?

Agruparei mais uma vez os fatores que constituem o conteúdo dessa teoria. São eles: a ênfase colocada na vida pulsional (afetividade), na dinâmica psíquica, na significância e no determinismo gerais, inclusive dos fenômenos psíquicos aparentemente mais obscuros e mais arbitrários; a doutrina do conflito psíquico e da natureza patogênica do recalcamento, a concepção dos sintomas mórbidos como satisfação substitutiva, e o reconhecimento da

---

* As traduções aqui constantes dos excertos de S. Freud correspondem às citações fornecidas em francês no original deste livro, não seguindo os textos traduzidos na *E.S.B.*, cujos títulos e volumes são indicados para facilitar a consulta pelos leitores. (N.T.)

importância etiológica da vida sexual, em particular a dos primórdios da sexualidade infantil.[3]

*

O tempo 4 e o tempo 3 de nosso esquema

Uma parte [das moções pulsionais sexuais] apresenta a preciosa propriedade de se deixar desviar de seus alvos imediatos e, assim, como tendências "sublimadas", de colocar sua energia à disposição da evolução cultural [nosso *tempo 4*]. Mas outra parte permanece no inconsciente, como moção de desejo insatisfeita, e pressiona à satisfação, seja ela qual for, mesmo que deturpada [nosso *tempo 3*].[4]

*

Aquilo que é, é o substituto do que não foi

[Os] sintomas nascem em situações que contêm um impulso para uma ação, um impulso (...) que fora reprimido (...). É justamente no lugar dessas ações não ocorridas que surgem os sintomas.[5]

*

O recalcamento primário é uma fixação do representante psíquico no solo do inconsciente

É lícito, portanto, admitirmos um *recalcamento originário*, uma primeira fase do recalcamento, que consiste em que ao representante psíquico (representante-representação) da pulsão é recusado o acesso ao consciente. Com ele se produz uma *fixação*; o representante correspondente subsiste (...) de maneira inalterável, e a pulsão continua ligada a ele.[6]

*

Depois que o recalcado chega à consciência, sob a forma de produtos, o recalcamento secundário é o recalcamento que reconduz esses produtos a seu lugar de origem, isto é, ao inconsciente

O segundo estádio do recalcamento, o *recalcamento propriamente dito*, concerne aos produtos psíquicos do representante recalcado. (...) O recalcamento propriamente dito, portanto, é um recalcamento a posteriori.[7]

*

O recalcado é apenas uma parte do inconsciente (sendo a outra parte constituída pela ação do próprio recalcamento)

A psicanálise nos ensinou que a essência do processo de recalcamento não consiste em suprimir, em aniquilar uma representação que representa a pulsão, mas em impedir que ela se torne consciente. Dizemos, então, que ela se encontra em estado "inconsciente", e podemos fornecer sólidas provas de que, mesmo sendo inconsciente, ela pode produzir efeitos, alguns dos quais chegam até a atingir a consciência. Todo recalcado é necessariamente inconsciente, mas fazemos questão de afirmar, desde logo, que o recalcado não abrange todo o inconsciente. O inconsciente tem uma extensão maior; o recalcado é uma parte do inconsciente.[8]

*

O recalcado dita nossos atos e determina nossas escolhas afetivas

Tudo o que uma criança de dois anos já viu sem compreender pode muito bem nunca mais voltar a sua memória, a não ser em sonhos. (...) Mas, num dado momento, estes últimos [acontecimentos], dotados de grande força compulsiva, podem surgir na vida do sujeito, ditar-lhe seus atos, determinar suas simpatias ou antipatias e, muitas vezes, decidir sobre sua escolha amorosa, embora essa escolha, como é muito freqüente, seja indefensável do ponto de vista racional.[9]

*

As crianças e os perversos ensinaram a Freud que a sexualidade humana ultrapassa largamente os limites do genital

Chegou-se até a (...) fazer [à psicanálise] a extravagante censura de explicar "tudo" pela sexualidade. (...) No que concerne à extensão dada por nós à idéia de sexualidade, extensão esta que nos foi imposta pela *psicanálise das crianças* e por aqueles a quem chamamos *perversos*, respondemos aos que, de sua altivez, lançam um olhar de desprezo à psicanálise, que eles deveriam lembrar-se do quanto a idéia de uma sexualidade mais ampla se aproxima do Eros do divino Platão.[10]

*

O prazer sexual de sugar e o prazer de aplacar a fome são duas satisfações inicialmente associadas que, depois, vêm a se separar

A criança, quando suga, busca nesse ato um prazer já experimentado e que, agora, volta-lhe à memória. Ao sugar ritmicamente uma parte da epiderme ou da mucosa, a criança se satisfaz. (...) Diríamos que os lábios da criança desempenham o papel de uma *zona erógena* e que a *excitação causada pelo afluxo do leite quente* provoca o prazer. No começo, a satisfação da zona erógena está estreitamente ligada ao aplacamento da fome. (A atividade sexual apóia-se, a princípio, numa função que serve para preservar a vida, da qual ela só se torna independente mais tarde.)[11]

*

No Édipo masculino, o pai apresenta-se aos olhos do menino sob três imagens diferentes: amado como um ideal, odiado como um rival e desejado como um objeto sexual. Neste último caso, não só o menino toma o pai como objeto sexual, mas também se oferece a ele, a exemplo da mãe, como objeto sexual

A relação do menino com o pai é (...) uma relação ambivalente. Ao lado do ódio que gostaria de eliminar o pai enquanto rival, um certo grau de ternura para com ele também costuma estar presente. (...) Outra complicação sobrevém quando (...) a ameaça que a castração faz pesar sobre a masculinidade reforça a inclinação do menino a se desviar em direção à feminilidade, colocar-se no lugar da mãe e assumir o papel dela como objeto de amor do pai.[12]

*

No Édipo feminino, o afeto que predomina não é, como no menino, a angústia de castração, mas a inveja do pênis

As coisas são diferentes na menina. Ela julga e decide prontamente. Viu aquilo,

sabe que não o tem e quer tê-lo. (...) A menina recusa-se a aceitar a realidade de sua castração, obstina-se em sua convicção de que realmente possui um pênis e, em seguida, é forçada a se comportar como se fosse um homem.
As conseqüências psíquicas da inveja do pênis (...) são múltiplas e têm grande alcance.[13]

*

O outro afeto que predomina no complexo de castração da mulher não é a angústia de ser castrada, pois ela já o é em sua fantasia, mas a angústia de perder o amor do ser amado.

(...) no caso da mulher, a situação de perigo que permanece mais ativa parece ser a da perda do objeto. Podemos introduzir nessa situação determinadora de angústia (...) a seguinte pequena modificação: a saber, que já não se trata da ausência do objeto ou de sua perda real, mas, ao contrário, da *perda de amor* por parte do objeto.[14]

*

O que é próprio da psicanálise não é a transferência, mas o desvelamento da transferência, sua destruição e seu renascimento.

Não se deve supor que o fenômeno da "transferência" seja criado pela influência psicanalítica. A "transferência" se estabelece espontaneamente em todas as relações humanas, tal como na relação do doente com o médico; ela transmite por toda parte a influência terapêutica e age com força tanto maior quanto menos se suspeita de sua existência. A psicanálise não a cria, portanto; apenas a desvenda.[15]

*

O tratamento analítico não cria a transferência, só faz desmascará-la, como aos outros fenômenos psíquicos ocultos. (...) No tratamento psicanalítico, (...) todas as tendências, mesmo as hostis, devem ser despertadas e utilizadas na análise mediante sua conscientização; assim *se destrói de novo, reiteradamente, a transferência*. A transferência, destinada a ser o maior obstáculo à psicanálise, torna-se seu mais poderoso auxiliar, quando conseguimos adivinhá-la em todas as ocasiões e traduzir seu sentido para o doente.[16]

*
* *

Referências dos excertos citados

1. "Psychanalyse et théorie de la libido", in *Résultats, idées, problèmes*, II, Paris, PUF, 1985, p. 51 ["Dois verbetes de enciclopédia: Psicanálise e Teoria da Libido", *Edição Standard Brasileira das Obras Psicológicas Completas de Sigmund Freud* (*E.S.B.*), XVIII, Rio de Janeiro, Imago.]
2. *La question de l'analyse profane*, Paris, Gallimard, 1985, p. 150-1 ["A questão da análise leiga", *E.S.B.* XX.]
3. "Petit abrégé de psychanalyse", in *Résultats, idées, problèmes*, II, op. cit., p. 104 ["Uma breve descrição da psicanálise", *E.S.B.* XIX.]
4. Ibid, p. 115.
5. Ibid., p. 100.
6. "Le refoulement", in *Métapsychologie*, Paris, Gallimard, 1968, p. 48 ["Repressão", *E.S.B.* XIV.]
7. Ibid, p. 48-9.
8. "L'inconscient", in *Métapsychologie*, op. cit., p. 65 ["O inconsciente", *E.S.B.* XIV.]
9. *Moïse et le monothéisme*, Paris, Gallimard, 1948, p. 169-70 [*Moisés e o monoteísmo*, *E.S.B.* XXIII.]
10. *Trois essais sur la théorie sexuelle*, Paris, Gallimard, 1987, p. 32-3 [*Três ensaios sobre a teoria da sexualidade*, *E.S.B.* VII.]
11. Ibid, p. 105.
12. "Dostoïevski et le parricide", in *Résultats, idées, problèmes*, II, op. cit., p. 168 ["Dostoiévski e o parricídio", *E.S.B.* XXI.]
13. "Différence anatomique entre les sexes", in *La vie sexuelle*, Paris, PUF, 1969, p. 127 ["Algumas conseqüências psíquicas da diferença anatômica entre os sexos", *E.S.B.* XIX.]
14. *Inhibition, symptôme et angoisse*, Paris, PUF, 1965, p. 68 [*Inibições, sintomas e ansiedade*, *E.S.B.* XX.]
15. *Cinq leçons sur la psychanalyse*, Paris, Payot, 1987, p. 61-2 [*Cinco lições de psicanálise*, *E.S.B.* XI.]
16. *Cinq psychanalyses*, Paris, PUF, 1954, p. 87-8 [*Fragmento da análise de um caso de histeria (Posfácio)*, *E.S.B.* VII.]

Biografia de Sigmund Freud

1856 6 de maio: nascimento de Sigismund Freud em Freiberg, na Morávia, num meio formado por pequenos comerciantes judeus. Quando Freud veio à luz, já tinha dois meio-irmãos de 20 e 24 anos, vindos do primeiro casamento do pai. Esses meio-irmãos tinham mais ou menos a mesma idade da mãe de Freud.
1860 Toda a família passa a residir em Viena.
1873 Ingresso na universidade e descoberta do anti-semitismo.
Leitura de Goethe.
Assiste às aulas de filosofia de Brentano (teórico do conceito de consciência).
1876 Entrada no laboratório de Brücke para estudar o sistema nervoso dos peixes.
1878 Trava conhecimento com Breuer.
Estudos de neuropsiquiatria.
1885-86 Estada em Paris. Bolsa de estudos para trabalhar com Charcot.
1886 Freud abre seu consultório em Viena. Traduz as *Leçons du Mardi* de Charcot.
Estudos de neuropsiquiatria infantil.
Casamento com Martha Bernays.
1887 Conhece Fliess.
Pratica hipnose.
Reside na França, em Nancy, para trabalhar com Bernheim.
1890 Pratica com seus pacientes o método catártico.
1891 Instala seu consultório na Berggasse, em Viena. Freud ficaria ali por quase cinqüenta anos, até sua partida para a Inglaterra.
1893 Redação, com Breuer, dos *Estudos sobre a histeria*. Publicação de "Algumas considerações para o estudo comparativo das paralisias motoras orgânicas e histéricas".
Descoberta dos conceitos de defesa e recalcamento.
1894 Rompimento com Breuer. **Descoberta do conceito de transferência.**

1895	Concepção do *Projeto para uma psicologia científica*. Nascimento de seu quinto filho, uma menina, Anna Freud, que se tornaria uma célebre psicanalista de crianças.
1896-1907	Durante esses dez anos, Freud gostava de viajar à Itália muitas vezes, para passar suas férias de verão.
1896	A palavra "psicanálise" é empregada pela primeira vez. Morte do pai de Freud.
1897	**Descoberta do conceito do Édipo.** Começo da auto-análise. *A interpretação dos sonhos*. **Primeira teoria do aparelho psíquico como um aparelho reflexo. Descoberta do inconsciente como um sistema.**
1900	Análise da jovem histérica "Dora".
1902	Steckel, um discípulo de Freud, começa a praticar a psicanálise.
1903	Fundação do primeiro grupo de psicanalistas, a "Sociedade Psicológica das Quartas-feiras". **Descoberta da primeira teoria das pulsões: pulsão sexual e pulsão do Eu.** *Sobre a psicopatologia da vida cotidiana*.
1904	Grécia, Atenas e a Acrópole.
1905	Conhece Jung. **Descoberta dos estádios de desenvolvimento da sexualidade infantil.** *Três ensaios sobre a teoria da sexualidade. O chiste e suas relações com o inconsciente.*
1908	Trava conhecimento com Sándor Ferenczi e Ernest Jones. Primeiro Congresso Internacional de Psicanálise, em Salzburgo. **Descoberta do complexo de castração.**
1909	Viagem à América com Jung e Ferenczi. Cinco conferências de iniciação na psicanálise, na Universidade Clark (as *Cinco lições de psicanálise*).
1911	**Descoberta do conceito de narcisismo, graças ao estudo da psicose paranóica.**
1913	Rompimento com Jung.
1920	Fundação da policlínica de Berlim e do "International Journal of Psychoanalysis". **Segunda teoria do aparelho psíquico: Isso, Eu, Supereu e Mundo externo. Segunda teoria das pulsões: pulsão de vida e pulsão de morte.**

	Além do princípio do prazer. **Descoberta do conceito de compulsão à repetição.**
1923	**Instauração do conceito de falo.**
	Diagnóstico do câncer da mandíbula. Primeira cirurgia. Morte de seu neto "mais amado", Heinz.
	Importância do conceito do Isso como o campo mais impessoal e mais estranho ao Eu.
	O Eu e o Isso.
1926	*Inibição, sintoma e angústia.*
	Ano da fundação da Sociedade Psicanalítica de Paris.
1929	Rompimento com Ferenczi.
1931	Agravamento do câncer da mandíbula.
1936	Maio: 80 anos, bodas de ouro.
1938	O *Anschluss*: Roosevelt e Mussolini intervêm em favor de Freud. Ele se exila em Londres, acompanhado da mulher e da filha Anna. Ali recebe pacientes quase até o fim da vida. Dois últimos livros: *Um esboço de psicanálise* e *Moisés e o monoteísmo*.
1939	23 de setembro: morte de Sigmund Freud, aos 83 anos.
1951	Morte de Martha Freud.

Seleção bibliográfica

FREUD, S.

Textos em que Freud sintetiza o essencial de sua obra:

"Contribution à l'histoire du mouvement psychanalytique", in *Cinq leçons sur la psychanalyse*, Paris, Payot, 1978, p. 69-155 ["A história do movimento psicanalítico", *E.S.B.* XIV].

Conferências introdutórias sobre psicanálise, *E.S.B.* XV e XVI.

"Um estudo autobiográfico", *E.S.B.* XX.

"A questão da análise leiga", *E.S.B.* XX.

Um esboço de psicanálise, *E.S.B.* XXIII.

*

LAPLANCHE, J. e J.-B. PONTALIS, *Vocabulário da psicanálise*, São Paulo, Martins Fontes, 8ª ed., 1985.

NASIO, J.-D., *Lições sobre os 7 conceitos cruciais da psicanálise*, Rio de Janeiro, Zahar, 1989.

Introdução à obra de FERENCZI

B. This

Sándor Ferenczi escreve a Sigmund Freud

*

O jogo significante da letra determina a relação entre
S. Freud e S. Ferenczi

*

A vida de Sándor Ferenczi

*

Falta segurança afetiva ao jovem Sándor

*

O elemento líquido marca a obra de Ferenczi

*

O encontro com Freud

*

Ferenczi entre Freud e Jung

*

Seduções e traumas

*

Ferenczi, interlocutor privilegiado de Freud

*

A análise mútua de Sándor Ferenczi e Georg Groddeck

*

O abandono da técnica ativa em prol da técnica de
indulgência e de relaxamento

*

A neocatarse.
Aquilo de que os neuróticos precisam: serem realmente
adotados por seu terapeuta

*

O método do relaxamento: aceitar o agir no tratamento
permite ao paciente rememorar

*

Conclusão

* * *

Excertos da obra de Ferenczi
Biografia de Sándor Ferenczi
Seleção bibliográfica

Sándor Ferenczi escreve a Sigmund Freud

Sándor Ferenczi escreveu a Sigmund Freud, ou, mais exatamente, o Dr. Ferenczi Sándor escreveu ao Dr. Sigmund Freud, e essa correspondência durou um quarto de século: 1.236 cartas que não tinham sido traduzidas. Por quê? Censura, proibição de ler? Aí tocamos no foco ardente, no núcleo inadmissível e recalcado que está no cerne da obra freudiana.

Pois bem, essas cartas que foram trocadas e que finalmente podemos conhecer,* nós as abordaremos através do jogo da letra e pela identidade das iniciais dos prenomes e sobrenomes. *Sándor Ferenczi* reitera *Sigmund Freud*. Mas Sándor Ferenczi era húngaro e, em húngaro, o sobrenome precede o nome. Logo, primeiro quiasmo: *F.S.* escreveu a *S.F.*, Ferenczi Sándor escreveu a Sigmund Freud. A língua húngara coloca primeiro o determinante, depois o determinado, o mais vasto antes do mais preciso; vai do geral para o particular. A redação do endereço indica isso com clareza: primeiro vem o nome da cidade, Budapeste, depois o nome da rua, e finalmente o número[1].

*

---

* A publicação em francês da correspondência de Sigmund Freud e Sándor Ferenczi é recente: *Correspondance*, vol. I, 1908-1914, Paris, Calmann-Lévy, 1992.

O jogo significante da letra determina a relação entre S. Freud e S. Ferenczi

Não é meu propósito explicar a obra de Ferenczi através de características da língua, mas, depois do capítulo de J.-D. Nasio dedicado a Freud, eu gostaria de sublinhar que Ferenczi veio depois de Freud, num segundo tempo. Ora, a pergunta se coloca: como iria Sándor Ferenczi integrar a mensagem freudiana?

Ferenczi sempre escreveu a Freud em alemão, portanto, numa língua que não se prestava aos efeitos de estilo de seu húngaro materno, e Freud, por sua vez, nunca lhe respondeu em húngaro. Assimetria evidente, pois Freud não deixou sua língua. Ao escrever a Arnold Zweig para lhe pedir que não saísse de seu país, Freud evocou precisamente o perigo de se abandonar a própria língua: "Ser-lhe-ia preciso renunciar a sua língua, que não é uma roupa, mas sua própria pele!"[2].

Não vou insistir no espírito próprio de cada língua, mas observarei simplesmente o quanto o estilo de Freud, elíptico e conciso, na maioria das vezes, contrasta com o de Ferenczi, que alongava suas frases para exprimir seus sentimentos.

Mas, por que contrastá-los? Ainda não abordamos o jogo da letra no corpo de seus respectivos sobrenomes.

Freud — Ferenczi
FRE   FER

Freud nasceu em *Frei*berg, na Morávia, uma cidadezinha que, na língua eslava, a de seus primeiros três anos da infância, chamava-se Príbor. *Frei* é livre: "die freie Energie", a energia livre. E se, por outro lado, Freud se escreve com um "*d*" final, lembremos que "Freun*d*" quer dizer amigo, e "Freu*de*", alegria.

O jogo da letra no corpo das palavras desloca e transforma o sentido. Assim, vocês podem compreender o drama do tradutor que, procurando privilegiar o sentido das palavras e das frases, deixa escapar o jogo dos significantes que fazem troça de nós, sem que o saibamos. Por exemplo, o "*e*" de Freu*de* (*alegria*), que não aparece no fim do patronímico "Freud", seria eliminado de maneira igualmente cuidadosa do prenome Si*e*gmund, que se tornou Sigmund. Ele tomava o cuidado de assinar suas cartas como "Sigm. Freud", para que se evitasse o Sigismund de seus primórdios na Morávia (que o referia a um herói nacionalista) e o Siegmund, prenome do personagem principal da ópera de

Richard Wagner, *As Valquírias*. Siegmund é irmão gêmeo e também amante de sua irmã Sieglinde. O filho de seu amor incestuoso assume um nome que também começa pela sílaba *"Sieg"*, Siegfried. Ao eliminar a vogal *"e"*, demasiadamente líquida, para privilegiar a consoante e como que secar seu sobrenome e seu nome, Freud realizou uma operação curiosa.

Mas, retomemos a palavra Freu(*n*)d, amigo. Para escrever em alemão a palavra "amigo", é preciso introduzir um *"n"* no corpo de Freu(*n*)d. Esse amigo, bem como inimigo, que desempenhou um papel essencial na vida de Freud, foi, inicialmente, Julius (o irmão menor), depois Wilhelm Fliess (aquele que "flui"), depois Carl Jung (o jovem) e, por fim, Sándor. Sándor (diminutivo de Alexandre), que em húngaro se pronuncia Chândor, tornou-se "Sander" em alemão, depois de perder o "Alex" de Alexander ("o protetor do homem")[3].

Alexandre, o Conquistador, fez ruir o império persa e se apoderou da Babilônia. Começou sua carreira indo consultar um sacerdote egípcio para saber quem era seu pai divino: Zeus ou Dioniso, de quem sua mãe, Olímpias, era sacerdotisa? Ao sair do templo, seus amigos lhe perguntaram o que lhe dissera o sacerdote. Alexandre murmurou estas palavras: "Isso é segredo meu, minhas obras responderão à pergunta formulada." E a resposta foi, com efeito, a conquista de todos os territórios que se estendiam até o Indo. Mas, antes de realizar sua obra, Alexandre teve que cortar o nó górdio, sem sequer dar-se ao trabalho de desatá-lo — sem "lusis", precisamente —, pois o cortou com um golpe de espada. E, com passo firme, partiu para conquistar seu império, destruindo o equilíbrio das potências estabelecidas.

Que fez Freud? Dedicou-se à questão do pai. Durante toda a sua vida, essa questão insistiria com força coercitiva. A obra de Freud começou depois da morte de seu pai, com a *Traumdeutung* (*A interpretação dos sonhos*), afirmou-se com *Totem e tabu* (o assassinato do pai da horda) e se concluiu, enfim, com *Moisés e o monoteísmo*, o homem assassinado por seu povo. Mas essa obra, que constituiu para Freud seu próprio Moisés, ele a erigiu como "uma estátua de grandeza assustadora sobre um pedestal de barro, de modo que qualquer louco poderá derrubá-la", como ele mesmo disse.

Obra imensa, escreveu J.-D. Nasio, mas, estaria ela muito segura de um pedestal sólido que a protegesse de ser derrubada?* Já vimos que as iniciais "F.S." (Ferenczi Sándor) inverteram as iniciais do pai da psicanálise,

---

* O verbo usado aqui é *renverser*, o mesmo da frase seguinte; na tradução, perde-se o jogo entre inverter/derrubar/virar, que são acepções do verbo francês. (N.T.)

"S.F.". Jogo de letras que decidiria o destino da obra desse pai? Seria essa obra virada pela do filho?

Em que se assenta a dinâmica da história do movimento psicanalítico? Na relação que o sujeito estabelece com o pai e no lugar que a concepção freudiana confere ao pai na constituição do sujeito. Para Freud, tudo parece girar em torno de Moisés, o pai essencial.

O nome "Moisés" decerto foi ligado por Freud à descoberta dos mecanismos do esquecimento. Assim, em sua carta a Wilhelm Fliess de 26 de agosto de 1898, ele lhe comunicou, confidencialmente, o esquecimento que lhe ocorrera a propósito do nome de um poeta, Julius Mosen. "Lembrei-me de 'Julius' [diz-nos Freud] e consegui provar que eu havia recalcado o nome Mosen por causa de certas associações." De que associações se tratava? Freud não quis dizer mais nada. Ora, "Julius" era justamente o prenome de seu irmão menor (morto em tenra idade), e "Mosen" não deixa de evocar o "Moses", Moisés em alemão. Mas ele voltaria a Moisés mais uma vez, ao ir a Roma em 1912. Foi no Natal de 1913 que Freud escreveu seu primeiro ensaio sobre Moisés, "O Moisés de Michelangelo", concluído em 1º de janeiro de 1914; não quis publicá-lo com seu nome, mas o assinou com três asteriscos (***).

Abraham, Ferenczi e Jones protestaram contra esse anonimato transparente, pois todo o mundo reconheceria o autor! Mas Freud queria decididamente manter o anonimato e se aborreceu com Ferenczi, que insistiu demais. Abraham foi mais bem tratado; Freud lhe deu três boas razões, acrescentando inclusive que "somente a pressão dos editores da revista *Imago* o forçou a entregar esse ensaio". A Jones, terceiro mosqueteiro, ele esclareceu: por que insultar Moisés, acrescentando meu nome ao dele?

Mas o "Moisés" não deve ser aproximado do "mon" de Sigis*mond* ("der Mond" — a lua), já transformado em Sigmund. Diante de Moisés, Freud não podia se comprazer com seu nome. E quando desmaiou, ao conversar com Jung em Munique, tal como havia desmaiado em Bremen em 1909, foi Ferenczi que lembrou que os desmaios de Freud giravam em torno de um tema muito preciso: os votos de morte dos filhos em relação ao pai. Vocês podem ver o papel desempenhado pelo "Freund" Ferenczi, o amigo Ferenczi. Pois, com Moisés, era realmente o assassinato do pai que era evocado. O povo judeu recusou-se a confessar o assassinato, isto é, recusou-se a dar o salto que Freud chamava de progresso: reconhecer que o assassinato do pai estava no fundamento da cultura. "No começo era o ato."[4]

Após a confissão do voto de morte, após o reconhecimento do desejo parricida, vêm enfim o perdão e a reconciliação entre pai e filho: "die Versöhnung". Movimento de reconciliação que se consuma quando o filho se reconhece como tal: "Sohn", filho, habitado pelo desejo parricida. A decisão de se extirpar do mundo materno, desse testemunho dos sentidos que está no cerne da maternidade, para aceder à paternidade, graças ao raciocínio e através do progresso da vida espiritual, é esse o trabalho do filho. É esse o caminho que o filho tem que realizar, para que fique bem estabelecido que a paternidade "é mais importante" do que a maternidade. Como se pudesse haver uma rivalidade, embora pai e mãe sejam ambos indispensáveis para que o filho seja concebido. Importância da paternidade, ainda que ela não possa, como a maternidade, ser conhecida pelo testemunho dos sentidos[5].

Como Freud deu a entender a propósito de seu livro *Moisés*, podemos dizer que a obra freudiana foi inteiramente erigida sobre um pedestal de barro, de modo que qualquer louco poderia derrubá-la. Ora, esse pedestal frágil, esse Golem fragilizado[6], não é outra coisa — confessou Freud a Arnold Zweig numa carta de 16 de dezembro de 1934 — senão o frágil romance histórico intitulado *Moisés e o monoteísmo*, que ele estava então redigindo. Freud considerava seu próprio texto muito criticável. Seria por sua hipótese do egipcianismo do homem Moisés? Não saberíamos responder, mas, talvez, ao reconhecer a fragilidade de seu romance, ele estivesse reconhecendo, de fato, a fragilidade de sua obra inteira.

Wladimir Granoff admitiu não poder responder à pergunta: "por que Moisés se apoderou, talvez muito cedo e mais secretamente do que possamos supor, da imaginação de Freud?" Filho de uma outra família, salvo das águas, encontrado num meio úmido e recolhido num meio seco, a origem da vida de Moisés evocava, para Freud, o trabalho analítico, como o lento e metódico ressecamento do Zuidersee.

Se Freud teve que esconder ininterruptamente seu prenome original, Sigismond, se não o escrevia com a sílaba "*mo*", sem dúvida foi porque, em sua infância, *Mo*nika Zaj(*i*)c, sua babá, o iniciou no onanismo. Por isso é que Freud não queria o Sigis*mo*nd, portador das letras proibidas. Nada de falar disso! Ora, "*Moses*" inclui em seu nome a mesma sílaba recalcada.

Mas o prenome "Sigmund" encerra ainda uma outra negação reveladora do sujeito Freud. Ao eliminar o pequeno "*is*" de Sigismond, Freud assinava "Sigm. Freud", mas — acaso dos nomes e das letras que regem a vida — eis que, num belo dia de 1908, domingo, 2 de fevereiro, Sándor Ferenczi bateu a sua porta. Recíproco amor à primeira vista, diriam... ou jogo de letras que o acaso organizou: o "*is*" suprimido de Sigismond voltou, invertido, sob a gloriosa forma do "*csi*" de Ferenczi. Ao "*Si*" inicial de Sigmund, liberto de seu "*is*", eis que Chândor opôs um nome que se pronuncia "Fer-ent-*xsi*", Ferenczi. Curioso nome que, por sua última letra, "*i*", não pararia de evocar e de fazer retornar o problema do trauma da primeira infância, marcado pelo nome da babá sedutora, Monika Zaj(*i*)c, um trauma que tinha de ser recalcado e negado.

Podemos ver como funcionou, na relação entre Freud e Ferenczi, o jogo significante das letras que se apagam e se substituem, se perdem e retornam. Esses deslocamentos significantes, incessantemente evocados na correspondência dos dois, decidiriam não apenas o destino de sua relação, como também da obra freudiana em geral. Mas, detenhamo-nos um pouco no destino desse interlocutor privilegiado de Freud que foi Ferenczi.

*

A vida de Sándor Ferenczi

Quem era Sándor Ferenczi[7]? Em 1848, Bernàt Fränkel (nascido em 1830), um imigrante judeu polonês, originário de Cracóvia, alistou-se como voluntário na luta contra os Habsburgo, episódio da guerra da independência que teria como saldo o fracasso dos patriotas húngaros. Desde a capitulação, nosso herói de 18 anos instalou-se como livreiro na cidade de Miskolc, rua Principal, nº 73. A essa livraria, ele acrescentou uma gráfica e uma agência de organização de concertos, graças à qual se produziriam artistas de renome mundial. Os poetas da resistência húngara, Chândor Petöfi e Michel Tompa, veriam suas obras editadas pelo ex-combatente, herói da resistência.

Dez anos depois, em 1858, Bernàt casou-se com Rosa Eibenschütz, nascida numa família polonesa residente em Viena. A prole do casal seria muito numerosa. Primeiro filho, Henrik, 27 de março de 1860; segundo filho, Max, 19 de março de 1861; terceiro filho, Zsigmond (*Sigmund*), 17 de março de 1862; quarto filho, Ilona, 30 de setembro de 1865; quinto filho, Rébus (*Rebeca*), 24 de abril de 1868; sexto filho, Jakab, 14 de julho de 1869; sétimo filho, Gizella, 8 de junho de 1872. Ela contava apenas seis meses no início do ano de 1873, mas sua mãe já estava grávida do futuro Sándor.

O oitavo filho seria, de fato, Sándor (diminutivo de *Alexandre*), nascido em 7 de julho de 1873. Gizella e Sándor, irmãos de idade muito próxima, foram criados juntos, quase geminados. É interessante lembrar, neste ponto, que Freud também teve uma irmã, nascida depois dele, chamada Gizella, por quem não era loucamente apaixonado. Em contrapartida, adoraria Gisella Fluss, quando voltasse a Gmünde, na Morávia. A futura mulher de Ferenczi também se chamaria Gizella. Gizella Altschul, oito anos mais velha do que ele, casou-se em primeiras núpcias com Géza Pàlos, com quem teve duas filhas: Elma e Magda. Esta última, posteriormente, viria a casar-se com um irmão mais moço de Sándor, Lajos (*Luís*).

Para situar o ano do nascimento de Sándor, 1873, lembremos que Sigmund Freud tinha 17 anos e já iniciava seus estudos de medicina, enquanto Georg Groddeck, por sua vez, era um menino de 7 anos. Mas o acontecimento histórico importante, nessa época, foi a reunião de duas cidades, *Pest* e *Buda*, situadas às margens do Danúbio. Uma nova cidade, Budapeste, nasceu ao mesmo tempo que Sándor.

Em 1879, a família Fränkel trocou seu nome judaico por um nome húngaro. A mudança de nome é mencionada na certidão de nascimento dos filhos nascidos antes de 1879. Sándor tinha 6 anos quando perdeu o sobrenome Fränkel, para se chamar Ferenc. De Fränkel, havia-se passado para Frenkel ou Fraenkel, depois transformado em Ferenci. Pouco a pouco, o uso acrescentaria um "*z*" e o sobrenome passaria definitivamente a ser Ferenczi.

Aí vocês encontram o Fränkel, que significa franco. Haviam proposto ao glorioso combatente voluntário da Insurreição de 1848 o sobrenome "Ferenczy", grafado com um "*y*", sinal de nobreza na Hungria, mas, como democrata convicto, ele o recusou e se tornou Ferenczi.

*

Falta segurança afetiva ao jovem Sándor

Certamente teremos entendido que, com toda a sua progenitura, Rosa Fränkel vivia assoberbada. Era uma mulher inteligente e ativa, eficiente, diríamos, mas não terna. Depois de Sándor, ainda nasceriam quatro filhos. O nono, chamado Moritz Kàroly, nasceu em 1877; mais tarde veio Vilma, nascida em 3 de julho de 1878, que morreu de difteria no ano de seu nascimento. Vê-se que para Sándor, aos 4 anos, os desejos de morte fratricida realizaram-se magicamente, enquanto sua mãe, nesse período, mergulhou num estado depressivo. Ainda haveria dois outros nascimentos na família, Lajos, nascido em 6 de setembro de 1879, e Zsófia, nascida em 18 de julho de 1883.

A vida rica e bastante movimentada que os Ferenczi levavam era intelectualmente estimulante para os filhos, mas os pais pareciam extremamente reservados em tudo o que concernia à vida afetiva: os contatos eram dos mais reduzidos e se evitava falar do corpo, do sexo ou das emoções. Era-se criado em série, por uma mãe assoberbada com suas maternidades. Em suma, pouquíssimo amor e um excesso de severidade.

No dizer de Zsófia, Sándor era o preferido do pai, que morreu em 1888, quando nosso rapazinho tinha 15 anos.

É evidente que, nesse ambiente familiar difícil, o pequeno Sándor não pôde viver a "delectatio" indispensável ao desabrochar de seu ser e de sua saúde psíquica. Não teve nenhuma possibilidade, com essa mãe hiperativa e assoberbada, embora inteligente, de realizar seu "desejo vital". Donde nenhuma "segurança básica" haptonômica, confirmada numa relação de apaziguamento. Ele procuraria constantemente afirmar-se em termos intelectuais, sempre em busca de novos estímulos, na expectativa inútil daquilo que pudesse apaziguá-lo. Foi a "catástrofe" afetiva. Ferenczi manifestaria sem cessar a intenção de ser afetivamente reconhecido pelo "Bom" que era, mas esse voto nunca seria satisfeito e seu ser jamais seria confirmado. Ele só depararia com frustrações, cujo acúmulo produziu um trauma quando o desejo vital não se realizou[8]. Desconfiança, portanto, diante do grupo familiar e da sociedade. Mal-estar na família e na civilização.

Vê-se com clareza que todo o problema de Ferenczi girava em torno dessa busca de confirmação afetiva, que ele nunca receberia.

O elemento líquido marca a obra de Ferenczi

Quando da morte do pai, Rosa Ferenczi, que sempre ajudara o marido, assumiu a direção da livraria. Além disso, ela presidia a União das Mulheres Judias da cidade e, como anfitriã generosa, recebia os amigos e os intelectuais de passagem, organizando em casa reuniões e concertos de música de câmara.

Para o adolescente Sándor, o desaparecimento do pai foi uma catástrofe que ele ainda evocaria aos 24 anos de idade, num poema endereçado à mãe:

No limiar de uma nova vida,
A ti, minha Mãe, venho saudar.
Ninguém mais, tu tão-somente
Me compreendes quando choro
Lágrimas ardentes, verdade ardente,
Ali no sepulcro a jazer
Vinte e quatro anos de meu viver!

"Catástrofe"[9]. Estamos nas lágrimas, no elemento líquido. *Thalassa* (que em grego significa "mar") não estava longe, e "Grüsse ich dich Mutter meine" (*A ti, minha Mãe, venho saudar*) não deixa de evocar o poema de Heine: "Meergruss" (*Saudação ao mar*). Não esqueçam que o Danúbio é um rio, elemento líquido por excelência; ele atravessa Viena, que em alemão se grafa Wien; e Wein é vinho. Lágrimas ardentes, quando, em seu aniversário de 25 anos, ele reviu o pai estirado no túmulo. Portanto, Ferenczi chorava, enquanto Freud se pretendia seco.

*

Na primeira edição da *Traumdeutung*, Freud assinalou que algumas pessoas, durante o sono, têm sonhos em que estão voando, os "Flugträume", como ele dizia. Sonhos de flutuação, de falta de peso, sonhos típicos cuja fonte deveria ser buscada "nas brincadeiras de movimentos, tão agradáveis às crianças". Nas edições seguintes, Freud acrescentaria que esses sonhos estavam relacionados com sensações de ereção e com as lembranças da cena primária, sempre deixando claro que, pessoalmente, ele nunca tivera tais sonhos. Michael Balint, em *As vias da regressão*[10], aproximou essa ausência dos sonhos aéreos em Freud da "ligeira neurose de angústia" que ele experimentava ante as viagens. Mas também sublinhou que as próprias passagens da *Interpretação dos sonhos* concernentes aos "Flugträume" "viajaram" pelo texto, ou seja, trocaram de lugar e de capítulo ao longo das numerosas reedições desse livro fundador. Pois bem, em 1930, quando procedeu a uma nova revisão de sua *Traumdeutung*, Freud não julgou necessário mencionar as idéias de Ferenczi contidas em *Thalassa*, obra de 1924 que lançava uma nova luz sobre os "Flugträume". A omissão de Freud nos surpreende, pois sabemos quão conscienciosamente ele relatava todas as novas contribuições de seus discípulos.

"Nos dias atuais, pareceria evidente", escreveu Balint, "considerar os sonhos de vôo e o sentimento oceânico como uma repetição, quer da relação mãe-filho mais primitiva, quer da vida intra-uterina, ainda mais precoce, durante a qual realmente éramos um só com nosso universo e realmente flutuávamos no líquido amniótico, sem ter que carregar praticamente peso algum."

Obviamente, está tudo aí: a criança *in utero* confunde-se com a mãe, os dois são um só nessa origem descrita pelos autores ingleses, mais particularmente pelos kleinianos. Mito "do um" fundamental que jamais permitiria aos defensores dessa escola reconhecerem a importância da voz, objeto essencial da vida fetal.

Freud negligenciou a experiência com os pacientes "profundamente regredidos", abordagem que nunca lhe agradou. Balint acrescentou: "Foi Ferenczi que, na *Thalassa*, transpôs a etapa seguinte na interpretação desses sonhos. Ele tomou como ponto de partida sua teoria filogenética do coito, ao mesmo tempo os sonhos de flutuação, o simbolismo da água, a identidade simbólica entre criança e pênis, e o sentimento de união com o meio circundante. A aceitarmos todas essas hipóteses, será preciso considerar esses três estados: a criança em segurança nos braços da mãe, a vida intra-uterina e a vida talassal, como idênticos no plano simbólico. Os 'espaços amigos' nada mais serão, nesse caso, do que lembranças desses estados visando a satisfazer o desejo."

Sándor Ferenczi, o "Heráclito da psiquiatria húngara", como o chamou Claude Lorin[11], foi efetivamente marcado pelo elemento líquido. Sabemos que, para Heráclito, tudo era fluxo e fluido.

Por esses exemplos, vemos como Sándor Ferenczi interrogou Sigmund Freud, ou melhor, como a obra de Ferenczi foi um retorno daquilo que fora eliminado em Freud por motivos pessoais, ligados a sua história.

*

Ao fazer seus estudos de medicina, Sándor voltaria a subir o Danúbio, rumando para o oeste, para se instalar em Viena. Foi morar na casa de seu tio Sigmund Fränkel e freqüentava a família materna, os *Eibenschütze* — os "protetores de teixos", poderíamos traduzir. Seu irmão predileto, Sigmund Ferenczi, trabalhava como químico numa fábrica de papel próxima de Viena. Os dois irmãos adoravam o alpinismo e freqüentemente faziam escaladas juntos. Ferenczi e Freud também escalariam montanhas, nas numerosas férias que passaram juntos, pois Sándor era um companheiro agradável, ativo, empreendedor e cheio de entusiasmo e de vida. De bom grado Freud faria dele um genro, mas sua filha Mathilde tinha os olhos voltados para outro lugar.

O encontro com Freud

Como se apresentou Ferenczi ao se encontrar com Freud pela primeira vez, em 1908? Ele se propunha expor o conjunto das descobertas freudianas a um público médico ignorante. Assim, foi pedir conselhos, pois a tarefa era difícil e era preciso não estragar as coisas por *falta de tato*. A exposição, seguida de discussões animadas com os neurologistas, foi um sucesso completo. Ferenczi rejubilou-se por já não ter "mais nenhum complexo" com os médicos. Felicitações de Freud e, em troca, um pedido de conselhos acerca de uma paciente afetada por um delírio de ciúme, a propósito da qual se discutiriam os mecanismos do homossexualismo feminino. Nesse intercâmbio com Freud, Ferenczi evocou "a repugnância dos homens pelas mulheres velhas". Passado apenas um mês, fez uma intervenção no Congresso de Salzburgo, apresentando um trabalho sobre "Psicanálise e Pedagogia".

Note-se que não foi um rapaz tímido e inexperiente que foi visitar Freud. Ferenczi tinha uma mente aberta, brilhante, era um verdadeiro observador de sua época. Em 1908, já era autor de numerosos artigos pré-analíticos[12]. Em 1899, escrevera "Espiritismo", para tentar compreender o problema das transmissões de pensamento. Um dia, ele fora visitar um de seus velhos amigos, o Dr. Felletar. Era um velho original, espírita convicto, que lhe propusera organizar uma sessão em sua honra. A certo momento da noite, ele convidou Ferenczi a fazer uma pergunta ao Espírito, que deveria responder por intermédio de um médium encarnado por uma das pessoas presentes. Na ocasião, essa médium foi a neta do Dr. Felletar. Ferenczi assim redigiu sua pergunta: "Que está fazendo, neste momento, a pessoa em quem estou pensando?" A resposta, veiculada pela voz da moça, foi: "A pessoa em quem o senhor está pensando está sentada na cama, neste instante, pede um copo d'água e cai morta." Ferenczi olhou para seu relógio e, de repente, percebeu que o horário em que deveria ter chegado à casa de um paciente já havia passado, fazia alguns minutos. Sem se despedir de seu anfitrião, ele deixou a casa precipitadamente e pulou para dentro de um carro. Ao chegar à cabeceira do paciente, soube que tudo se havia desenrolado como dissera a moça, naquele exato momento: o paciente, sentado em sua cama, de fato pedira um copo d'água antes de morrer.

Essas experiências perturbadoras, que muito interessavam a Freud e Ferenczi, seriam freqüentemente abordadas na correspondência dos dois.

*

Em 1900, Ferenczi escreveu diferentes artigos pré-analíticos: "Consciência e desenvolvimento", "Dois erros de diagnóstico", "Nova tentativa de explicação da menstruação". Em 1901, "O amor na ciência" e, pouco depois, em 1902, "Homossexualismo feminino" e "Paranóia". No ano seguinte, publicou a "Contribuição à organização do serviço hospitalar do médico assistente" e, em 1904, "O valor terapêutico da hipnose". No III Congresso de Psiquiatria Húngara, realizado em 1905, apresentou uma contribuição intitulada "Criação de um comitê de defesa dos homossexuais" e, em 1906, publicou sucessivamente "Da prescrição na terapia neurológica", "Estudo sobre os placebos" e, mais tarde, a tradução de um texto do médico francês Georges Dumas: "Carta a um adolescente que quer estudar medicina", e um artigo, "Estados sexuais intermediários". Em 1907, estabeleceu os primeiros contatos com Carl-Gustav Jung, em Zurique. Comprou um cronômetro e se exercitou nas técnicas da associação de idéias. Ferenczi estreou na prática analítica em 1908, aos 35 anos de idade.

*

Ferenczi entre Freud e Jung

Ferenczi seria testemunha dos problemas homossexuais não resolvidos entre Freud e Jung. Em seu livro *Ferenczi, paladin et grand vizir secret*[13], Pierre Sabourin intitulou o segundo capítulo de "A ambiência do casal de três: Freud Jung Ferenczi". Relatou um episódio da relação entre Freud e Jung, tal como testemunhado por uma carta deste de 28 de outubro de 1907[14], ou seja, alguns meses antes do primeiro encontro de Freud com Ferenczi.

"Minha veneração pelo senhor tem o caráter de um entusiasmo apaixonado, religioso, que, embora não me cause nenhum outro dissabor, é-me, no entanto, repugnante e ridículo, por causa de sua irrefutável consonância erótica. Esse sentimento abominável provém de que, quando menino, sucumbi ao atentado homossexual de um homem a quem eu antes venerava (...). Sinto repugnância nos relacionamentos com os colegas que fazem uma transferência muito intensa para mim (...). *Temo, pois, sua confiança*. Temo também essa mesma reação no senhor, quando lhe falo de minhas intimidades."

Que respondeu Freud a essa carta de Jung? Nós o ignoramos, mas, dias depois, ele sugeriria numa outra carta: "(...) A transferência proveniente da religiosidade me pareceria particularmente fatal (...). Assim, farei o que me for possível para me fazer conhecer como impróprio para servir de objeto de culto (...)"[15].

Foi precisamente nesse contexto que Ferenczi apareceu, e podemos assinalar desde já que a estrela de Jung cairia ao se levantar a de Ferenczi.

Em 1909, todos três foram à América. Ferenczi, logo na entrada do porto de Nova York, foi tomado por vômitos: seria alguma coisa que houvesse comido? Freud disse: "Foi alguma coisa que ele pensou." Jung, em contrapartida, afirmou: "É alguma coisa que ele pensa ter comido." Mas quando, por sua vez, Freud e Jung vomitaram, Ferenczi declarou: "Não há dúvida de que foi alguma coisa que *eu* comi!"

*

Seduções e traumas

Que sabia Ferenczi do "atentado homossexual" sofrido por Jung quando menino? Nada, é claro, mas lembrava-se muito bem de que, em sua infância, ele mesmo fora vítima de um incidente homossexual que levara a uma reação de nojo intenso, depois que um colega de brincadeiras, mais velho, o havia convencido a deixar que lhe fosse colocado na boca um "grande pênis escuro e cheio de veias". Mas, se esse trauma fora precoce, nem por isso tinha sido o primeiro. Muito antes disso, uma babá já o havia seduzido, com um ano de idade! Por isso é que, quando adolescente, revivendo esse antigo trauma, ele "se masturbava quatro a cinco vezes por dia, e, mediante uma concentração impressionante e a soma de todas as situações eróticas excitantes, conseguia a façanha de fazer o esperma esguichar até o teto, de cinco a seis metros de altura!"[16]. Designando suas façanhas masturbatórias pela expressão latina "ejaculatio usque ad coelum" (até o céu!), Ferenczi ergueu seu protesto contra os abusos intoleráveis dos adultos sedutores. Chegou até a redescobrir "cenas passionais que provavelmente aconteceram, nas quais uma camareira me deixou brincar com seus seios e depois apertou minha cabeça entre suas pernas, a tal ponto que fiquei com medo e comecei a sufocar. É essa a fonte de meu ódio pelas mulheres: é por isso que quero dissecá-las, ou seja, matá-las. Foi por isso que a acusação de minha mãe: 'você é meu assassino', me atingiu em cheio e me levou a querer, compulsivamente, ajudar todos aqueles que sofrem, sobretudo as mulheres"[17]. Compreende-se por que

Ferenczi queria reabilitar a teoria da sedução na origem das neuroses, anteriormente sustentada por Freud.

Outro fato traumático foram os maus-tratos, terrivelmente brutais, que uma governanta lhe infligira por causa de sua falta de higiene anal. Daí resultou, para o menino, "uma tendência exagerada a dar atenção ou consideração aos *desiderata* das outras pessoas, a agradá-las ou desagradá-las"[18].

No curso de seu trabalho como analista, Ferenczi reproduziria seus conflitos com a mãe ou com os substitutos maternos. Foi no contexto de sua técnica denominada de "análise mútua"* que ele descobriu a realidade e a importância dos traumas da primeira infância. Ao empregar a análise mútua, Ferenczi cometia um assassinato simbólico de seus pacientes, tal como os adultos o haviam perpetrado com a criança — quer a criança que o analista tinha sido, quer a criança que fora o paciente. "Por mais longe que ele possa levar a bondade e o relaxamento, chega um momento em que o analista tem que reproduzir com suas próprias mãos o assassinato outrora perpetrado contra o paciente"[19]. Mas, será que esse assassinato simbólico era inevitável? Sim. Na medida em que Freud o havia perpetrado, inicialmente, com seu analisando Ferenczi. Lembremos que Freud foi analista de Ferenczi, durante curtos períodos de alguns dias, em duas ocasiões, em 1911 e 1913. A reprodução do relacionamento de Ferenczi com sua mãe teve lugar na transferência para Freud, um Freud "duro e enérgico", que não podia oferecer a seu analisando "as atenções, a bondade e a abnegação completa" de que ele necessitava. Freud, como analista de Ferenczi, repetiu o "assassinato da alma" que deixara Ferenczi "emocionalmente morto". Tragédia analítica[20]. Mas Freud, por seu turno, como observou Ferenczi, "não quer saber coisa alguma do momento traumático de sua própria castração na infância; ele é o único que não tem que ser analisado".

Freud, com efeito, havia renegado sua "neurotica", demasiadamente ligada a Wilhelm Fliess e a todos os sentimentos homossexuais. Mantivera-se, até os 45 anos de idade, numa extrema dependência de Fliess. Mas queria esquecer isso, como queria esquecer todos os seus traumas e, em particular, o que fora produzido pela sedução de Monika, a babá de sua infância.

Em 1909, Freud administrava o relacionamento com seus dois "filhos". Estava "radiante com a límpida concordância que o unia" a Ferenczi, e confidenciou a Jung: "Domingo passado, Ferenczi foi um bálsamo para

---

* Retomaremos mais adiante a técnica da análise mútua, a propósito do encontro Ferenczi-Groddeck.

mim. Pude novamente falar do mais importante e do mais íntimo: ele é, de fato, alguém de quem estou absolutamente seguro."

Freud seduziu e foi seduzido pela inteligência de S. Ferenczi, que, em 1909, escreveu "Transferência e introjeção", dando um testemunho de sua excepcional capacidade de pensar e teorizar. A sedução é um desvio, uma deturpação do desejo da criança pelo adulto. Por trás do encanto da pessoa sedutora, que visa a ser o objeto do desejo do outro, existe o risco, o drama do despertar das seduções traumatizantes no correr da transferência analítica. E se Jung e Ferenczi tivessem atuado com suas respectivas pacientes, Sabina Spielrein e Elma Palos, a sedução que Freud, seu analista, havia exercido sobre eles? O *acting-out* de um psicanalista seria, em última instância, a atuação do desejo do psicanalista que o analisou. Mas o drama é que no momento do *acting-out* não há mais análise. Se assim é, no quarteto Ferenczi (analisando e analista), Gizella (a esposa), Elma (a paciente) e Freud (analista), quem saberia reconhecer os sedutores e os seduzidos?

Mas não nos adiantemos. Estamos em fevereiro de 1910, dois anos depois do primeiro encontro Freud-Ferenczi. A Carl-Gustav Jung, tal como Moisés confiando a Josué a missão de chegar à terra prometida, Freud escreveu, tratando-o na segunda pessoa: "Portanto, fica tranqüilo, caro filho Alexandros, deixo-te mais por conquistar do que eu mesmo poderia ter dominado: toda a psiquiatria e o assentimento do mundo civilizado, que está acostumado a me considerar um selvagem!", ou seja, um judeu. Não nos esqueçamos de que, nessa época, Jung era o único não judeu da "horda freudiana".

O ano de 1910 foi o do Congresso de Nuremberg e também o do ato de fundação da Associação Psicanalítica Internacional (I.P.A.), uma associação surgida num contexto em que o relacionamento Freud-Jung-Ferenczi revolvia velhos traumas.

Para introduzir e expor os estatutos da I.P.A. no congresso, Ferenczi abordou o problema à maneira de uma família imaginária que fizesse coabitarem duas coisas incompatíveis: "a franqueza [sempre o "franco" que exigia a verdade] e a autoridade. Por isso, idealmente, as pulsões serão sublimadas e a selvageria dos ancestrais, socializada. Os analistas, ali, são como apóstolos da paz eterna, obrigados por seu ideal a travar guerra." Promotor de uma instituição (a I.P.A.) que, a longo prazo, seria fossilizante, iria Ferenczi escapar às armadilhas que ela abrigava?

*

Ferenczi, interlocutor privilegiado de Freud

Para compreender vivamente como Ferenczi seguiu e acompanhou Freud em sua elaboração teórica, achei que poderíamos reler alguns trechos da correspondência trocada[21]. Tomemos, por exemplo, o ano de 1911. Em 13 de novembro, Freud lhe confiou: "Caro amigo (...). Ando ocupado das 8hs às 8hs, mas meu coração está inteiramente no *Totem*, no qual vou progredindo com muita lentidão." E, quinze dias depois, em 30 de novembro, Freud chamou-o pela primeira vez de *"Caro filho"*. "O trabalho concernente ao *Totem* é uma porcaria. Leio livros grossos que não têm nenhum interesse, pois já conheço as conclusões (...). Não tenho tempo todas as noites."

Numa carta de 18 de janeiro de 1912, Ferenczi relatou a Freud o caso clínico de um menino a quem chamou "o Pequeno Homem-Galo".* Em 23 de janeiro do mesmo ano, Freud escreveu: "Caro amigo. Seu 'homenzinho' é uma festa. Provavelmente, vou lhe pedir que me ofereça essa observação para um trabalho sobre o *Totem*, ou para publicá-la sem referência ao *Totem*. O artesanato científico obriga a essas mesquinharias."

Na mesma carta, algumas linhas abaixo, Freud cometeu um lapso ao falar da Sra. Jung: "O que me contraria é que, ao responder a *suas* cartas, mais uma vez me deixei levar, como um imbecil, a ser muito caloroso, e lhe comuniquei todos os resultados de minha pesquisa sobre a religião, como a você." "*Suas* cartas" foi um lapso de Freud, que queria escrever cartas *dele(a)*, pensando nas cartas de Jung ou sua mulher.

Dia 27 de janeiro de 1912. Ferenczi divertiu-se com o lapso: "Para lhe mostrar que aprendi com o senhor a arte de tirar conclusões importantes a partir de pequenos sinais, cito um trecho de sua última carta. O senhor me escreveu, *a mim*, a propósito da Sra. Jung: 'O que me contraria é que, ao responder a *suas* cartas, mais uma vez me deixei levar, como um imbecil, a ser muito caloroso.' Também eu lamento que o senhor tenha comunicado os

---

* Ferenczi expôs o caso a Freud nos seguintes termos: "Tenho, neste momento, um caso sensacional, um irmão do 'Pequeno Hans', por sua importância. Um menino, agora com cinco anos, recebeu uma bicada de um galo no pênis quando urinava num galinheiro, aos dois anos e meio (...) Desde esse momento, toda a vida psíquica desse menino tem girado em torno das galinhas e dos galos (...). Durante meses, ele só fez *cacarejar e fazer cocorocó* (...). Chama o pai de *galo* (...). É um sadomasoquista impressionante. (...)" Essa carta se encontra na *Correspondance*, op. cit., p. 349-50. O caso foi publicado nas *Œuvres complètes*, vol. II, p. 72-8, e citado por Freud em *Totem e tabu*.

temas da psicologia das religiões a Jung (...)." E, pouco mais adiante, ele acrescentou: "Encaminho-lhe o 'pequeno Homem-Galo'. Peço que se sirva dele como bem lhe aprouver, para o trabalho sobre o *Tabu*."

Como responderia Freud em sua carta de 1º de fevereiro de 1912? "Caro amigo, há muito tempo eu não recebia uma carta em que as verdades se comprimissem tanto quanto na sua última. Felizmente, nem todas elas são tristes. Comecemos por seu 'pequeno Homem-Galo'. Ele é simplesmente um banquete, e terá grande futuro. Espero que você não vá acreditar que quero simplesmente confiscá-lo para mim, o que seria uma baixeza de minha parte. Mas não convém publicá-lo antes que eu tenha podido lançar 'O retorno infantil do totemismo', a fim de que então me refira a ele."

No tocante ao lapso destacado por Ferenczi, Freud reagiu: "Não lhe escapou que, nessa ocasião, minha desconfiança tornou a se trair, no momento em que estou procurando [em relação a Jung] compensar-me através de um novo investimento." Vê-se claramente que o lapso de Freud estava relacionado com o desejo de castrar os filhos, ou de lhes impor a castração de uma forma ou de outra.

Em 13 de maio de 1913, Freud escreveu: "Posso novamente escrever-lhe hoje, porque o trabalho sobre o *Totem* acabou ontem. Uma enxaqueca assustadora, uma raridade em mim (...) por pouco não me impediu de terminar no último momento (...). Desde a *Interpretação dos sonhos* (...), nunca trabalhei no que quer que fosse com tamanha segurança e exaltação (...). Quem quiser abraçar a princesa adormecida dentro dele, de qualquer maneira, terá que abrir caminho através de algumas cercas de espinhos de literatura e de referências."

Em 12 de junho do mesmo ano, Freud se disse "seriamente desiludido de [sua] supervalorização inicial desse trabalho e, de modo geral, preocupado. Se você puder", prosseguiu, "facilitar-me essa tarefa difícil, propondo-me um acréscimo ou uma modificação, ficarei muito feliz com isso".

E, em 23 de junho, Ferenczi lhe respondeu como responderia um analista: "Caro Senhor Professor. A impressão produzida pelo trabalho sobre o *Totem* foi extraordinariamente profunda, embora eu já conhecesse a maioria de suas orientações. (...) Tudo isso me leva a crer que sua hesitação *a posteriori* é, na realidade, um deslocamento da *submissão a posteriori* aos pais (e a seu próprio pai), que, nessa obra, o senhor fez perderem os últimos resquícios de poder sobre a alma humana. É que sua obra é também um banquete totêmico. O senhor é o sacerdote de *Mithra* que mata o pai com as próprias mãos — seus discípulos são as testemunhas do ato 'sagrado'. O senhor mesmo comparou a importância do trabalho sobre o *Totem* com a da *Interpretação dos sonhos* — mas esta última fora 'a reação à morte do pai'! Na *Interpretação dos sonhos*, o senhor travou o combate contra seu próprio pai; no trabalho sobre o *Totem*, contra essas imagos paternas religiosas fantasmáticas. Daí a festa jubilatória durante a gênese da obra (durante o ato de sacrifício), à qual se seguiram *a posteriori* os *escrúpulos*. Estou firmemente convencido de que o trabalho sobre o *Totem* se tornará, um dia, o ponto nodal da ciência da história da civilização humana."

Em 9 de julho de 1913, por ocasião do quadragésimo aniversário de Ferenczi, Freud o cumprimentou e lhe confidenciou que esse aniversário lhe recordava seus próprios quarenta anos, "desde os quais já troquei de pele várias vezes, o que, como se sabe, ocorre a cada sete anos". Mais adiante, na carta, respondendo ao pedido de Ferenczi de receber novos textos, Freud retomou o tema da periodicidade e confessou: "Ainda não sei se posso encorajar sua esperança de que eu possa comunicar-lhe algo de novo. As coisas boas realmente surgem em mim com uma periodicidade de sete anos."

No mundo antigo, a serpente, segundo dizem, era obrigada a trocar de pele precisamente a cada sete anos. Lembrem-se da bissexualidade de Tirésias, que, depois de golpear duas serpentes que estavam copulando, foi condenado a se transformar em mulher. Pois bem, sete anos depois, ele deparou com outro par de serpentes, mas, dessa vez, golpeando a serpente macho, voltou a ser homem.

Com essa muda-despelamento (que em alemão se escreve "Enth*äu*tung", separação da pele, "*Haut*"), temos agora um importante conceito freudiano: a endotomia. A endotomia é a separação de uma parte de si mesmo, nem que seja a pele. A rigor, o corte do cordão umbilical não separa a criança da mãe, mas de seu próprio envoltório, ou seja, de sua placenta.

Em resposta a essa carta, Ferenczi não assinalou a Freud que a alusão à periodicidade era um resíduo de sua relação com Fliess. E, no que concerne ao tema da pele, justamente, não fez nenhuma referência à pele tão particular que fora a membrana amniótica que envolvera o menino Sigmund, na hora de seu nascimento. Por outro lado, se Ferenczi fosse lacaniano, poderia ter entendido, em alemão, o título do livro *Totem e tabu* como "*Tod-Mund-Tabu*": morte-boca-tabu. E mais, se pudesse ter estabelecido, com relação ao conteúdo dessa obra, uma aproximação com a ordem proibitória "No tocar la reina" (Não *tocar* na rainha),* ele teria revelado a Freud a importância do toque (*Die Berührung*), palavra encontrada em *Totem e tabu* em 72 ocorrências ao longo de 65 páginas. Por fim, também teria podido, a partir de um capítulo desse mesmo livro, dedicado à magia, mostrar a Freud que, com sua classificação da magia em magia por contigüidade e magia por analogia, ele estava definindo as leis da fala, as da metáfora e da metonímia; verdadeiras leis do inconsciente que Ferenczi já formulava, a sua maneira, com as palavras "métaphoria — métonymia".

*

A "análise mútua" de Sándor Ferenczi e Georg Groddeck

Veio a guerra de 1914-1918, Ferenczi foi mobilizado e as neuroses de guerra o apaixonaram. Ora, em 1918, ele assinalou pela primeira vez que, ao lado do método clássico da psicanálise, muitas vezes era indispensável usar um método mais rápido, "Kursorische", dizia, para obter uma mudança importante. Com efeito, foi dessa época que datou sua preocupação de abreviar o tratamento analítico. Portanto, paralelamente ao "longo rio tranqüilo" da técnica analítica, cheia de "Sprödichkeit" (cheia de reserva), Ferenczi queria aperfeiçoar um método mais ativo, visando a obter rapidamente resultados decisivos. Veremos como o encontro com Georg Groddeck teria, nesse aspecto, um impacto indiscutível. Pois foi no contato e através de diversos intercâmbios com G. Groddeck que Ferenczi abandonou sua técnica ativa, para dar preferência à chamada técnica da indulgência e do relaxamento.

Havia alguns anos que Groddeck se fizera conhecer e reconhecer por Freud como um magnífico analista selvagem que tratava das doenças orgânicas. Em muitas ocasiões, convidou Freud a ir a Baden-Baden, porém em vão, nunca havendo Freud aceitado ir até lá.

Foi Ferenczi que, em contrapartida, ousou penetrar no "Satanarium". Por isso, em 17 de agosto de 1921, escreveu a seu "Mui honrado Senhor

---

* Já numa carta anterior, de 18 de janeiro de 1912, Ferenczi havia abordado, sem explicitá-lo, o tema da proibição do toque na análise, contando a Freud a história da rainha da Espanha cujo vestido havia pegado fogo, na frente de todos os membros da corte, e que não pudera ser salva porque a etiqueta da corte proibia que se tocasse a rainha: "No tocar la Reina" (*Não tocar a Rainha*). Ver *Correspondance*, op. cit., p. 349.

Colega" para lhe participar que decidira "unir o útil ao agradável", esclarecendo que desejava repousar e se "beneficiar dos cuidados daquele que aplicava a psicanálise às doenças orgânicas".

Mas, por que queria ele encontrar Groddeck? Houve quem dissesse que estava sofrendo de tuberculose, o que é mentira. A verdadeira razão é que sua mãe acabara de morrer! E, todas as noites, Ferenczi acordava sem fôlego, com a pele enregelada, quase sem pulso, com dores cardíacas e, às vezes, palpitações, o que o fazia perder toda a confiança no futuro. Estava vendo chegar seu fim, sem jamais haver recebido da mãe a tão esperada ternura.

Em 5 de setembro de 1921, ele finalmente encontrou-se com Georg Groddeck. Em sua carta de 25 de dezembro do mesmo ano, já o chamava de "Prezado amigo". Essa carta dirigida a Groddeck é importante, pois revela o sofrimento íntimo de Ferenczi; citemos um longo excerto dela: "Faz muito tempo que venho me comprazendo numa reserva orgulhosa e ocultando meus sentimentos, amiúde até de meus parentes. Seria eu exigente demais, ou será que minha mãe (...) era severa demais? Ao que me lembre, é certo que, quando menino, recebi dela pouquíssimo amor e um excesso de severidade. O sentimentalismo e os afagos eram desconhecidos em nossa família. Ainda mais zelosamente, cultivavam-se sentimentos como: o respeito pudico para com os pais etc. De uma educação assim, poderia resultar outra coisa que não a hipocrisia? Manter as aparências, esconder os 'maus hábitos', era isso o mais importante. Foi assim que me tornei um excelente aluno e um onanista secreto (...). Mesmo falando objetivamente, portanto, não há nada demais em que, depois desses antecedentes, eu me declare vencido (be*siegt*) por sua espontaneidade, sua gentileza e sua amabilidade natural. Até então, eu nunca me havia expressado com tanta franqueza diante de um homem, nem mesmo o 'Si*e*gmund' (Freud), cujo nome causou o erro de grafia na palavra *besi(e)gt*[22] Em etapas, deixei-me analisar por ele (uma vez por 3 semanas, outra por 4-5 semanas), e durante anos viajamos juntos todos os verões: eu não conseguia me abrir com ele de maneira totalmente livre; havia um excesso daquele 'respeito pudico', ele era adulto demais para mim, tinha demais do pai (...). O que eu queria era ser amado por Freud. Sua carta me incitou a um novo esforço; também me ajudou a me desmascarar, ainda que apenas parcialmente, diante de minha mulher. Tornei a falar com ela da insatisfação, do amor recalcado por sua filha Elma, que deveria ter sido minha noiva. Ela o foi, aliás, até que um comentário meio desaprovador de Freud me levou a lutar com afinco contra esse amor, a repelir a moça com firmeza."

Para compreender essa desaprovação de Freud, lembremos, em primeiro lugar, que Sándor havia-se casado com Gizella em 1919, após longos anos de noivado. Nessa época, ele tinha 46 anos, enquanto ela contava 54 e já era mãe de duas moças, Elma e Magda. Oito anos antes desse casamento, em 1911, ocorrera um episódio doloroso na vida do casal. Sándor havia iniciado uma psicoterapia com Elma, a filha mais velha de Gizella, de 24 anos, apaixonara-se pela paciente e fizera dela sua noiva, com o consentimento resignado da mãe. Finalmente, essa crise fora resolvida com o casamento de Sándor e Gizella, embora esse conflito deixasse uma ferida permanentemente viva em cada um. Quanto a Elma, havia prosseguido sua análise com Freud.

Mas, retomemos a carta no ponto em que Ferenczi descreveu um de seus sintomas. "É minha inibição no trabalho (idéias que ocorrem a propósito disso: não deves suplantar o pai). Durante o ano de 1915-16 (...), desenvolvi uma importante e 'grandiosa' teoria do desenvolvimento genital, como reação dos animais ao perigo de ressecamento no momento da adaptação à vida terrestre. Nunca pude resolver-me a pôr no papel esse trabalho valioso (...). Quando quero escrever, sou tomado de dores." Sublinhemos que a obra em que ele viria a expor essa grande teoria receberia o título inicial, em húngaro, de "Katastrophák" (*Catástrofes no desenvolvimento do funcionamento genital*)[23], e só seria publicada, finalmente, após nove anos de dolorosa gestação.

"Esse sintoma (inibição no trabalho)", prosseguiu ele, "é freqüentemente acompanhado pela idéia: 'não vale a pena'. Ou seja: o mundo não me dá o bastante para merecer, de minha parte, esses 'presentes'; visivelmente, erotismo anal: não quero soltar nada enquanto não me derem alguma coisa de presente. Mas, que presente é esse? Só pode ser o filho com que a mulher tem que me presentear — ou, ao contrário, que eu devo gerar para o mundo (para o pai, a mãe). O pior é que meu erotismo, aparentemente, não quer se satisfazer com essas explicações. Eu quero, '*Isso*' quer, não uma interpretação analítica, mas alguma coisa de real: uma mulher jovem, um filho! A propósito: você não acha que a célebre expressão a respeito de 'chorar feito criança' [*Schrei nach dem Kinde*] é apenas a inversão do desejo de ouvir uma criança chorar?"[24] Não nos esqueçamos de que Ferenczi nunca foi pai, a não ser de uma certa psicanálise.

Frente à demanda imperiosa de Ferenczi, que reclamava uma mulher jovem e um filho, Groddeck certamente pensou em Elma e não pôde deixar de interrogar seu amigo. Por que Freud havia desaprovado esse amor por

Elma? Ela era quinze anos mais moça do que ele? Grande coisa! Mas, se ele havia casado com a mãe de Elma, Gizella, que tinha 54 anos e ele, 46, ou seja, era oito anos mais velha do que ele. Agora, assunto encerrado! Mas Ferenczi constatou uma recrudescência de seus espasmos cardíacos, ligados a uma perturbação inconsciente: "a infinitude dos enigmas da libido".

Em 1922, Ferenczi escreveu a Groddeck: "O Professor Freud usou uma ou duas horas para cuidar de minhas aflições; ateve-se a sua opinião expressa anteriormente, a saber, que o elemento principal em mim seria meu ódio por ele, ele que (exatamente como o pai de outrora) impediu meu casamento com a noiva mais jovem (a atual enteada). Daí minhas intenções homicidas a respeito dele, que se exprimem por cenas de óbitos noturnos (enregelamento, estertores). Esses sintomas seriam sobredeterminados por reminiscências de observação do coito parental. Devo confessar que me fez bem poder, ao menos uma vez, falar desses movimentos de ódio perante o pai tão amado."

Aí vemos o papel desempenhado por Georg Groddeck. Seu amigo Sándor pôde finalmente falar, implicar-se, ir até o fim de seu dito, e não se privou de fazê-lo. Filho de uma família numerosa, Ferenczi inaugurara sua correspondência com um grito vindo do coração: "Quero um filho. *Isso* quer um filho!" E, segundo ele, Freud lhe recusara isso, ao aconselhá-lo a desposar uma mulher velha demais.

Groddeck surpreendeu-se — logo ele que, justamente, vivia com Emmy von Voigt, uma jovem paciente a quem havia curado e com quem depois se casaria, em 1923. Emmy sofria de hemorragias uterinas e algumas massagens haviam-na curado em definitivo. Por isso, ela quisera permanecer no Sanatório, para aprender a técnica salvadora. Durante essa formação é que professor e aluna se haviam apaixonado.

Transferência mal liquidada? Freud, em seu artigo "Observações sobre o amor transferencial"[25], reconheceria que o amor transferencial tinha todos os atributos de um amor verdadeiro. Se o analista e sua paciente fossem ambos livres, de situação e idade compatíveis, não haveria grande inconveniente em que contraíssem um matrimônio legítimo, escreveria ele. O amor transferencial é um sintoma que surge na fornalha da transferência: por certo convém analisá-lo, mas, será que podemos atuá-lo? Os primeiros analistas, com mais freqüência do que se gosta de dizer, confrontaram-se com essa interrogação. E alguns se casaram com pacientes, depois de terminado o tratamento.

Que veio Ferenczi a aprender com esse homem caloroso? Que era possível estabelecer-se um "contato afetivo" entre terapeuta e paciente. Groddeck tocava, massageava, banhava, calcava; não nos esqueçamos de que era discípulo de Ernest Schweninger, o célebre médico de Bismarck.* O método groddeckiano de relaxamento viria a ter uma influência decisiva em Ferenczi, quando este abrandou a técnica analítica clássica, tornando-a mais "elástica" e "variável".

Ferenczi descobriu, além disso, que seu amigo também tinha necessidade de falar e de se deitar num divã. Não tinha feito análise, ou melhor, analisava-se indiretamente com sua platéia de doentes no Sanatório, contando seus sonhos e revelando publicamente suas associações, ao longo de suas célebres *Conferências psicanalíticas para uso dos doentes*. Mas Groddeck acabaria deitando no divã de Ferenczi, em Budapeste, o que constituiu a origem da análise mútua[26]. Aliás, foi Ferenczi quem empregou pela primeira vez a palavra "analisando", para designar o paciente como ativo, ao realizar sua análise e analisar seu psicanalista.

Será possível dizer que esse contato com Groddeck foi suficiente para apaziguar o sujeito Ferenczi em sua busca de uma confirmação afetiva? De modo algum! Não bastava "tocar" à maneira groddeckiana, era preciso ainda um "contato afetivo-confirmador", disse-nos Frans Veldman. Groddeck era excessivamente objetivante, manipulador, e a "segurança básica" não poderia desenvolver-se, pois lhe faltava a "delectatio" inerente a toda ternura afetiva. Mas, não confundamos a ternura com a carícia. A ternura é a antítese de qualquer estimulação erotizante. "Storge", em grego, é ternura, e "Stergo" significa que amo ternamente. Esse verbo, "Stergo", constrói-se a partir do "Stereos", que quer dizer, em grego, o real, aquilo que é firme e sólido. A ternura, isto é, o amor dos pais, representa para os gregos aquilo que torna firme, que dá firmeza e segurança.

Portanto, apesar de Groddeck, Ferenczi continuou não apaziguado e sempre em sua busca. Devemos agora saltar alguns anos, para nos colocarmos em Oxford em 1929, no XI Congresso Internacional de Psicanálise.

*

---

* O leitor poderá reportar-se ao capítulo seguinte, dedicado à obra de Georg Groddeck.

O abandono da técnica ativa em prol da técnica de indulgência e de relaxamento

Em agosto de 1929, Ferenczi apresentou uma contribuição decisiva, "O progresso da técnica analítica", que ele introduziu situando seu lugar no movimento freudiano: "Minha posição pessoal no movimento psicanalítico", escreveu, *"fez de minha pessoa uma coisa* intermediária entre aluno e professor, e essa dupla posição me autoriza e me habilita, talvez, (...) a pleitear uma justa apreciação daquilo que foi confirmado pela experiência".

Em seguida, Ferenczi descreveu os primeiros sucessos, mas também a fragilidade, daquilo a que chamava "paleocatarse", o antigo método catártico apregoado por Breuer. "Em meu zelo, decerto ainda juvenil, empenhei-me em descobrir meios de abreviar esse tempo [do tratamento] e provocar resultados terapêuticos melhores. Generalizando e acentuando mais o princípio de frustração de que o próprio Freud se reconheceu partidário no Congresso de Budapeste (1918), e recorrendo a um aumento artificial da tensão ["terapêutica ativa"], procurei favorecer a repetição de acontecimentos traumáticos anteriores e uma melhor resolução deles pela análise. Os senhores certamente não ignoram que, algumas vezes, deixamo-nos levar, eu mesmo e alguns outros que me seguiram, a excessos no campo da atividade. O mais grave desses excessos consistiu *em fixar um prazo para o tratamento*, medida proposta por Rank[27] e adotada por mim na época. Tive discernimento suficiente para me aperceber em tempo desses exageros, e mergulhei com ardor na análise do Eu (...), que, nesse meio tempo, Freud havia abordado com tanto sucesso (...). Entretanto, eu tinha cada vez mais a impressão, ao aplicar essas concepções na análise, de que a relação entre médico e paciente começava a se assemelhar um pouco demais a uma relação entre mestre e aluno. Adquiri igualmente a convicção de que meus pacientes estavam profundamente insatisfeitos comigo, mas simplesmente não ousavam rebelar-se abertamente contra o dogmatismo e o pedantismo de que dávamos mostras. Num de meus trabalhos dedicados à liberdade, portanto, convidei meus colegas a ensinarem a seus pacientes uma liberdade maior, a lhes ensinarem a se entregar mais livremente à sua agressividade para com o médico; ao mesmo tempo, exortei-os a darem mostras de um pouco mais de humildade diante de seus pacientes, a admitirem os eventuais erros que pudessem cometer; e preconizei uma *elasticidade* maior, à custa, eventualmente, até mesmo de nossas teorias (...). No correr de minha longa prática analítica, descobri-me constantemente infringindo ora um, ora outro dos

'Conselhos técnicos' de Freud. A *fidelidade ao princípio* de que o paciente deve ficar deitado foi *traída*, ocasionalmente, pelo indomável impulso dos doentes de se levantarem de um salto, andarem pelo aposento ou falarem comigo olhos nos olhos (...). O efeito de choque da interrupção abrupta da sessão obrigou-me, mais de uma vez, a prolongá-la até o escoamento da reação emotiva, ou até a dedicar ao doente duas sessões por dia, ou mais."

"Convém admitir, portanto", resumiu Ferenczi, "que a psicanálise trabalha, na verdade, com dois meios que se opõem um ao outro; ela produz um aumento de tensão, através da frustração, e um relaxamento, ao autorizar algumas liberdades."

*

A neocatarse. Aquilo de que os neuróticos precisam: serem realmente adotados por seu terapeuta

Qual era o novo método catártico de Ferenczi e qual deveria ser a atitude adequada do médico? "Uma total sinceridade, uma grande liberdade, e eis que, nesse clima de confiança um pouco mais ideal, surgem sintomas histéricos corporais, movimentos expressivos violentos, variações bruscas do estado de consciência, em suma, *estados de transe* nos quais fragmentos do passado são revividos, persistindo então a pessoa do médico como a única ponte entre o paciente e a realidade."

Mas, não vamos confundir esse desfecho catártico, ao cabo de uma longa análise (a neocatarse), com a antiga catarse breueriana. A neocatarse devolveu uma grande importância ao fator traumático original no problema das neuroses. E, por conseguinte, uma análise não poderia ser considerada terminada, ao menos teoricamente, enquanto não se houvesse conseguido atingir o material mnêmico traumático. Era preciso, portanto, ao lado da elasticidade fantasística, privilegiar a realidade do próprio trauma patogênico, que "resultava com muito menos freqüência de uma hiper-sensibilidade constitucional das crianças (...) do que de um [mau] tratamento [do adulto sedutor] realmente inadequado, ou até cruel. As fantasias histéricas não mentem, (...) [elas mostram] como os pais e adultos podem, efetivamente, ir longe demais em sua paixão erótica pelos filhos. (...) Hoje em dia, estou novamente tentado a atribuir, ao lado do complexo de Édipo das crianças, *uma importância maior à tendência incestuosa dos adultos, recalcada e que assume a máscara da ternura*. Por outro lado, não posso negar que a presteza das crianças a responderem ao erotismo genital manifesta-se muito mais intensamente e com muito mais precocidade do que estávamos habituados a pensar até o presente (...). Mas a criança experimenta um pavor igual quando suas sensações genitais são prematuramente forçadas, pois o que a criança deseja, de fato, mesmo no que concerne às coisas sexuais, são apenas a brincadeira e a ternura, e não a manifestação violenta da paixão"[28].

"Nossa atitude amistosa e benevolente [de analista] decerto pode satisfazer a parte infantil da personalidade, a parte faminta de ternura, mas não a que conseguiu escapar às inibições do desenvolvimento e se tornar adulta (...) [e também] uma parte do corpo, oculta, [que] abriga as parcelas de um gêmeo cujo desenvolvimento foi inibido."

Era essa criança oculta, e talvez reanimada pela neocatarse, que era preciso ajudar a crescer! Mas, será que se tomaria o rumo de uma ligação perigosa com o terapeuta, sem desligamento possível? Não. Ferenczi relatou o caso de uma paciente que, após dois anos de duro combate, pudera dizer-lhe: "Agora que o amo, posso renunciar ao senhor." Essa fora, para essa analisanda, "sua primeira declaração espontânea depois do aparecimento de uma atitude afetiva positiva a meu respeito".

Assim, graças a seu novo método catártico, Ferenczi transformara a tendência à repetição em rememoração. "Enquanto ela me identificava com seus pais de coração empedernido, a paciente repetia constantemente suas reações de desafio, mas, quando deixei de lhe dar oportunidade para isso, ela começou a distinguir o presente e o passado e, após algumas explosões emocionais de natureza histérica, a *rememorar* os choques psíquicos que sofrera durante a infância. A semelhança entre a situação analítica e a situação infantil, portanto, incita mais à repetição, enquanto o contraste entre as duas favorece a *rememoração*."

Para concluir, Ferenczi insistiu: "*Aquilo de que os neuróticos precisam é ser realmente adotados, e que os deixemos, pela primeira vez, desfrutar das bem-aventuranças de uma infância normal.*"

Em suma, Ferenczi falou de uma *delectatio* levada a seu termo, assim harmonizando a teoria e a prática. Mas, o que ele não sublinhou suficientemente foi a maneira como devemos arranjar-nos para que à "ligação afetiva asseguradora" se siga o "desligamento confirmador". Como desenvolver o que Ferenczi chamava "força vital" — a *vis vitalis*? Esse é o problema. Ela só pode desenvolver-se num "contato afetivo-confirmador" (expressão de F. Veldman), e isso, bem antes do nascimento.

*

O método do relaxamento: aceitar o agir no tratamento permite ao paciente rememorar

Em "Análises de crianças com adultos"[29], conferência proferida na Associação Psicanalítica de Viena em 6 de maio de 1931, por ocasião do 75º aniversário de Freud, Ferenczi confirmou a nova orientação de sua técnica. Reconheceu: "Uma confiança fanática nas possibilidades de êxito da psicologia profunda fez-me considerar os eventuais fracassos menos como conseqüência de uma 'incurabilidade' do que de nossa própria inabilidade, hipótese esta que me conduziu, necessariamente, a modificar a técnica nos casos difíceis, nos quais era impossível lograr êxito com a técnica habitual. Assim, é a contragosto que abandono os casos mais teimosos e, pouco a pouco, tornei-me um especialista em casos particularmente difíceis, dos quais venho-me ocupando, agora, há um número muito, muito grande de anos. Formulações como 'a resistência do paciente é insuperável' ou 'o narcisismo não permite aprofundar mais o caso', ou mesmo a resignação fatalista diante da pretensa estagnação de um caso, tornaram-se inadmissíveis para mim. Eu achava que, enquanto o paciente continuasse a comparecer, o fio de esperança não estaria rompido. Portanto, tinha que me colocar incessantemente a mesma questão: será que a causa do fracasso é sempre a resistência do paciente, ou não será, antes, que nosso próprio comodismo não se digna a adaptar-se às particularidades da pessoa em si, no plano do método?"

Ferenczi ilustrou então sua técnica com exemplos clínicos notáveis: "Assim, levei os pacientes a um '*relaxamento*' mais profundo, a um abandono total às impressões, tendências e emoções internas que surgissem de maneira totalmente espontânea. Então, quanto mais a associação se tornava realmente livre, mais as palavras e outras manifestações do paciente tornavam-se ingênuas — infantis, diríamos; com mais e mais freqüência, vinham misturar-se aos pensamentos e representações imajados alguns ligeiros movimentos de expressão, às vezes até 'sintomas passageiros' (...). Eis um exemplo: um paciente no vigor da idade resolveu, depois de haver superado fortes resistências, em especial uma intensa desconfiança, fazer com que fossem revividos alguns acontecimentos de sua primeira infância. Já sei (...) que ele me identifica com seu avô. De repente [*plötzlich*][30], bem no meio de seu relato, passou o braço em torno de meu pescoço e me segredou no ouvido: 'Sabe, vovô, estou com medo de ter um filhinho...' Tive então a idéia, feliz, ao que me parece, de não dizer nada de imediato sobre a transferência (...), mas de lhe devolver a pergunta, no mesmo tom de segredo: 'É, mas por que você está pensando nisso?' Como os senhores vêem, deixei-me levar (...) por um jogo de perguntas e respostas, inteiramente análogo aos processos que nos são relatados pelos analistas de crianças (...). Se os senhores considerarem que, segundo nossas experiências e hipóteses atuais, a maioria dos choques patogênicos remonta à infância, não ficarão surpresos ao ver um paciente que está tentando revelar a gênese de sua doença cair, de repente, no infantilizado e no infantil (...). Sucede, por exemplo, um paciente, ao confessar um erro, pegar-nos bruscamente a mão e nos suplicar que não batamos nele." E Ferenczi prosseguiu: "Não raro os pacientes nos trazem, muitas vezes em meio a suas associações, pequenas histórias compostas por eles, até poemas ou quadrinhas rimadas; às vezes, pedem um lápis para nos presentear com um desenho, em geral muito ingênuo. Naturalmente, deixo-os à vontade, e pego esses pequenos presentes para servirem de ponto de partida para outras formações fantasísticas."

"Certamente, Freud tem razão em nos ensinar que a análise alcança uma vitória quando consegue substituir o agir pela rememoração; mas penso que também é vantajoso suscitar um material atuado importante, que depois possa ser transformado em rememoração. Em princípio, eu mesmo também sou contrário às explosões descontroladas, mas julgo que é útil descobrir, tão amplamente quanto possível, as tendências à ação que estão ocultas, antes de passar ao trabalho do pensamento (...)."

Com respeito a isso, sabemos que alguns pacientes às vezes se permitiam abraçar Ferenczi, o que chocaria Freud. Sándor Ferenczi seria recriminado por "mimar" seus analisandos e por se deixar abraçar. "Invocarei em minha defesa que não provoquei intencionalmente esse processo, que se desenvolveu em seguida a minha tentativa, a meu ver legítima, de reforçar a liberdade de associação; tenho um certo respeito por essas reações que surgem espontaneamente e, sendo assim, deixo que apareçam sem intervir, pois suponho que elas manifestam tendências à reprodução que não devem ser impedidas, mas cuja manifestação deve ser favorecida antes de se tentar dominá-las."

Se vocês quiserem compreender como, às vezes de maneira dramática, os analisandos de Ferenczi se exprimiam e ele lhes respondia, leiam esse artigo, "Análise de crianças com adultos". "Às vezes (...) é a reprodução da agonia psíquica e física que acarreta uma dor incompreensível e insuportável." Nesse caso, que fazer? "Palavras tranqüilizadoras e cheias de tato, eventualmente reforçadas por uma pressão encorajadora da mão e, quando isso se revelar insuficiente, um afago amistoso na cabeça, reduzindo a reação a um nível em que o paciente volte a se tornar acessível. Então, o paciente nos relata as ações e reações inadequadas dos adultos frente a suas manifestações, por ocasião de choques traumáticos infantis, em oposição a nossa maneira de agir."

E Ferenczi perguntou-se: "Para onde foram, então, a refinada análise econômica, tópica e dinâmica, a reconstrução da sintomatologia, e a busca dos investimentos cambiáveis da energia do Eu e do Supereu, que caracterizam a análise moderna?" Ferenczi não desprezava essa análise econômica, tópica e dinâmica; ao contrário, com ele, ela se exprimia, ao passo que, com outros psicanalistas, nunca havia "transe" nem revivescência.

Mas, seria impossível enumerarmos todas as contribuições de Sándor Ferenczi, todas as suas intuições, tudo o que germinou em seu pensamento e que hoje se realiza.

*

Antes de concluir, vamos dar mais uma olhadela em seu artigo de 1933, "As paixões dos adultos e sua influência no desenvolvimento do caráter e da sexualidade da criança", traduzido com o título de "Confusão de língua entre os adultos e a criança" e com o subtítulo "A linguagem da ternura e da paixão"[31]. Essa contribuição provocou um escândalo no Congresso de Wiesbaden, em setembro de 1932, pois suscitou enormes resistências, ao evocar a hipocrisia profissional dos psicanalistas que permaneciam frios e intelectualizadores diante dos pacientes em plena crise.

"Os pacientes não se comovem com expressões teatrais de piedade, mas apenas, devo dizer, com uma autêntica simpatia. Não sei se eles a reconhecem pelo tom de nossa voz, pela escolha de nossas palavras ou de alguma outra maneira. Seja como for, eles adivinham, de maneira quase extralúcida, os pensamentos e as emoções do analista" [quando ele demonstra benevolência: "Freundlichkeit"].

Nesse artigo-testamento, Ferenczi retomou o problema do trauma e o da identificação da vítima — uma criança — com seu agressor, através da introjeção. Descreveu o mecanismo de "progressão traumática" como um movimento de sobressalto da criança, em resposta à agressão do adulto sedutor. Era a reação de uma criança aflita e em meio a uma angústia de morte que ativava, subitamente, disposições latentes ou ainda não investidas. Evocando os frutos que amadurecem depressa demais, quando feridos pelo bico de um pássaro, Ferenczi mostrou que, no plano emocional e intelectual, o choque traumático podia permitir que uma parte da pessoa amadurecesse repentinamente. Essa parte, ele a chamou de "bebê sábio". É ela que aparece em nossos sonhos, quando uma criança de berço começa a falar para explicar ao adulto o que convém fazer. "É inacreditável o que podemos realmente aprender com nossos 'bebês sábios', os neuróticos!", dizia ele.

*

Conclusão

Citando Goethe, Freud um dia escrevera a Fliess (e Marie Bonaparte o repetiu): "Was hat man dir, du armes Kind, getan?" — *Que fizeram contigo, pobre criança?* Freud via nesse lamento a expressão de um novo lema da psicanálise, mas logo o havia esquecido. Pois bem, Ferenczi veio relembrá-lo. O insuportável de ouvir, o horror, não é fácil de conservar em nossa memória; preferimos esquecer. Seria o inconsciente a "memória do esquecimento"? Ao relembrar todas essas evidências, não estaria Ferenczi arriscando derrubar a imensa estátua de pedestal frágil?

*

E, no entanto, Ferenczi, minha pobre criança, que fizeram contigo? O próprio Freud, depois de tua morte, escreveu a Max Eitingon dizendo que havias "conhecido um grave episódio delirante". E, na carta que respondeu às condolências enviadas por Ernest Jones, Freud retomou a mesma idéia: "É grande e doloroso o nosso sofrimento (...). Mas essa perda não é realmente nova. Há anos que Ferenczi já não estava conosco e, na realidade, já não estava consigo mesmo (...). Durante as últimas semanas, não podia andar nem manter-se de pé. Simultaneamente, segundo uma lógica diabólica, sobreveio a degeneração mental, sob a forma de violentas crises paranóides." Invenção freudiana! Todo o meio húngaro afirma isso. Como vêem, para Freud, era preciso ser louco para querer derrubar a estátua!

Morto, Ferenczi formula-nos hoje, e de maneira original, a questão do pai. Pois a ternura que ele prodigalizava a seus doentes não é apanágio exclusivo da mãe. Como utraquista[32], Sándor Ferenczi sustentaria até o fim seu "não um sem o outro". Sabemos perfeitamente que não se trata de "ou o pai, ou a mãe", mas de um e do outro, ambos indispensáveis para fundar a *segurança básica*. Então, seria Ferenczi uma "mãe terna", como ironicamente o qualificou Freud? Não será, antes, que o próprio Freud é que era incapaz de garantir também uma necessária transferência materna?

Sim, Ferenczi foi chocante, por haver encarnado a psicanálise. "Ele fez de todos os analistas seus alunos", reconheceria Freud em seu obituário. "É impensável que a história de nossa ciência o deixe cair no esquecimento", concluiu. Impensável esquecer um Ferenczi que encarnou, a nosso ver, o próprio recalcado da psicanálise freudiana.

Tendo falecido por complicações medulares de uma anemia de Biermer, Sándor Ferenczi já não podia manter-se de pé, como o Golem fragilizado que evocamos a propósito de Moisés. Morreu em seu leito, em 22 de maio de 1933, às 14:30h.

A propósito dessa morte, Ernest Jones preferiu afirmar que ele morreu "louco"[33]. Sim, era preciso sê-lo para ousar dizer, abruptamente, a verdade de seu sofrimento. O massacre dos santos-inocentes se eterniza! Todos os dias, uma princesa espeta o dedo com o fuso da fada malvada; assim, adormece por longos anos, até que, com um beijo, um belo príncipe venha despertá-la. Também Sándor Ferenczi ficou à espera, pois não se sentia curado pela análise. Teria errado em confessar isso a Freud? Este explicaria o sofrimento de Ferenczi, seu analisando, por "uma falta de amor que lhe infligiu uma ferida incurável".

De certa maneira, Freud teve razão em declarar: "ele já não estava conosco, já não estava consigo mesmo". É que, na verdade, Ferenczi não estava mais com eles em 1933, pois já estava cinqüenta anos à frente. Ele está entre nós agora, e estará com todos aqueles que forem beber na imensa fonte de sua obra.

Há um bom número de nós, na França, que achamos que quando Ferenczi, depois do incêndio do Reichstag, aconselhou seu amigo: "Deixe a Áustria depressa... com sua filha, vá para a Inglaterra...", isso não foi, em absoluto, a advertência de um louco! Mas sabemos que as pessoas de espírito sadio podem colocar-se em situações loucas e se fazer tratar como loucas, quando procuram comunicar suas experiências a outros e fazer com que eles as vivenciem. Há aí uma questão de ética para esses "loucos", amantes da Verdade.*

---

* Faço questão de agradecer aqui a todos os meus amigos do grupo de tradução do Coq Héron, que, comigo, dedicaram muitos anos a esta tarefa impossível: traduzir a *Correspondência* entre Freud e Ferenczi. O primeiro volume dessa *Correspondência* foi finalmente publicado, em março de 1992. Sem Suzanne Achache-Wiznitzer, Judith Dupont, Suzanne Hommel, Christine Knoll-Froissart, Pierre Sabourin, Françoise Samson e Pierre Thèves, eu não poderia tê-la introduzido no pensamento daquele que Freud tinha na conta de seu "filho espiritual" — o que não o impediu de ser "infamado" pela comunidade analítica durante muito tempo. Faremos dele um mártir? Os primeiros radiologistas, naquela época, expunham-se imprudentemente aos raios X.

Excertos da obra de Ferenczi

O tratamento catártico da histeria na época de Breuer

O mérito extraordinário de Breuer foi ter seguido as indicações metódicas de sua paciente, e também ter acreditado na realidade das lembranças que surgiam, sem afastá-las prontamente, como era de costume, como invenções fantasísticas de uma doente mental.[1]

*

O perigo do intelectualismo

A relação intensamente emocional, de tipo hipnótico-sugestivo, que existia entre o médico e seu paciente, foi progressivamente esfriada, transformando-se numa espécie de experiência infinita de associações e, portanto, num processo essencialmente intelectual.[2]

*

Da fantasia ao trauma

Depois de haver dedicado toda a atenção cabível à atividade fantasística enquanto fator patogênico, fui levado, com freqüência cada vez maior, a me ocupar do próprio trauma patogênico.[3]

*

A amizade tácita entre o analista e o analisando

Esse pacto de amizade tácita permitiu, então, que o analista e o "analisando" [primeira ocorrência do termo *analisando*, em 1928] colaborassem no desvendamento do inconsciente.[4]

O papel do psicanalista

A presença de alguém com quem se possa compartilhar e comunicar alegria e sofrimento (amor e compreensão) cura o trauma.[5]

*

O tato

Trata-se, antes de mais nada, de uma questão de tato psicológico (...). Mas, que é o tato? (...) O tato é a faculdade de "sentir com".[6]

*

O psicanalista aprende com as crianças

Quanto a saber como traduzir os símbolos para as crianças, eu diria que, em geral, as crianças têm mais a nos ensinar nesse campo do que o inverso. Os símbolos são a própria língua das crianças, só temos que ensiná-las a se servirem deles.[7]

*

O psicanalista aprende com os neuróticos

É inacreditável o que podemos realmente aprender com nossos "bebês sábios", os neuróticos.[8]

*
* *

Referências dos excertos citados

1. "Principes de relaxation et néo-catharsis", in *Œuvres complètes*, vol. IV, Paris, Payot, 1982, p. 83.
2. Ibid., p. 85.
3. Ibid., p. 93.

4. "Le traitement psychanalytique du caractère", in *Œuvres complètes*, op. cit., p. 248-9.
5. *Journal clinique*, Paris, Payot, 1985, p. 272.
6. "Élasticité de la technique psychanalytique", in *Œuvres complètes*, op. cit., p. 55.
7. "L'Adaptation de la famille à l'enfant", in *Œuvres complètes*, op. cit., p. 42.
8. "Confusion de langue entre les adultes et l'enfant", in *Œuvres complètes*, op. cit., p. 133.

Biografia de Sándor Ferenczi

1873 Nascimento de Sándor Ferenczi, em 7 de julho, em Miskolc, na Hungria. Oitavo filho de Bernàt Frankel, seu pai, e Rosa Eibenschütz, sua mãe, que teriam juntos doze filhos.

1879 Mudança do patronímico: o nome do pai torna-se Ferenci, antes de se transformar progressivamente em Ferenczi.

1888 Morte de Bernàt Ferenczi.

1894 Sándor obtém seu diploma de medicina em Viena; já se interessa pelos fenômenos psíquicos e pela hipnose.

1896 Serviço militar no exército austro-húngaro.

1897 Clinica inicialmente no Hospital Rókus, em Budapeste, e depois se torna médico assistente no asilo de pobres e prostitutas.

1899 Publicação de numerosíssimos artigos pré-analíticos até 1908, dentre eles *Espiritismo*, dedicado à transmissão de pensamento.

1900 Estabelece-se como neurologista.

1904 Chefe do serviço de neurologia.

1908 Domingo, 2 de fevereiro: primeira visita a Freud. Começo de uma longa relação com aquele que se tornaria seu analista, mestre e amigo. Freud e Ferenczi compartilharam várias férias de verão.
Ferenczi começa a praticar a psicanálise em Budapeste.
Conferências de divulgação da psicanálise para médicos.

1909 Viagem à América com Freud e Jung.

1910 Congresso de Nuremberg. Fundação da Associação Internacional de Psicanálise (IPA). Jung é o primeiro presidente.

1911 Tratamento de Elma, filha de sua futura mulher, Gizella.
Fim de 1911: Ferenczi faz algumas semanas de análise com Freud.

1913 Ferenczi funda a Sociedade Húngara de Psicanálise.
Publicação de um caso clínico: *O Pequeno Homem-Galo*.
Novas sessões de análise com Freud.
Mobilização como médico militar.

Esboço de uma teoria do coito e do desenvolvimento genital, que seria posteriormente exposta no livro *Thalassa*.
1918 Eleito presidente da Associação Internacional de Psicanálise.
1919 Casamento com Gizella. O casal não teve filhos.
Cria a primeira cadeira de psicanálise na Universidade de Budapeste.
1921 Publicação de *Prolongamentos da técnica ativa em psicanálise*.
Agosto: Ferenczi vai a Baden-Baden conhecer Groddeck, que seria seu amigo por toda a vida.
1922 Apresentação de *Thalassa: teoria da genitalidade*, no Congresso de Berlim.
1923 Publicação de uma série de observações clínicas, entre elas o *Sonho do bebê sábio*.
Freud é afetado por um câncer da mandíbula.
Groddeck publica o *Livro do isso*.
1924 Primeira edição de *Thalassa: teoria da genitalidade*.
Co-autor, com Otto Rank, de *Perspectivas da psicanálise*.
1926 70º aniversário de Freud.
Primeiro encontro com analistas de língua francesa.
Publicação de *Contra-indicações da técnica ativa*.
Abandono da "técnica ativa" em prol da "técnica de indulgência e relaxamento".
Publicação de *Fantasias gulliverianas*.
Viagem à América.
1927 Volta dos Estados Unidos por Londres.
Ano da fundação da Sociedade Psicanalítica de Paris.
1928 Conferência pública em Budapeste sobre *Elasticidade da técnica psicanalítica*.
1929 Publicação de *O filho mal recebido e sua pulsão de morte*.
Apresentação da conferência *Princípio de relaxamento e neocatarse*, no Congresso de Oxford.
1930 Publicação de *Princípio de relaxamento e neocatarse*.
Redação da primeira parte das *Notas e fragmentos*.
1931 Publicação do artigo *Análises de crianças com adultos*.
Inauguração de uma policlínica psicanalítica em Budapeste.
Redação das *Reflexões sobre o trauma*.
1932 Começo do *Diário clínico*.
Redação de *Confusão de língua entre os adultos e a criança*.

1933   Queima de livros "antialemães" nas fogueiras em Berlim. Recusa a publicar *Confusão de língua*.
1933   24 de maio: Falecimento repentino de Sándor Ferenczi, ocorrido aos 60 anos de idade, em conseqüência de problemas respiratórios provocados por uma anemia perniciosa.

Seleção bibliográfica

FERENCZI, S.

Obras completas, vols. I, II, III e IV, São Paulo, Martins Fontes, 1991, 1992, 1993, 1994.

Diário clínico, São Paulo, Martins Fontes, 1990.

Sándor Ferenczi - Georg Groddeck, Correspondance, Paris, Payot, 1982.

Sigmund Freud - Sándor Ferenczi, Correspondance, vol. I, 1908-1914, Paris, Calmann-Lévy, 1992.

*

BRABANT-GERO, E., *Ferenczi et l'École hongroise de psychanalyse*, Paris, L'Harmattan, 1993.

LORIN, C., *Le jeune Ferenczi. Premiers écrits, 1899-1906*, Paris, Aubier, 1983.

Sándor Ferenczi (De la médecine à la psychanalyse), Paris, PUF, 1993.

SABOURIN, P., *Ferenczi, paladin et grand vizir secret*, Paris, Éditions Universitaires, 1985.

Introdução à obra de GRODDECK

L. Le Vaguerèse

A vida de Georg Groddeck

*

Groddeck, discípulo de Schweninger

*

Groddeck como clínico

*

A descoberta do mundo dos símbolos

*

As conferências terapêuticas de Groddeck

*

O primeiro encontro epistolar com Freud

*

O dualismo de Freud e o monismo de Groddeck

*

Groddeck e a psicossomática

*

A origem sexual da doença

*

Toda doença é uma criação

*

**O lugar de Groddeck no movimento analítico
de sua época**

*

O Isso e os Isso de Groddeck

*

Conclusão

* * *

Excertos da obra de Groddeck
Biografia de Georg Groddeck
Seleção bibliográfica

A vida de Georg Groddeck

Georg Groddeck nasceu em 1866, ou seja, dez anos depois de Freud, numa cidadezinha da Prússia, Bad Kösen. Nessa segunda metade do século XIX, reinava na Prússia um ambiente cultural marcado pela aspiração a uma nova grandeza do Império que, impulsionado pelo chanceler Bismarck, resultaria no nascimento do Estado alemão.*

Seu pai era médico e sua mãe circulava desde a infância nos meios intelectuais da época. Último de cinco filhos, Georg foi precedido na fratria por uma irmã, Lina, mais velha do que ele, porém ocupando na família o lugar da caçula. Ela devia esse privilégio a uma constituição frágil, que exigia cuidados constantes por parte dos pais. Em parte, provavelmente, foi por causa dessa situação familiar que Groddeck veio a se empenhar, mais tarde, na compreensão dos mecanismos dos lucros proporcionados pela doença.

Confiado a uma ama-de-leite desde o nascimento, em razão da impossibilidade de sua mãe de amamentar, Georg, desde os primeiros anos, foi mais ou menos tratado como sua irmã. Durante muito tempo, seria vestido de menina e levado à mesma escola freqüentada por Lina. Essa educação do jovem Georg tornaria difícil a assunção de sua identidade sexual.

Uma moral muito estrita reinava no seio da família. Qualquer marca

---

* Alguns trechos deste capítulo foram extraídos de meu livro *Groddeck, la maladie et la psychanalyse*, Paris, PUF, 1985. Agradecemos à editora PUF por sua amável autorização.

de ternura afigurava-se deslocada. Convém lembrarmos que, nessa época, a educação das crianças e adolescentes era marcada por uma grande rigidez. Uma educação "schreberiana", segundo o nome daquele que foi, ao mesmo tempo, seu teorizador e divulgador — Moritz Schreber, pai do célebre "Presidente Schreber", cujo delírio serviu a Freud para escrever sua observação de um caso de paranóia. Moritz Schreber "aplicava à pedagogia os mesmos princípios básicos dos regimes totalitários leigos ou religiosos. Como eles, achava que, no tocante à criança, o que importava, acima de tudo, eram a obediência e a disciplina"[1]. Isso nos permite compreender melhor algumas reações e alguns comportamentos posteriores de Groddeck, hesitando, conforme a época, entre a apologia da ordem e sua contestação. Assim, quando adolescente, iríamos vê-lo erguer o estandarte da revolta e se ver atribuir o glorioso título de "rei das prisões", título que deveu a sua freqüente passagem pelo calabouço do estabelecimento escolar em que morava.

Algumas dificuldades econômicas obrigaram a família a rumar para Berlim, onde, a convite do pai, Georg iniciou seus estudos de medicina. Confrontado com a repentina morte paterna, logo encontrou na pessoa de um de seus professores, o ilustre Dr. Schweninger, um novo modelo e um ideal de conduta. A reputação de Schweninger provinha de uma façanha nada insignificante. Ele obtivera êxito onde outros haviam fracassado: impor obediência ao homem mais poderoso da Europa, o chanceler Bismarck. Na época, a saúde deste vira-se gravemente comprometida por toda sorte de excessos. Todos os conselhos de moderação, todos os cuidados propostos pelos diversos médicos chamados a tratar do Chanceler haviam-se revelado sem efeito. Schweninger foi o único a conseguir impor a Bismarck, que só queria agir segundo sua cabeça, um rigorosíssimo regime de higiene, que provavelmente lhe salvou a vida. Esse sucesso, obtido depois de muita luta, e que confirmou o poder absoluto do médico — pelo menos sobre o mais poderoso dos mortais —, assegurou definitivamente o renome de Ernest Schweninger.

*

Groddeck, discípulo de Schweninger

Schweninger revoltava-se contra as novas tendências médicas de sua época. Na verdade, nesse período, o próprio espírito da medicina tradicional estava sendo conturbado pelo movimento da nova medicina científica, de inspiração pasteuriana. Algo de profundo no procedimento do médico estava passando por uma mudança. Um equilíbrio e uma certa modalidade da prática médica tradicional pareciam agonizar, em prol de uma abordagem científica da doença. Schweninger bradava contra tudo isso, pois, para ele — e esse ponto é absolutamente essencial —, o médico não era um cientista, mas um artista, um criador. Essa concepção do papel do médico convinha particularmente a Georg, que assim podia conciliar os dois ramos de sua família. A rejeição que seu pai tivera de sofrer por parte da família da mulher ficava como que invalidada. De fato, o ramo materno sempre olhara com certo desdém para seu pai, Karl Groddeck, que era apenas "um médico", e não um intelectual ou um artista.

Ao abrir a medicina para o lado da arte e do criativo, foi toda uma medicina clínica, elaborada ao longo de vários séculos, que, através de Schweninger, afirmou-se e se defendeu das novas tendências cientificistas. O procedimento causalista de uma medicina que destacava o agente patogênico como sendo o único fio condutor para a compreensão do desenrolar da doença tendia a obscurecer as outras dimensões. A dimensão propriamente humana, a um tempo cultural e de linguagem, desaparecia, do mesmo modo que era minorada a importância da inserção do homem no seio de seu meio cultural. O próprio lugar e a função do médico estavam completamente transtornados. Ele já não era aquele vigilante atento da osmose sutil entre o homem e a natureza, entre o homem e seu destino, mas sim, agora, aquele que combatia um agente externo, que era preciso identificar e, depois, exterminar. Opondo-se a essa orientação, Groddeck iria ainda muito mais longe do que Schweninger, não apenas ao fazer do médico um criador, mas da própria doença um processo criativo. Com seu mestre, portanto, Georg Groddeck aprendeu a filosofia de uma medicina que apregoava a necessidade de observar o homem em seu meio e de reduzir o peso do diagnóstico, em benefício de um conhecimento mais íntimo do doente, de seus problemas e de seus sofrimentos.

Schweninger defendia, no plano da atitude terapêutica, uma postura de domínio do médico sobre o enfermo. Era o médico que decidia tudo, que servia de "eu forte" para o doente e que o convidava a não ceder ao desânimo ou à tentação do abandono, mas o incitava, ao contrário, a acreditar que ele poderia curar-se, se quisesse. Essa vontade do paciente só podia apoiar-se numa confiança cega em seu médico, que, por sua vez, mostrava-se isento de falhas, dúvidas ou fraquezas.

Quanto ao médico, mestre único, somente o senhor absoluto, a morte, é que o submetia a sua lei. Por conseguinte, a despeito dessa imagem forte que ele mostrava ao paciente, o médico não devia ignorar seus próprios limites e ser como que apanhado em seu próprio jogo. Ao contrário, devia ser prudente em seus atos, comedido em suas palavras e modesto diante da dor, da doença e da morte. Uma morte que ele nunca deveria temer, acompanhando seu doente até o fim de seu sofrimento, e sem recuar diante de nenhuma provação.

Havendo-se tornado, ao concluir seus estudos, assistente de Schweninger, Groddeck aplicaria esses mesmos preceitos ao longo de toda a sua vida profissional. Entretanto, seu encontro com a teoria psicanalítica e com a pessoa de Sigmund Freud, bem como os avanços de sua pesquisa clínica, dariam uma nova dimensão a sua abordagem da medicina e da doença.

*

Groddeck como clínico

1900. Esse século anunciou-se por um grande acontecimento para a humanidade: Sigmund Freud publicou *A interpretação dos sonhos*. Nessa época, Groddeck adquiriu em Baden-Baden uma propriedade que se transformaria num local de tratamento, o Sanatorium. Mas inaugurou-se para ele um período conturbado. Groddeck havia-se casado com uma mulher divorciada, mas essa união logo se transformara num confronto e seu casamento estava passando por uma crise. Somando-se a essas dificuldades conjugais, ele teve de suportar, um golpe após outro, a morte de dois de seus irmãos e de Lina, a irmã preferida.

Com a acumulação dos problemas, Groddeck ficou desanimado, mais fazendo suportar a vida do que vivê-la. Assim, cedeu à depressão. Para esquecer todos os lutos que o atingiram cruelmente e de maneira tão próxima, empenhou-se cada vez mais no trabalho de redação, produziu ensaios e publicou alguns artigos científicos.

Mas foi sobretudo graças a seu trabalho clínico que ele pôde, finalmente, começar a sair dessa fase difícil. Em 1909, Groddeck travou conhecimento com uma doente que conhecemos pelo nome de *Senhora G*. Essa mulher lhe fora encaminhada depois de sofrer duas operações graves, e se achava em estado desesperador, perto da morte. Engolia um número impressionante de medicamentos e encarava sua estada no Sanatório mais ou menos como seu último recurso. Prestados os primeiros cuidados, a eles responderam abundantes hemorragias intestinais e uterinas. Mas Groddeck não ficou muito surpreso com isso. O que o impressionou, em contrapartida, foi a maneira como a paciente falava. Em particular, ela utilizava mil rodeios para evitar pronunciar certas palavras: assim, o armário tornava-se "o negócio para pendurar os vestidos", e a chaminé, "o objeto para fazer a fumaça passar". Alguns desses objetos deviam até ser afastados de sua visão, e ela entrava realmente em transe quando alguém em sua presença manifestava certos tiques, como puxar o lábio ou brincar com a borla de uma cadeira.

Diante dessa curiosa senhora, Groddeck, ao mesmo tempo fascinado e desconcertado, logo renunciou a lhe aplicar os sacrossantos princípios de rigor e disciplina. De fato, disse-nos ele, "eu tinha o costume [na época] de impor com absoluta severidade minhas raras ordens: 'é melhor morrer do que transgredir minhas prescrições' — e não estava brincando. Tive doentes do estômago, atacados de vômitos ou dores após a ingestão de certos alimentos, a quem eu alimentava exclusivamente com esses alimentos, até que eles aprendessem a suportá-los; forçava outros, acamados em função de uma inflamação venosa ou articular qualquer, a se levantar e andar; cuidava dos apopléticos obrigando-os a se dobrar em dois todos os dias, e vestia pessoas que eu sabia que deveriam morrer em poucas horas e as levava para passear"[2]. Uma espécie de comportamentalismo antecipado.

*

A descoberta do mundo dos símbolos

Mas, com a Sra. G., todos esses princípios e essas técnicas de persuasão e rigor revelaram-se ineficazes. Como bom clínico, Groddeck inclinou-se e, imperceptivelmente, pôs-se a enxergar de outra maneira o mundo da doença. Descobriu aquilo a que iria chamar os "símbolos", isto é, a correspondência existente entre palavras ou objetos corriqueiros e elementos relacionados com a vida sexual. Assim, descobriu que um dedo erguido podia "simbolizar" um falo em ereção, e um forno aceso, uma mulher ardente e apaixonada.

Num artigo intitulado "A compulsão à simbolização", Groddeck explicou o que entendia por "símbolo". "Que a casa é símbolo do ser humano e, mais particularmente, da mulher, todo mundo sabe. Mas convém sublinhar expressamente que o ser humano só pode ter tido a idéia da habitação por uma compulsão interna à simbolização, e que, na casa, ele representou simbolicamente a matriz fecundada (...). Por intermédio da associação, [aparecem] novas imagens do mundo humano. O fogo, a paixão flamejante, constrói a lareira, símbolo do cozimento, e faz a criança crescer."

"Mas à lareira associam-se a panela, a colher, a xícara, todas elas imagens sempre renovadas do receptáculo da mulher. O fogão que aquece saiu daí, enquanto o clarão do fogo inventou a lamparina a óleo, a vela e a acha de lenha, sob a pressão da imagem do falo, que se impõe ainda, em toda parte, nas lâmpadas elétricas. A faca, aparentada com o punhal, com a lança, com todas as armas, alegoriza a penetração do homem e, juntamente com a tesoura (a mulher que entreabre suas coxas) e o garfo (a mão vagabunda do onanismo), saiu do complexo de castração (...). A mesa se forma com base na mãe nutriz; o armário é a cópia inconsciente do onanismo. As cortinas são lábios da vulva e do hímen, o tapete de mucosas macias, e a cama, o próprio jogo do amor: a mulher é o leito e o homem, a coberta, fundidos numa unidade que encerra a criança"[3].

Nesse movimento, Groddeck relacionou todos os objetos e todas as ações, quer com uma parte do corpo, essencialmente os órgãos genitais, quer com uma ação ligada à relação sexual, quer, ainda, com a relação pai-mãe-filho, e assim fez o mundo escoar desse cadinho.

Ora, devemos aqui desfazer de imediato uma confusão que poderia nascer a propósito do termo "símbolo". É que convém opormos a utilização feita por Groddeck da palavra "símbolo" à que é comumente aceita em psicanálise, sobretudo tal como proposta por Lacan. Se nos referirmos ao uso "corrente", a acepção groddeckiana do termo "símbolo" estará correta. Mas, se nos referirmos à terminologia psicanalítica, mais particularmente lacaniana, deveremos deixar claro que, quando Groddeck fala de *símbolo* ou de *simbólico*, é mais ao registro do imaginário que devemos referir-nos, muito embora, evidentemente, não seja possível superpor o conceito de imaginário e sua teorização lacaniana ao que Groddeck descreve com o termo *simbólico*.

A partir de sua descoberta do *simbólico*, Groddeck desenvolveu progressivamente uma teoria da doença que já não era um simples prolongamento da elaborada por Schweninger, mas a dele próprio. Se não negou a idéia de um homem em osmose com seu meio cultural, bem como a postura higienista dela decorrente, esse meio natural, subitamente, pareceu-lhe alterado pelo que ele chamou de *símbolo*, ou seja, na terminologia que hoje adotamos, pelo *imaginário*.

As conferências terapêuticas de Groddeck

Corpo e alma são um todo.

G. Groddeck

O Sanatório de Baden-Baden era, para Georg Groddeck, ao mesmo tempo, seu ganha-pão e um extraordinário campo de experimentação e testagem de todas as idéias que surgiam nele. O clima reinante era tal que seus pacientes haviam apelidado o lugar de "Satanarium".

Por volta de meados de 1916, após um breve período militar, Groddeck, de volta a casa, começou a realizar uma série de conferências destinadas a seus doentes. Essas reuniões, que se realizavam nas quartas-feiras, tornaram-se uma verdadeira instituição dentro da instituição. Nelas, Groddeck falava livremente, na maioria das vezes fazendo associações a partir do material que havia colhido durante a semana, ou se apoiando nas perguntas que despertava na platéia. O efeito produzido nos doentes podia ser lido em seus olhos. Eles ficavam fascinados com o talento oratório de Groddeck. No fundo, pouco importava que compreendessem ou não o fundamento do que era dito. A questão parecia estar em outro lugar. A platéia, em sua maioria feminina, confiava no que dizia o conferencista. Este, levado por sua fala e investido do poder carismático que a assembléia lhe conferia, granjeava a adesão dos mais céticos. O objetivo dessas conferências era contribuir para o tratamento dos doentes através de exposições pedagógicas. Esse objetivo correspondia ao princípio que configuraria a originalidade da obra groddeckiana: "Corpo e alma são um todo."

Nessas conferências, Groddeck abordava uma multiplicidade de temas, diversos e variados. Ele se esforçava, por seu comportamento e suas colocações, para provocar reações e associações de idéias em seus pacientes. Além disso, através dessa prática de ensino, Groddeck havia iniciado por si mesmo uma espécie de "tratamento de fala", na expectativa de uma análise da qual, infelizmente, nunca se beneficiaria.

No Sanatório, sob o impulso permanente de Groddeck, o doente era constantemente pressionado, interrogado, desalojado, diríamos, do conforto garantido pelos hábitos e pela duração de uma doença crônica. Se assim era, explicava Groddeck, era porque o próprio princípio da doença consistia em nos impedir de praticar atos que não desejávamos praticar, ou de experimentar sensações (ouvir, ver etc.) que não queríamos ter. Essa recusa inconsciente (no sentido descritivo daquilo que não está consciente) acarretava distúrbios do órgão em questão. Assim, uma surdez ocorria porque o doente não queria ouvir uma dada fala, sua visão se reduzia porque ele não queria ver determinada imagem etc.

Evidentemente, o número de imagens ou palavras que cada um via e ouvia durante um dia era infinito. Como, então, identificar o elemento que, por sua repercussão psíquica, pela importância das conotações e evocações diversas, podia provocar tal fenômeno de rejeição e afastamento? Só o doente era passível de nos esclarecer, respondia Groddeck. Já podemos reconhecer aí um primeiro parentesco com o método psicanalítico: não é o médico que sabe, mas o doente.

Além disso, na maioria dos casos, acrescentava Groddeck, o que não queríamos ver, nem ouvir, nem experimentar estava ligado à sexualidade, assim como à hipocrisia social reinante nesse campo e, mais particularmente, à que dizia respeito à sexualidade feminina. Esses fatores — sexualidade e hipocrisia — pertenciam, portanto, a um registro totalmente diferente do de um mundo povoado de bacilos e vírus mais ou menos ameaçadores.

É fácil compreender, portanto, como o procedimento groddeckiano foi aos poucos se aproximando do de Freud, sobretudo o do Freud da primeira fase, a dos *Estudos sobre a histeria*, da teoria da sedução, aquela em que Freud estava à procura de um evento traumático de ordem sexual para explicar a etiologia das neuroses, e de uma frustração igualmente sexual para explicar o aparecimento das neuroses de angústia.

Em 1916, a psicanálise não era tão difundida pelo mundo quanto hoje. Entretanto, muitas obras tinham sido publicadas e o nome de Freud já circulava nos meios médicos. Os comentários críticos alimentavam as conversas. Groddeck ouvira falar de Freud. Havia até formulado, em 1912, numa obra publicada em homenagem a Ernest Schweninger, *Nasamecu*, algumas observações críticas sobre a psicanálise. No entanto, como mais tarde confessaria a Freud, só conhecia a psicanálise, nessa época, de ouvir dizer. Ora, apesar de seu evidente interesse pelas descobertas freudianas, ele sentia grande hesitação em estabelecer contato com o pai da psicanálise e, mais ainda, em se misturar à horda freudiana. Para denominar claramente o sentimento que o habitava, concluiremos dizendo, simplesmente, que ele estava meio enciumado. Assim, precisaria de algum tempo para se empenhar numa leitura séria das obras analíticas, como *A interpretação dos sonhos* ou a *Psicopatologia da vida cotidiana*.

*

O primeiro encontro epistolar com Freud

Em junho de 1917, Groddeck escreveu uma primeira carta a Freud[4]. Esse primeiro envio pretendia ser, antes de mais nada, uma carta de apresentação, bem como de indagação. Depois de se desculpar pelas colocações pouco amenas sobre a psicanálise contidas em *Nasamecu*, Groddeck iniciou o relato de seu percurso pessoal e, logo de saída, de seu encontro com a Sra. G. Nessa ocasião, anunciou a Freud que os tratamentos que ele empreendia tinham como eixo a transferência e a resistência. É de se supor que tal entrada no assunto fosse a conta certa para seduzir seu interlocutor. Mas Groddeck se absteve de falar mais sobre o assunto e, em particular, de explicitar o uso que fazia desses dois conceitos. Assim, num primeiro momento e com pouco esforço, ele demonstrou submissão, enquanto se resguardava para o futuro.

Depois de sublinhar que a origem de sua irritação provinha do fato de a descoberta de Freud havê-lo privado da realização do desejo de ser um criador, isto é, no fundo, de se tornar uma espécie de mãe, ele entrou na questão que mais parecia preocupá-lo: tinha ou não o direito de se dizer psicanalista?

Para sustentar sua pergunta, ele sublinhou o que o diferenciava dos outros. Em particular, o fato de que tratava, não de neuróticos, mas de doentes afetados por moléstias crônicas. Todavia, em sua mente, tratava-se realmente da mesma coisa, mas ele queria — pelo menos, foi esse o sentido manifesto de sua carta — ter a confirmação de Freud quanto a isso.

É que, escreveu, os psicanalistas interessavam-se pela neurose e tratavam de neuróticos, vá lá! Mas a própria neurose era uma manifestação de outra coisa, que ele chamava o *Isso*. E este, se podia ocasionalmente manifestar-se sob a forma de um sintoma histérico ou de uma neurose obsessiva, podia igualmente assumir a forma de uma pneumonia ou de um câncer. Portanto, não havia razão para não tentar tratar também esse tipo de afecção por intermédio da psicanálise.

Todavia, ao enunciar essa tese que lhe era cara, e que seria a obra de sua vida, Groddeck hesitou um pouco. Pediu a opinião de Freud, temendo, no fundo, tanto sua desaprovação quanto sua aprovação total, que destruiria por completo o aspecto "revolucionário" de sua descoberta. A resposta de Freud foi rápida e entusiástica. Uma vez que ele utilizava as noções de transferência e resistência, ele fazia parte, quisesse ou não, da horda dos analistas. A única reticência de Freud concernia à trivial aspiração de Groddeck à prioridade. Referindo-se a seus próprios escritos[5], Freud sublinhou que ele mesmo já sustentara a idéia de que o inconsciente podia ter uma intensa ação plástica nos processos somáticos, e que Ferenczi, na época o mais próximo entre os próximos, também possuía dados nesse sentido. Como pode o senhor, escreveu ele, atribuir-se a paternidade dessa descoberta, quando sou pelo menos dez anos mais velho? Freud lembrou a Groddeck que, de qualquer maneira, ela estava "no ar", e estava presente nas conversas e nos artigos científicos, mesmo quando não lhe era feita uma referência explícita. E portanto, que era possível que Groddeck houvesse acabado por se impregnar dela, sem se aperceber disso. Mas essa aparente comunhão de idéias mascarou, na verdade, uma profunda incompreensão e algumas diferenças fundamentais. Groddeck e Freud, no fundo, não se referiam à mesma coisa. E logo se evidenciaria que havia entre os dois homens profundas divergências quanto a sua abordagem da doença somática e quanto às relações que fundamentavam o equilíbrio do organismo humano.

Ora, o reconhecimento de Groddeck por Freud como um analista esplêndido, com base numa simples carta, parece, a nosso ver, muito incongruente. Mas convém lembrar que Freud era useiro e vezeiro nesse tipo de gesto, e se fiava mais em sua impressão geral do que em critérios de qualificação claramente estabelecidos[6].

*

O dualismo de Freud e o monismo de Groddeck

A resposta dada por Freud às perguntas formuladas por Groddeck permite-nos situar os principais pontos de discordância entre os dois homens. O que separou Freud e Groddeck de imediato residiu na referência, permanente e constantemente reafirmada por Groddeck, a uma concepção monista, totalmente contrária à concepção dualista sustentada por Freud. Para Freud, a abordagem monista de Groddeck devia ser aproximada, muito simplesmente, do misticismo. Ele advertiu Groddeck a desconfiar dessa propensão, que parecia arrastá-lo: "Suas experiências, mesmo assim, não ultrapassam o reconhecimento do fato de que o fator psi tem também um grande e insuspeitado alcance na constituição das doenças orgânicas. Mas, será ele a causa única dessas doenças?" E acrescentou: "certamente, o inconsciente é a mediação correta entre o corporal e o espiritual, talvez o *missing link* que faltou durante tanto tempo; mas, pelo fato de o havermos enfim percebido, será que devemos não discernir mais nada?"[7]

Se, para Freud, o inconsciente decerto tinha efeitos plásticos nos processos somáticos, mesmo assim ele representava uma instância autônoma no seio do psiquismo, como noção separada do somático. Assim, "somatizar" é um termo "analítico", ou, pelo menos, viria a sê-lo. Mas essa somatização entra no contexto do que poderíamos chamar de um princípio de causalidade psíquica, um princípio que evoca, para nós, o de causalidade orgânica, que fundamentou a medicina pasteuriana.

As perturbações psíquicas, eventualmente inconscientes, provocariam perturbações no corpo, segundo uma ação causal de sentido único. Com efeito, se é verdade que o corpo também pode agir sobre o psiquismo, ele só produz ali, na realidade, um efeito global e mecânico, como nos casos de intoxicações que ocasionam alucinações e delírios, sem por isso atuar sobre o conteúdo das idéias ou dos pensamentos. Como observou com justeza J. Chemouni, "psiquetizar, se é que podemos ousar esse pavoroso neologismo, não existe. Em psicanálise, existe apenas um único vetor, orientado numa única direção. Uma ação unívoca, que implica o dualismo e a ação determinante do psíquico sobre o orgânico"[8].

Groddeck sustentava, ao contrário, uma postura monista, segundo a qual o psíquico e o orgânico seriam apenas duas formas determinadas por uma fonte única: o *Isso*. A diferença é enorme.

Freud, na época, já havia adotado um certo número de posturas importantes, às quais se atinha firmemente. Dentre essas opções figurava a adesão à medicina de sua época, que relegara aos registros da História a concepção do ser humano como criatura divina e da psique como território da alma. Ele aceitava e defendia a dimensão dualista da medicina de então, ao mesmo tempo que a tornava mais complexa. O dualismo lhe parecia indispensável para consolidar sua elaboração teórica e evitar um mergulho no misticismo. Risco do qual já advertira Groddeck. Através dessas posturas, Freud se manteve como um homem em profundo acordo com a medicina científica de seu tempo. Convém lembrar aqui seu passado de neurofisiologista e seu trabalho de pesquisa em laboratório, bem como sua passagem para a prática clínica, motivada pela necessidade de ganhar a vida rapidamente. Para Groddeck, ao contrário, era a medicina clínica que predominava. Ele era herdeiro de uma tradição médica que mergulhava suas raízes na noite dos tempos e cuja prática repousava, fundamentalmente, numa relação complexa do homem com a natureza, fora de qualquer dualismo. Se Freud captou claramente o interesse representado pelo procedimento de Groddeck, também percebeu todos os seus riscos, em especial a dificuldade de elaborar uma teoria nesse campo não dialetizável. As errâncias teóricas de Groddeck só fariam reforçar sua convicção a esse respeito.

*

Groddeck e a psicossomática

Habitualmente, diz-se que Groddeck foi o pai da psicossomática. Nada mais falso. Como indicou aquele que, na França, deu a conhecer o pensamento de Georg Groddeck, Roger Lewinter: "O próprio termo psicossomática, que não é de Groddeck, consagra a divisão do homem em um corpo e uma alma, dualismo contra o qual Groddeck não cansou de se levantar"[9].

Hoje em dia, temos o hábito de classificar as doenças em dois grupos, orgânicas e psíquicas, classificação esta que se apóia no dualismo corpo/psique que dissemos encontrar-se no próprio princípio da medicina moderna, e no qual Freud assentou sua teoria. De um lado, portanto, encontramos o grupo das doenças orgânicas, no qual se incluem também as doenças neurológicas e as síndromes tóxicas (toxicomanias alcoólicas, medicamentosas etc.) que podem apresentar perturbações do comportamento e do funcionamento psíquico. De outro, temos o grupo das doenças psíquicas ou mentais, que se manifestam por anomalias do comportamento e distúrbios do curso do pensamento. Também os tratamentos dessas moléstias são bem distintos e específicos. O grupo das doenças orgânicas depende do tratamento cirúrgico ou medicamentoso, enquanto o grupo das doenças psíquicas requer a ação de medicamentos psicotrópicos ou de técnicas relacionais ou comportamentais.

Nessa classificação, um certo número de afecções, agrupadas sob o vocábulo "psicossomáticas", não tem lugar certo, pois elas decorreriam, ao mesmo tempo, das duas categorias. Seriam psíquicas por sua origem e somáticas por suas manifestações. Essa dicotomia, se decerto satisfaz o pressuposto da clivagem corpo/psique, não resiste à reflexão. A intricação dessas duas entidades é permanente e complexa em cada doença, seja ela qual for, e todos reconhecem isso implicitamente. Assim, as chamadas afecções psiquiátricas evidentemente possuem um substrato orgânico, identificado ou não, que permite explicar os distúrbios em termos físico-químicos.

Do mesmo modo, as chamadas doenças orgânicas não resultam de uma simples interação entre um agente patogênico e o organismo. Nenhum médico sustentaria, nos dias atuais, uma abordagem tão simplista. No entanto, essa abordagem, ainda que leve a impasses lógicos e não seja concretamente defendida por nenhum médico, é, atualmente, o fundamento dualista da medicina moderna, até que surja uma nova orientação mais satisfatória.

Groddeck voltou as costas a essa teorização dualista e afirmou sua oposição, muito antes de seu encontro com Freud e com a psicanálise. Seu posicionamento aparece já na primeira página das *Conferências psicanalíticas para uso dos doentes*, bem como no segundo capítulo do *Livro do Isso* e em sua primeira carta a Freud: "Corpo e alma são um todo. O ser humano não tem duas funções, não reconheço nenhuma doença do corpo"[10].

*

A origem sexual da doença

Sempre a partir de sua postura monista, Groddeck interrogou-se: terá a doença um objetivo, e, em caso afirmativo, qual? Respondendo afirmativamente a essa pergunta, ele indicou que o objetivo buscado pela doença podia ser esclarecido pela observação da modalidade do sintoma. Quando um paciente sofria de dores de cabeça, estas o impediam de refletir e de pensar. O objetivo da doença, portanto, deveria ser justamente esse. Do mesmo modo, quando alguém era tomado por vômitos, era por haver algo que ele não queria comer; se tinha diarréias, era porque estava procurando eliminar alguma coisa; se ficava constipado, era porque, ao contrário, queria reter alguma coisa. Para Groddeck, a causa nunca era única, mas, com grande freqüência, trazendo-se à luz uma dessas causas, isso era suficiente, na maioria dos casos, para fazer o sintoma desaparecer[11].

Aliás, Groddeck pouco se importava, no fundo, em saber se esse objetivo existia ou não; o que lhe importava era que, procedendo dessa maneira, fosse possível ajudar o doente. Para conhecer o objetivo da doença, portanto, era preciso observar o sintoma, mas isso nem sempre bastava. Nesse caso, devíamos interrogar diretamente o doente. Este, num primeiro momento, evitava responder. Achava que o estavam acusando de simulação e procurando apanhá-lo em erro. Revoltava-se contra a idéia de que se pudesse imaginar que estava sofrendo por prazer. No entanto, quando se conseguia transpor esse primeiro obstáculo, o paciente podia conduzir o terapeuta à solução buscada[12].

Para Groddeck, ao procurar descobrir esse objetivo, caía-se quase sempre numa origem sexual. Em sua opinião, o ser humano tinha que reprimir, ininterruptamente, pensamentos e necessidades que tinham uma estreita ligação com a sexualidade, e era dessa repressão forçada e alienante que nascia, segundo ele, a doença. Na verdade, os pensamentos sexuais eram inerentes ao homem. Eram naturais. Além disso, ao redor dele, tudo lhe vinha lembrar essa proeminência da sexualidade e provocar essa excitação que ele reprimia. Para que conseguisse suprimir totalmente essa excitação, era preciso que ele fechasse permanentemente os olhos e tapasse os ouvidos, que parasse de sentir, de experimentar e, principalmente, de pensar. Groddeck formulou então a suposição de que, nesse esforço de repressão, o homem fazia silenciar o órgão sensorial que lhe proporcionava a maior parcela de excitação, e obtinha esse resultado graças aos diversos sintomas que desencadeava. Mas, sendo cada órgão útil para uma multiplicidade de coisas diferentes, era difícil precisar *a priori* qual delas era visada. Era essa a razão por que Groddeck era obrigado a formular a pergunta diretamente ao doente[13].

*

Toda doença é uma criação

Vimos como, na concepção de Schweninger, o médico podia afigurar-se um artista. Para Groddeck, era mais o doente ou o *Isso* do doente que era um criador. Por esse motivo, toda doença devia ser assemelhada a uma criação. Ou seja, uma doença não tinha que ser necessariamente combatida; podia haver boas doenças. Numa de suas conferências psicanalíticas, de fato, Groddeck declarou: "É sempre melhor produzir uma doença interessante do que um quadro medíocre."

A doença estava do lado das pulsões de vida, do lado da expressão do que era mais essencial em nós. Mas constituía também, e esse era o reverso da moeda, a marca de um conflito, de um sentimento de culpa enraizado na infância. As doenças traduziriam nossa tristeza de não podermos ser a criança maravilhosa que fomos no imaginário de nossos pais, e que constituiria a base de nosso eu ideal; elas podiam conduzir-nos ao limiar da morte.

A doença não vinha de fora, mas de um conflito interno. Era absurdo considerar que o ser humano pudesse ser um simples joguete das agressões externas. Não; se ele adoecia, era porque isso se afigurava a seus olhos como uma solução econômica para seus problemas. A doença o protegia de uma multiplicidade de agressões e dificuldades. Além disso, todos tratavam o doente com mais doçura e, com isso, ele escapava de muitos constrangimentos. Groddeck sempre se recusou a considerar a doença como resultado do encontro de um indivíduo com um bacilo. Primeiro, dizia, porque os bacilos estavam por toda parte. Logo, todo o mundo deveria ficar doente o tempo todo. Ora, apenas alguns indivíduos eram afetados, mesmo em meio às piores epidemias. Como se dava isso, já que, evidentemente, todos estavam sujeitos ao mesmo ambiente infeccioso? A resposta era clara: é que, na origem, encontrava-se o próprio indivíduo, e não o meio em que ele vivia.

Mas, diante da doença, que podia fazer o médico? Sua atitude, antes de mais nada, deveria ser modesta. Seu objetivo era encontrar, com a ajuda do doente, o sentido oculto — mesmo que para o próprio doente — dos sintomas que ele apresentava, e constituir um espaço materno em que o conflito pudesse ser elaborado. Pois toda doença estava relacionada com a mãe, e o desejo do enfermo era voltar para ela numa relação assexuada. A cura, por fim, seria para o médico sua melhor recompensa. No fundo, era seu único objetivo, poder-se-ia dizer. Ao contrário do analista, para quem a cura se obtém "em acréscimo", ela era, para Groddeck, o objetivo e a própria razão de ser de seu procedimento.

*

O lugar de Groddeck no movimento analítico de sua época

Em razão de sua abordagem original e do caráter peculiar de sua clínica, centrada nas doenças orgânicas de natureza crônica, bem como de sua situação geográfica, Groddeck ocuparia um lugar à parte no meio analítico.

Membro da Associação Psicanalítica de Berlim desde 1920, assumiu ali, desde o começo, uma postura de franco-atirador, sob a proteção sempre renovada de Freud. Na verdade, Groddeck recusou-se a se disciplinar. Via com um olho mais do que crítico seus colegas psicanalistas, e estes, por sua vez, pagavam na mesma moeda, com a notável exceção de Sándor Ferenczi, que seria não apenas seu amigo e paciente, mas também seu confidente. Groddeck tomaria Ferenczi por interlocutor privilegiado, confiando-lhe suas dificuldades com Freud e, em termos mais genéricos, com o conjunto do meio analítico. Essa atitude provocadora e anti*nomenklatura* corresponderia a uma espécie de segundo eixo da modernidade de Groddeck. Ele não fazia rodeios, nem para denunciar as estruturas burocratizadas, nem para abordar francamente os problemas da sexualidade. Freud o qualificaria de "psicanalista rabelaisiano". Reconhecemos que a imagem é divertida.

A propósito, é verdade que Groddeck não recuava diante do fato de falar de masturbação, homossexualismo e, principalmente, de se implicar nisso, falando na primeira pessoa, isto é, dizendo bem alto, não que "o homossexualismo está no cerne de todo homem", mas que "tive, em tal ou qual época, desejos homossexuais, masturbei-me etc.". Evidentemente, não é de modo algum a mesma coisa dizer que "todo homem tem pulsões homossexuais" e afirmar "eu tenho tendências homossexuais". Isso não compromete da mesma maneira.

Groddeck também atacou de frente a respeitabilidade nascente, com ares de superioridade científica, que começava a despontar nos meios analíticos. Eis o que disse dessa comunidade analítica e das instâncias de reconhecimento que iam sendo progressivamente instauradas no Instituto de Berlim, e que serviriam de modelo para a Associação Psicanalítica Internacional: "Se a Associação Psicanalítica quiser preservar sua importância, ou melhor, se quiser recuperá-la, terá que renunciar a querer estabelecer artigos de fé, a preceituar com soberba, a brincar de comissão examinadora."

Groddeck retomou, a propósito da psicanálise, os mesmos princípios que seu mestre Schweninger aplicava à medicina. Era psicanalista quem se sentisse psicanalista, e não quem fosse qualificado segundo os critérios do saber universitário, e menos ainda segundo os da respeitabilidade burguesa. Não obstante, sentir-se psicanalista não significava que qualquer um fosse analista e que bastasse anunciar isso pelos cantos.

Por outro lado, convém assinalar também que ele desempenhou, vez por outra, em razão de seu distanciamento geográfico e de sua prática original, o papel de último recurso nos fracassos terapêuticos. Seus colegas psicanalistas podiam contestar sua teoria ou negar seus sucessos terapêuticos, mas nem por isso hesitavam em lhe encaminhar, com bastante freqüência, casos supostamente incuráveis, ou diante dos quais eles mesmos haviam fracassado. Sándor Ferenczi também ocuparia, por seu turno, esse lugar de último recurso para os pacientes difíceis que ninguém mais queria. Obviamente, esse é um aspecto importante a retermos em mente, quando nos empenhamos em compreender o que impeliu Ferenczi e Groddeck aos confins da investigação clínica, ao mesmo tempo que permitiu aos outros analistas entrincheirarem-se nos campos em que a prática psicanalítica já dera mostras de sua eficácia e satisfação.

*

O Isso e os Isso de Groddeck

O Isso designa e não pode designar outra coisa senão a totalidade do vivo no ser individual, a partir de sua concepção.

G. Groddeck

Talvez pareça paradoxal situarmos essa noção no fim deste capítulo, uma vez que se tratou de uma questão essencial para Groddeck, uma questão que se acha no próprio princípio de sua postura terapêutica e que respondeu por sua originalidade. Na verdade, pareceu-nos necessário, antes de darmos uma definição do *Isso*, estudá-lo dentro de sua conjuntura. Desse modo, as coisas nos parecem mais fáceis de compreender. Groddeck, aliás, não procedia de outra maneira, mais inclinado a dar exemplos do que a fornecer definições dos termos que utilizava. Apesar de tudo, cedo ou tarde, ele realmente foi obrigado a chegar a isso, e nós com ele.

Assim, portanto, o *Isso* designou, para Groddeck, "a totalidade do vivo no ser individual, a partir de sua concepção (...), o *Isso* é algo absolutamente diferente do que chamei de vegetativo (...). Ele é utilizado por Freud num outro sentido"[14]. Quanto ao inconsciente, ele abrangia tudo o que fora recalcado e não podia aceder à consciência. Associado ao consciente, formava o que Groddeck chamava de "psique", termo que se opunha, para ele, não ao corpo, mas ao vegetativo.

Com respeito à paternidade do vocábulo *Isso*, lembremos que foi Groddeck o primeiro a introduzi-lo na teoria; o próprio Freud reconheceu esse fato, ainda que perguntando perfidamente a Groddeck se, por acaso, ele não o teria retirado de Nietzsche.

Houve quem quisesse opor, como é natural, o *Isso* da teoria de Groddeck ao *Isso* da teoria freudiana, fazendo da autonomia do Eu o ponto central de suas divergências. Por esse ponto de vista, o Eu seria uma instância parcialmente autônoma em Freud, e integrada ao *Isso* em Groddeck. Na verdade, se adotarmos essa maneira de ver as coisas, logo perceberemos que as posições são menos distintas do que as aparências poderiam levar a crer. É claro que, para Freud, o Eu constitui uma instância separada do *Isso*. No entanto, um dos aspectos de sua teoria tende a fazer do Eu uma simples tendência adaptativa do *Isso*, visando a permitir uma inserção do sujeito na realidade. Ademais, um dos traços essenciais da segunda tópica foi tornar mais ricos e mais complexos os mecanismos de funcionamento do Eu. Este viu-se submetido a processos primários, ou seja, aos que funcionam dentro do *Isso*. E mais, o eu foi descrito como sendo a sede de resistências inconscientes. Por conseguinte, ele ocupa um lugar próximo ao ocupado pelo *Isso* na teoria de Groddeck, sobretudo quando este fala, a propósito das doenças, do caráter ardiloso do *Isso* e da necessidade de negociar com ele.

A rigor, a verdadeira oposição está em outro lugar, e a definição do *Isso* fornecida por Groddeck não deixa nenhuma dúvida a esse respeito. Para ele, *o Isso não é uma instância psíquica*. Eis aí um dado constante da teoria groddeckiana. Groddeck combateu até as últimas forças o lugar dominante atribuído à psique, bem como ao cérebro como lugar de produção do pensamento. É o *Isso* que cria o cérebro, dizia ele, e não o inverso. O *Isso* também não é o *missing link*, o elo faltante entre o corpo e o espírito, do qual falou Freud. É a força vital em sua acepção goetheana. O *Isso* groddeckiano não é o lugar do recalcado, mas antes a Natureza ou o Deus-Natureza de Goethe.

Vê-se perfeitamente que há aí mais do que uma simples divergência entre Freud e Groddeck, há uma oposição de base, uma diferença radical entre as duas concepções.

*

O *Isso*, qual um mestre-de-obras, dirige a construção do organismo, a embriogênese, a morfogênese. Podemos representá-lo como uma espécie de código genético que guardasse em si a memória das duas células sexuadas que participaram de sua concepção. É que, para Groddeck, o *Isso* era fundamentalmente bissexual. Note-se, de passagem, que esse tema da bissexualidade também é encontrado com muita freqüência em Freud.

Todavia, essa referência a uma constituição bissexual encontrou seu limite na dualidade que ela instaurava, e que Groddeck, por seu lado, sempre rejeitou. Aí vemos como sua teoria encontrou e, ao mesmo tempo, contornou a questão fundamental da diferença entre os sexos e daquilo a que chamamos complexo de castração. Diante desse obstáculo, o que se coloca em questão é toda a teorização do inconsciente.

De maneira mais global, podemos acrescentar que, para Groddeck, todos os limites do *Isso* são arbitrários, múltiplos e infinitamente variados. De vez que essa multiplicação dos limites visa a abolir ou a tornar fluida a própria noção de limite, essa multiplicação evoca, por um momento, a infinitude das possibilidades abertas pela linguagem. Mas, a seguirmos a lógica groddeckiana, a própria linguagem torna-se assemelhável a uma estrutura imaginária.

Ouçamos Groddeck: "Diríamos até que se formam os *Isso* fingidos, que levam uma vida misteriosa, tanto que poderíamos dizer que eles são apenas aparência e nomes. Assim é que fui obrigado, por exemplo, a afirmar que existe um *Isso* da metade superior e da metade inferior do corpo, um outro da direita e da esquerda, um do pescoço e da mão, um do espaço vazio do ser humano e um da superfície de seu corpo. Trata-se de entidades; poderíamos quase imaginar que elas nascem de pensamentos, conversas, atos, ou que são criações dessa tão vangloriada inteligência."

*

Conclusão

O que preservar de Groddeck e sua obra? Primeiro, seus aspectos positivos. Sua enorme capacidade de sensibilizar os leitores de suas obras para a riqueza contida na doença, compreendida como um ato criativo do indivíduo em sua relação com o mundo e com a natureza. A importância que é preciso atribuir à dimensão não consciente, aos limites do eu, às sensações sexuais precoces (para Groddeck, a sexualidade das crianças não era uma palavra à toa). Quanto a isso, ele seria até mesmo um precursor da descrição da relação precoce mãe/filho, bem como da necessidade de dar atenção às relações intra-uterinas do feto.

Seu caráter impetuoso e jovial, seu lado anarquista e quixotesco (personagem com quem ele se identificava de bom grado) fazem dele um personagem atraente e simpático. Sua luta contra o conformismo nascente no seio das instâncias analíticas também deve ser computada a seu favor.

Do lado negativo, convém dizer uma palavra sobre as colocações racistas feitas por Groddeck em certos momentos de sua vida. O lançamento de *Nasamecu*, obra que ele publicou em homenagem a Schweninger, provocou na França, quando de sua publicação, uma verdadeira revolta por parte daqueles que até então o haviam apoiado. Essas colocações, ainda que as deploremos, também fazem parte do personagem. Habitualmente exagerado, às vezes a ponto de chegar ao absurdo, contraditório, íntegro, freqüentemente generoso, bem como, vez por outra, francamente abjeto, passando sem transição da apologia da ordem para a da desordem, e da espontaneidade, da generosidade e do mais completo humanismo para um pensamento obtuso, racista e discriminatório. Assim foi esse autor cuja complexidade desconcertaria mais de um leitor. Como escreveu Guy Scarpetta num artigo publicado no jornal *Le Monde*: "Os intelectuais, dizem-nos aqui, sempre se enganaram; foram cúmplices das piores ideologias totalitárias." A questão fundamental está em outro lugar: "Uma das funções essenciais da literatura é dizer o mal, expor o avesso ou o não-dito daquilo que agrega positivamente as comunidades; é lembrar que sempre existem, para além dos discursos positivos e ideais com que se mantém o vínculo social, algo de impuro na humanidade, e de socialmente incurável. A dificuldade toda está em que a postura subjetiva que é própria dessa dimensão da literatura só pode, de certa maneira, implicar-se naquilo que ela põe em cena"[15].

Excertos da obra de Groddeck

A alma e o corpo

(...) a distinção entre a alma e o corpo é unicamente uma distinção de palavras, não de essência; que o corpo e a alma são algo de comum; que neles se encontra um Isso, uma força pela qual somos vividos, enquanto acreditamos viver?[1]

*

A doença proporciona repouso

A doença, seja ela aguda ou crônica, infecciosa ou não, proporciona um repouso, protege do mundo externo ferino, ou, pelo menos, de fenômenos determináveis que são insuportáveis. Minha própria alma trabalha constantemente com esses locais de refúgio, preparados com muita antecedência; e isso, desde um determinado período da infância, em que ela foi revirada até o seu âmago.[2]

*

A ação terapêutica de nossas teorias

Nossa tarefa é menos inventar teorias exatas do que descobrir hipóteses de trabalho que realizem alguma coisa no tratamento.[3]

*

O doente é o professor do médico

Devo corrigir uma de minhas afirmações precedentes: eu disse — com uma certa intenção, é verdade — uma coisa inexata. Disse que a vontade de adoecer forja censuras injustificadas contra o médico. No sentido mais profundo do termo, essas censuras nunca são injustas; estão sempre fundamentadas na personalidade do médico e, portanto, não são apenas particularidades da imagem inventada, mas do próprio médico. O doente faz o médico tomar consciência de seu inconsciente. É por isso que creio que o médico lhe é devedor. O doente é o professor do médico. Só através do doente é que o médico pode aprender a psicoterapia.[4]

*

Tudo é linguagem

A linguagem é a portadora da cultura. É a condição fundamental da relação humana. A linguagem criou as religiões e a arte, construiu as estradas e impulsionou o comércio no mundo. É o meio de transpor os pensamentos em atos e, em sua eterna fecundidade, suscita incessantemente novos pensamentos (...). Todos os atos, pensamentos e sentimentos, mesmo o amor e o ódio, mesmo Deus e a Natureza, dependem da linguagem.[5]

*

O Isso

É uma mentira e uma deturpação quando dizemos "eu penso, eu vivo". Seria preciso dizer: "Isso pensa, Isso vive." Isso, ou seja, o grande mistério do mundo.[6]

*
* *

Referências dos excertos citados

1. *Ça et moi*, Paris, Gallimard, 1977, p. 37.
2. *La Maladie, l'art et le symbole*, Paris, Gallimard, 1969, p. 45.
3. Ibid., p. 57.
4. Ibid., p. 154.
5. Ibid., p. 138.
6. Ibid., p. 245.

Biografia de Georg Groddeck

1866	13 de outubro: nascimento de Walter Georg Groddeck em Bad Kösen, província de Saxe. Foi o quinto filho do casal.
1881	Em decorrência de problemas financeiros, a família instala-se em Berlim.
1885	Morte do pai, médico, e início do curso de medicina. Groddeck conhece Schweninger.
1896	É assistente de Schweninger.
1900	Abre em Baden-Baden seu próprio Sanatório, que logo seria apelidado de "Satanarium".
1909	Conhece a Sra. G., uma paciente cujo tratamento marcaria uma mudança capital em sua prática. Com ela, Groddeck descobre o que chama "o mundo dos símbolos".
1913	Publicação de *Nasamecu* ("*Na*tura *Sa*nat, *Me*dicus *Cu*rat": o Médico trata, mas é a Natureza que cura).
1914	Groddeck é nomeado responsável por um hospital da Cruz Vermelha.
1916	Começo das "Conferências psicanalíticas para uso dos doentes do Sanatório".
1917	27 de maio: Groddeck escreve a Freud. Pouco depois, publica seu primeiro artigo psicanalítico: "Determinação psíquica e tratamento das afecções orgânicas", do qual Ferenczi faz uma crítica favorável no *Internationale Zeitschrift für Psychoanalyse*.
1920	Primeiro encontro com Freud, no Congresso de Haia, e ingresso na Associação Psicanalítica de Berlim.
1921	Publicação de seu "romance psicanalítico", *O pesquisador de alma*.
1921	Setembro: primeira temporada de Ferenczi no Sanatório de Baden-Baden.
1923	Groddeck publica *O livro do Isso*.
1934	10 de junho: morre no exílio em Zurique, depois de escrever a Hitler para "informá-lo" das manobras anti-semitas dos nazistas.
1963	O *Livro do Isso* é traduzido para o francês pela primeira vez e alcança imediatamente um enorme sucesso.

Seleção bibliográfica

GRODDECK, G.

Un problème de femme, Paris, Mazarine, 1979.

Nasamecu, la nature guérit, Paris, Aubier, 1980.

Le pasteur de Langewiesche, Paris, Mazarine, 1981.

Conférences psychanalytiques à l'usage des malades, Paris, Champ libre, vol. I (1978), vol. II (1979), vol. III (1981).

Le chercheur d'âme, un roman psychanalytique, Paris, Gallimard, 1982.

O livro d'Isso, São Paulo, Perspectiva, 1991.

O homem e seu Isso, São Paulo, Perspectiva, 1994.

Ça et Moi, Paris, Gallimard, 1977.

La maladie, l'art et le symbole, Paris, Gallimard, 1969.

"Du ventre humain et de son âme", in *Nouvelle Revue de Psychanalyse*, Paris, Gallimard, 1971.

"Bisexualité et différence des sexes", in *Nouvelle Revue de Psychanalyse*, Paris, Gallimard, 1973.

Sándor Ferenczi — Georg Groddeck, Correspondance, Paris, Payot, 1982.

*

CHEMOUNI, J., *Georg Groddeck, psychanalyste de l'imaginaire*, Paris, Payot, 1984.

GROSSMAN, C. e S., *L'Analyste sauvage, Georg Groddeck*, Paris, PUF, 1978.

L'ARC, G. GRODDECK, nº 78, 1º trimestre, 1980.

LE VAGUERÈSE, L., *Groddeck, la maladie et la psychanalyse*, Paris, PUF, 1985.

ROUSTANG, F., *Um destino tão funesto*, Rio de Janeiro, Taurus, 1987.

Introdução à obra de
MELANIE KLEIN

M.-C. Thomas

Uma vida

*

A técnica psicanalítica do brincar e suas descobertas

*

A formação arcaica do supereu ou o dever de gozo

*

A precocidade dos estádios do conflito edipiano, "fina flor" do sadismo

*

Três aspectos do primado da mãe

*

A transferência e a castração

*

A metapsicologia kleiniana e suas descobertas

*

O tríptico da posição depressiva

*

A fase esquizo-paranóide

*

A posição depressiva

*

A inveja

*

Conclusão

* * *

Excertos da obra de Klein
Biografia de Melanie Klein
Seleção bibliográfica

Para a introdução aqui fornecida, li os textos de Melanie Klein disponíveis em francês, a princípio com certa dificuldade — para não dizer desagrado —, em virtude do estilo vertiginoso de um pensamento que teve como ponto de sustentação o conceito de identificação projetiva *e seu corolário metódico, a* interpretação explicativa. *O esforço de atravessar aquilo que se tornou uma caricatura kleiniana, uma reduplicação das imagens* ad infinitum, *segundo a lei de talião, permitiu-me descobrir o legado de uma mulher que certamente deve ter saído desse mesmo universo persecutório, desse "círculo vicioso", graças a seu encontro com a psicanálise e a sua tenacidade em servir à descoberta freudiana: "Há mais divergência entre a concepção de Anna Freud e minha concepção da primeira infância do que entre os pontos de vista de Freud, tomados em seu conjunto, e meus pontos de vista"*[1]. *Dessa maneira ou de outra, a afirmação de fidelidade de Melanie Klein a Freud foi constante.*

Fiz dessa fidelidade o guia positivo de minha leitura. Destacou-se, então, não um sistema fechado e dogmático, sem nenhuma outra referência senão a ele mesmo, como alguns dos comentaristas de M. Klein às vezes dão a impressão, mas, ao contrário, uma série de avanços belicosos e inovadores, subtendidos por um diálogo com Freud, Abraham, Ferenczi ou outros, e ordenados a partir da instauração da técnica psicanalítica do brincar no tratamento de crianças pequenas.

As revoluções kleinianas na doutrina analítica não deixaram de chegar a seus próprios limites. No seio dessas evoluções Jacques Lacan apoiaria seu retorno a Freud e, por sua vez, faria uma reviravolta.

Minha apresentação de Melanie Klein esboçará, portanto, uma leitura de sua obra entre Freud e Lacan, confiando em inspirar curiosidade pelos textos em si, única maneira de barrar a degradação do discurso psicanalítico constituída por qualquer resumo.

Uma vida

> O olhar divide. De um lado, o fogo; do outro, o fogo. O "negrume do fogo" é o incêndio da noite, frente ao incêndio branco da manhã. Entre esses dois incêndios — no espaço de uma fração de segundo, tempo dos esponsais do fogo —, a irrupção de um rosto familiar.
>
> E. Jabès

Melanie Klein, uma das primeiras mulheres psicanalistas.

Essa mulher, que reconheceu inteiramente a contribuição de Freud, inclusive a pulsão de morte, esteve na origem tanto do fundamento analítico da prática dos tratamentos com crianças quanto de uma grande corrente da psicanálise, em que a clínica do narcisismo chegou a seu auge.

Há mais de cem anos, em 30 de março de 1882, nasceu em Viena Melanie Reizes, futura Melanie Klein. Sua vida poderia dividir-se conforme os países em que viveu:

A Áustria, em Viena, onde ela passou a infância numa família judia, modesta e culta, fez seus estudos e ficou noiva, aos 17 anos, de um jovem engenheiro químico, Arthur Klein. Seu pai, Moritz Reizes, morreu no ano seguinte, 1900.

A Hungria, em Budapeste, onde ela viveu depois do casamento (1903) e onde teve seus filhos: Melitta, futura psicanalista, conhecida pelo nome de Melitta Schmideberg, e Hans, seu filho mais velho, que morreu num acidente aos 26 anos de idade.

Melanie Klein passou então por anos difíceis (1907-1914), nos quais fez numerosas viagens e tratamentos de repouso em decorrência de depressões. O ano de 1914 marcou um ponto decisivo em sua vida: ela estava com

32 anos e acabava de ter seu terceiro filho, Erich, que passaria à posteridade com o nome de Fritz, em seus primeiros trabalhos psicanalíticos; pouco tempo depois, sua mãe, Libussa Reizes, que se encarregava de cuidar da casa dos Klein, faleceu; e finalmente, Melanie Klein deparou com a psicanálise, ao ler *O sonho e sua interpretação* (*Über den Traum*, 1901), de Freud.

Foi uma revelação: em 1916, ela começou uma análise com Sándor Ferenczi, o mais eminente psicanalista húngaro, que lhe deu "a convicção da existência do inconsciente e de sua importância na vida psíquica"[2]. É isso, ao que me parece, o que melhor caracteriza Melanie Klein: a convicção; ela nunca se afastaria da completa convicção da realidade do inconsciente, da solidez dos fundamentos da psicanálise, e sua visão seria sempre determinada por isso. Ferenczi chamou-lhe a atenção para o dom que havia nela de compreender as crianças e a incentivou em seu projeto de se dedicar à psicanálise, mais particularmente com crianças. Ela comunicou suas observações sobre o desenvolvimento de um menino (seu filho Erich) à Sociedade Psicanalítica de Budapeste e se tornou membro dela.

Os transtornos políticos da década de 1920 e o desmoronamento do império austro-húngaro fizeram Melanie Klein exilar-se num terceiro país, a Alemanha. Convidada por Karl Abraham, ela se instalou em Berlim; durante cinco anos, continuou sua formação com ele, bem como uma análise. Comunicou seus primeiros tratamentos com crianças pequenas — dentre elas, seus filhos — e seu método, a técnica psicanalítica do brincar.

Melanie Klein começou a ser reconhecida pelo valor de seu trabalho. Assim, em 1924, depois de uma comunicação sua no congresso de Würzburg, intitulada "A técnica da análise de crianças pequenas" (tratamento de Erna, 6 anos), Abraham exclamou, cheio de entusiasmo: "O futuro da psicanálise é inseparável da análise pelo brincar"[3].

Melanie logo foi convidada a fazer conferências sobre seu trabalho com crianças em Londres, onde fez grande sucesso. O convite transformou-se então numa proposta, feita pelo presidente da Sociedade Britânica de Psicanálise, Ernest Jones, de estabelecimento definitivo na Inglaterra. A morte súbita e prematura de Karl Abraham, em dezembro de 1925, além de outras razões de ordem particular, levaram Melanie Klein à decisão de aceitar o apoio de Jones e deixar a Europa continental.

A Grã-Bretanha, sua última pátria, acolheu-a em 1926. A partir desse momento, e durante trinta e quatro anos, a vida de Melanie Klein foi completamente ligada à psicanálise, às atividades da Sociedade Britânica e ao movimento internacional. Em 1960, às vésperas da morte, ela ainda estava dando instruções sobre seu último manuscrito e aos alunos que tinha em formação. Estava com 78 anos.

Somente os netos conseguiram realmente distrair Melanie Klein da parcela de desumanidade — de genialidade, diriam outros — que ela reconhecia ter em si. Virginia Woolf deixou em seu *Diário* um retrato de Melanie Klein que permite entrever sua força, de outro modo silenciosa e invisível: ela era "uma mulher de caráter, com uma espécie de força meio oculta — como direi? —, não uma astúcia, mas uma sutileza, alguma coisa trabalhando por baixo. Uma tração, uma torsão, como uma vaga sísmica: ameaçadora. Uma mulher encanecida e brusca, com grandes olhos claros e imaginativos"[4].

Conservemos essa imagem da mulher para nos aproximarmos, agora, do pensamento da psicanalista.

*

A técnica psicanalítica do brincar e suas descobertas

> *Minha prática com as crianças, assim como com os adultos, e toda a minha contribuição para a teoria psicanalítica derivam da técnica do brincar.*
>
> M. Klein

Meu interesse pelo pensamento de Melanie Klein — um interesse sem dúvida sugerido pela leitura de Lacan — remonta a quinze anos atrás, quando comecei a receber crianças pequenas para um trabalho analítico. Comecei então a escutá-las exatamente como fazia com os pacientes adultos: uma escuta dessa outra língua que fala sem que tenhamos conhecimento e que traz um sujeito em devir, e não a escuta de uma criança, de uma moça ou de um homem maduro. Mas, se a disposição de escuta era rigorosamente a mesma, o material dos pequenos pacientes que ela evocava e formava era, na aparência, diferente: eles falavam, mas também brincavam, desenhavam, construíam casinhas...

Voltei-me para Melanie Klein. De fato, ela identificara desde muito cedo, na conceituação de seu trabalho com crianças, a seguinte contradição: os princípios essenciais do tratamento são os mesmos para todos os pacientes, por um lado; por outro, o psiquismo dos pacientes muito pequenos é diferente, e essa diferença se manifesta pelo brincar. Melanie Klein circunscrevera essa contradição no que denominou de *técnica do brincar*, ou *Play-Technique*.

*

O que é a técnica psicanalítica do brincar? Comecemos pelo que ela não é em seu princípio. Primeiramente, *a técnica do brincar não se reduz à ludoterapia (Play-Therapy)*, cujo princípio consiste em oferecer ao paciente uma possível *ab-reação*, uma descarga emocional pela qual ele se libere de um afeto desagradável, por estar ligado à lembrança de um acontecimento traumático que ele repetiria inconscientemente. Numa comunicação de 1937, "O brincar", Melanie Klein lembraria energicamente, criticando uma conferência de Maria Montessori, que o "ludoterapeuta não está qualificado para interpretar o brincar da criança, pois não tem a menor idéia de como interpretar a transferência negativa"[5].

Se existe ab-reação num tratamento de criança, é exatamente da mesma forma que num tratamento de adulto, onde a fala também tem esse efeito de alívio propriamente ab-reativo. Isso implica que, no tratamento, *o brincar não é uma satisfação das pulsões*, como pretendia Hermine von Hug-Hellmuth: "somente o brincar oferece à criança a possibilidade de chegar impunemente até o fim de suas pulsões"[6]. É impossível dizer o quanto tal concepção da "impunidade das pulsões" no brincar tece um vínculo perverso entre o terapeuta e a criança, nem com que gesto extremo cabe rompê-lo.

Em segundo lugar, a técnica psicanalítica do brincar não se reduz à *"observação analítica"*. Graças a um conhecimento do que seria o papel significativo conferido às pulsões no brincar — por exemplo, brincar de papai-e-mamãe daria à criança a oportunidade de satisfazer a pulsão erótica anal, segundo H. von Hug-Hellmuth —, a observação minuciosa da criança que brinca permitiria compreender seu comportamento.

Devemos esclarecer que a chamada observação analítica da criança pequena a cristalizaria numa relação de tipo voyeurista, caso essa observação não fosse tomada numa escuta, num encadeamento subjetivo e transferencial, no qual, sob essa condição, ele pode dar ao analista um material precioso.

O essencial da técnica do brincar está noutro lugar. Com efeito, o brincar no tratamento revela a oposição que mencionei anteriormente, e que Melanie Klein esclareceu da seguinte maneira: "Se os meios de expressão das crianças diferem dos dos adultos, também a situação analítica é diferente com uns e com outros. Mas ela se mantém, nos dois casos, *essencialmente* idêntica. As interpretações conseqüentes, a redução progressiva das resistências e o remontar da transferência a situações mais antigas constituem, tanto nas crianças quanto nos adultos, a situação analítica tal como deve ser"[7].

Em outras palavras, mais do que uma técnica, a *Play-Technique* é o nome dessa contradição: afirmar, ao mesmo tempo, que há um psiquismo específico da criança e que a condução do tratamento dos pacientes pequenos é idêntica à dos pacientes adultos.

Qual é, então, a especificidade do psiquismo das crianças pequenas? *Não existe associação verbal*: a criança não pode fazer associações livres, como é a regra no tratamento de adultos[8]. Não porque as crianças não saibam falar — às vezes, elas comentam muito bem suas brincadeiras — ou porque não queiram associar. É "que elas *não podem fazê-lo*, não porque lhes falte a capacidade de traduzir seus pensamentos em palavras (...), mas porque a *angústia* opõe uma resistência às associações verbais"[9].

Quando a criança fala, em geral, isso é da ordem do comentário ou do palavra a palavra: as crianças que começam a falar, por volta dos dois anos, justapõem as palavras. Aquilo a que a angústia faz oposição é, muito precisamente, a fala cristalizada, a fala condensada, metafórica. Em lugar da condensação ainda impossível, surge o brincar: o brincar toma o lugar da associação no sentido analítico, da condensação, da palavra no lugar de outra, lugar atrapalhado pela angústia. *O brincar faz ofício de metáfora*, é sua oficina[10].

Estou empregando aqui um vocabulário que não é tipicamente o de Melanie Klein, mas vamos lê-la corretamente. O brincar num tratamento adquire o estatuto de cristalização, de compressão metafórica: tem *a dignidade do sonho*, tem sua configuração, lugar de condensação por excelência: "No brincar, as crianças representam simbolicamente fantasias, desejos e experiências. Para isso empregam a linguagem, o modo de expressão arcaico, filogeneticamente adquirido, com que os sonhos nos familiarizaram"[11].

Para levar o brincar ao estado de formação do inconsciente, para escutá-lo como o analista escuta um sonho, e portanto, para que haja interpretação, o analista deve levar em conta diversos parâmetros, que Melanie

Klein expõe de maneira rigorosa. É preciso guardar os detalhes mais ínfimos do brincar; assim, os *encadeamentos* aparecerão e a interpretação será efetiva. É necessário levar em conta o *material* que as crianças fornecem durante a sessão: brinquedo, dramatização, água, recorte ou desenho; a *maneira* como brincam; a *razão* por que passam de uma brincadeira para outra; e os *meios* que escolhem para suas representações. "Todo esse conjunto de fatores, que muitas vezes parece confuso e desprovido de significação, afigura-se-nos lógico e repleto de sentido, e suas fontes e os pensamentos que lhe são subjacentes revelam-se a nós, quando o interpretamos exatamente como um sonho"[12].

Antes de interpretar a seqüência do brincar que tem esse valor de formação do inconsciente — ou seja, de configuração do gozo e, portanto, de reabsorção da angústia —, Melanie Klein toma diversas precauções, sem as quais as simples transposições abstratas de símbolos não teriam nenhum efeito. Ela só interpreta quando a criança exprime o mesmo material psíquico em versões diferentes; quando essas atividades são acompanhadas por um sentimento de culpa manifesto, ou então de angústia; e quando isso permite um esclarecimento sobre certos encadeamentos, ou quando o material é efeito de uma interpretação anterior.

Uma interpretação gera a ocorrência de outra brincadeira, que por sua vez é interpretada, e assim sucessivamente. Então, a angústia diminui, na criação de uma nova simbolização.

Para Melanie Klein, as condições práticas e teóricas da interpretação são as mesmas na análise dos adultos. Não é a idade do paciente que é determinante, mas é a atitude, a convicção interna do analista que descobre a técnica necessária e apropriada.

Concluamos o que se refere à técnica psicanalítica do brincar. O aparelho psíquico da criança pequena tem um alto nível de tensão: a angústia muito presente, muito intensa, não pode ser administrada pela aparelhagem do eu, o princípio de prazer; as representações só avançam por essa opacidade deslocando-se passo a passo, palavra por palavra. A associação das representações, isto é, a condensação, é difícil por causa dessa angústia, e só se realiza num modo de expressão particular: o brincar, que tem o mesmo estatuto simbólico do sonho.

Assim, constitui-se aos poucos o princípio de prazer, que terá o efeito de levar o sujeito de representação em representação, de moção pulsional em moção pulsional, de objeto internalizado em objeto internalizado, instaurando tantas representações quantas sejam necessárias para manter o mais baixo

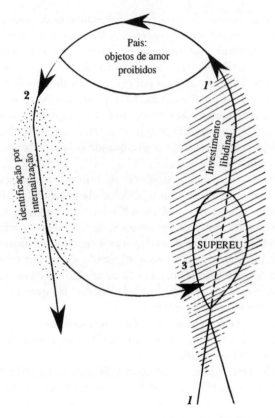

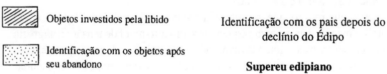

Figura 1.

Em *1* e *1'*, a criança investe libidinalmente o pai e/ou a mãe; depara com um limite, uma proibição, e renuncia a seus objetos de amor Transforma esse investimento em identificação, em 2, e em internalização da proibição, em 3.

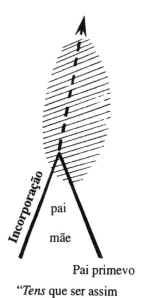

Pai primevo
"*Tens* que ser assim
(como o pai)"

Figura 2.

Supereu arcaico

possível o nível de tensão que regula todo o funcionamento do aparelho psíquico. O tratamento é concebido como um estabelecimento do princípio de prazer, ou seja, como a *constituição do eu*.

Situar dessa maneira o brincar no tratamento permitiu a Melanie Klein formular, já em 1924, os fundamentos psicanalíticos do tratamento com crianças. *Esse ato*[13] efetuou-se em meio à luta, uma luta contra Anna Freud e os analistas vienenses, inclusive Freud, e uma luta contra ela mesma, contra suas tentativas do começo, que consistiam em misturar educação com análise.

Ao fundamentar analiticamente o trabalho com crianças, Melanie Klein rompeu com a educação. Isso foi freqüentemente sublinhado e, de fato, é de importância capital. Há que ver as coisas com clareza e precisão: existem três maneiras de lidar com a selvageria humana, com o gozo e a angústia, ou seja, com a força sem fé nem lei que está dentro de cada um de

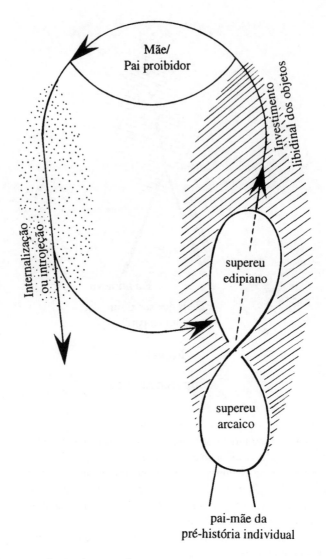

"*Não tens o direito* de ser assim
(como o pai)"

Figura 3.

Síntese da concepção kleiniana do Supereu

nós. Existem a política, a educação e a psicanálise; Freud falou, aliás, do caráter impossível de sua tarefa. Cada uma dessas disciplinas tem sua lógica própria, seus meios e objetivos próprios, que excluem os das outras duas. Melanie Klein proibiu-se a mistura dos gêneros; demonstrou que *a educação em psicanálise*, quer no início do tratamento, como "adestramento" na análise, quer no fim dele, como "domesticação" do supereu, como preconizava Anna Freud, era não apenas inútil, como também impedia um trabalho de análise conduzido segundo os princípios freudianos: "Aceitamos incondicionalmente que uma verdadeira situação *analítica* só pode se estabelecer por meios *analíticos*", afirmava ela[14].

A posição de princípio que colocou o brincar no cerne da formação do inconsciente permitiu a Melanie Klein fazer *descobertas*. Eis aqui as mais importantes.

*

A formação arcaica do supereu ou o dever de gozo

Classicamente, o supereu é definido como herdeiro do complexo de Édipo: são as proibições parentais que permanecem inscritas no sujeito após o declínio da relação edipiana. O supereu constitui-se por volta dos 4-5 anos, através da *internalização* das exigências e proibições. E isso, segundo um processo paulatinamente elaborado por Freud, que é o da *identificação*. A *Figura 1* apresenta a concepção freudiana do supereu, cuja lei se enuncia desta maneira formal: a criança renuncia à satisfação de seus desejos edipianos atingidos pela proibição, abandona o objeto de amor e de desejo incestuoso *e* transforma seu investimento nos pais em identificação com os pais; assim fazendo, ela internaliza a proibição.

Ora, Melanie Klein constatou que os pequenos pacientes neuróticos de menos de quatro anos sofriam a influência de um supereu que ela descreveu como feroz, caprichoso, de uma severidade tirânica e implacável. Para entender bem a descoberta feita por M. Klein a partir de sua clínica, devemos situar rapidamente a questão do arcaico na teoria freudiana. É que Freud evocou explicitamente o nascimento de um supereu arcaico em 1923, em *O Eu e o Isso*: por trás do nascimento do supereu esconde-se não a identificação com os pais depois do Édipo, mas "a primeira e mais importante identificação do indivíduo: a identificação com o pai da pré-história pessoal"[15], ou seja, com o pai-mãe indiferenciado de antes do reconhecimento da diferença entre os sexos, com os pais combinados da cena primária, além dos quais perfila-se a figura do Pai da Horda, aquele que goza com tudo. Essa identificação primordial é *direta*, imediata e mais precoce do que qualquer investimento objetal. A exigência incorporada é esta: "*tens que ser como o pai*", como o Pai da Horda, ou seja, "tens que viver, tens que gozar com tudo". A *Figura 2* apresenta essa intimação, cujo suporte direto é o corpo.

Depois, as escolhas objetais pertencentes ao primeiro período da sexualidade infantil, que concernem ao pai e à mãe da relação edipiana e que se fazem da maneira descrita na *Figura 1*, vêm reforçar a identificação primária, porém *inversamente*. O resultado é o *supereu edipiano*, que vem contrariar energicamente a exigência do supereu arcaico, dizendo: "*Não tens o direito de ser* como o pai, não tens o direito de fazer tudo o que ele faz, de gozar com tua mãe; *tens* que viver, mas em outro lugar."

O supereu não se esgota, portanto, no preceito de gozar, mas compreende também a interdição do objeto de gozo do pai. A *Figura 3* apresenta a síntese da concepção kleiniana do supereu.

Melanie Klein reconheceu na incorporação do preceito de gozo que se produz durante a fase oral canibalesca o núcleo do supereu, ou o supereu arcaico. A influência do supereu arcaico, portanto, é a força incorporada que *obriga* imperativamente a criança a viver. Essa força, tão intensa a ponto de ser devastadora, "pulsão de destruição", é estrangulada no nível dos orifícios do corpo, que são ritmados pelo tempo humano. Desse refreamento brotam pulsões parciais, orais, anais e uretrais, de um *sadismo* particularmente violento. O sadismo operante desde os primórdios da organização pré-genital tem como conseqüência instaurar a fase oral como canibalesca e a fase anal como oblativa. O canibalismo e a oblatividade — ou seja, o sadismo — permitem falicizar o objeto oral ou anal, isto é, fazer deles objetos de desejo.

As descrições do sadismo, tantas vezes repetidas por M. Klein, são bem conhecidas; o sadismo tem uma importância considerável no início da constituição do eu. Graças a ele, a criança pode viver: "Goza a vida bebendo teu leite, morde, devora, corta, ataca, se não estiveres satisfeito. E presta atenção, pois aquilo que atacares, por sua vez, te atacará; o que quiseres te quererá."

Entretanto, a intensidade do sadismo contra o exterior, contra os objetos externos, exprime-se de uma forma muito edulcorada, pois as fantasias extravagantes do começo do desenvolvimento nunca se tornam conscientes. Essa intensidade manifesta-se de três maneiras: pela angústia que dificulta a associação verbal, como vimos; pela crueldade da criança para com objetos ou pequenos animais; e pelas fantasias: a criança alimenta, ao lado de suas relações com os objetos reais, *porém num outro plano*, relações com *imagos fantasísticas* que são excessivamente boas ou más. Os bons e maus objetos internalizados, portanto, são uma derivação do sadismo; voltaremos a esse ponto.

A ordem de viver desenfreadamente, ou seja, as pulsões destrutivas e a deriva fantasística que a acompanha, só são temperadas no momento do declínio do Édipo, quando a criança renuncia a sua mãe. A renúncia à mãe e, mais precisamente, ao objeto da mãe que é fonte de vida, *o seio*, é uma batalha incessante, que começa desde o desmame.

Passemos, portanto, à segunda descoberta de Melanie Klein, a da precocidade do conflito edipiano dominado pela crueldade do supereu.

*

A precocidade dos estádios do conflito edipiano, "fina flor" do sadismo

Para Melanie Klein, as tendências edipianas são liberadas depois da frustração que a criança experimenta no momento do desmame, ou seja, por volta de 2-3 meses, e são reforçadas pelas frustrações anais e uretrais sofridas durante a aprendizagem da higiene. Todo o percurso edipiano é acompanhado de angústias persecutórias e de uma culpa intensa.

A angústia e a culpa não nascem dessa iniciativa incestuosa edipiana, mas, inicialmente, das pulsões destrutivas. "A culpa é, na realidade, uma reação às pulsões destrutivas", das quais as pulsões libidinais são inseparáveis[16]. Em outras palavras, a culpa é um produto da formação do supereu e da incorporação: a criança, em sua fantasia, faz desse mecanismo um teatro de horrores em que, cortada e separada da mãe, ela quer recuperá-la, mordendo-a, devorando-a, retalhando-a para lhe roubar o seio, o pênis do pai, suas fezes etc. Ela se sente culpada por lhe ter feito mal e teme, por retaliação, uma punição idêntica da mãe introjetada: o supereu, por seu turno, morde, retalha e quer se apropriar do corpo da criança.

Essas angústias e essa culpa intensa podem até impedir a articulação incestuosa edipiana, e constantemente a comprometem. É que o conflito edipiano só pode resolver-se no lugar de seu nascimento: o corpo da mãe.

O corpo da mãe é, com efeito, o pivô fantasístico de todos os processos sexuais da criança, que, nas fases sádica-oral e sádica-anal, quer apropriar-se de seus conteúdos e também — por curiosidade — conhecê-los. Esse vínculo muito significativo com a mãe introduz, no menino e nas meninas, uma fase do desenvolvimento até então desconhecida, que consiste numa identificação muito precoce da mãe, que M. Klein intitula de *fase de feminilidade*. Essa fase seria a base da concepção original de Melanie Klein acerca do Édipo e das sexualidades masculina e feminina. Em termos sucintos, eis como o menino e a menina, diferentemente, orientam-se por *essa fase de feminilidade* e a ultrapassam. Tanto no menino quanto na menina, encontramos, no fundo, o mesmo desejo frustrado de possuir determinado órgão.

O menino quer os órgãos da concepção, a vagina e os seios, "fonte de leite", como órgão de receptividade e generosidade; estabelece uma equivalência entre as fezes a serem possuídas, os filhos — ele quer um filho, tal como sua mãe o tem — e o pênis do pai, estando todos esses objetos dentro do ventre materno. Em contrapartida, teme os mesmos ataques contra seu corpo.

Mas, se é tão esmagador o medo da mãe, é porque com ele se combina um medo intenso da castração pelo pai: o que o menino teme, afinal, é o pênis do pai no interior do corpo da mãe. "É um medo absolutamente insuperável, pois, nesse estádio do desenvolvimento, a parte ainda é considerada como o todo, e o pênis faz as vezes da pessoa do pai"[17]. Algo de acentuado, de nocivo, mesmo, destaca-se aí.

De que modo o menino supera essa ameaça? Ele desloca seu ódio e sua angústia, inspirados pelo pênis do pai, para o corpo da mãe, que se torna uma "mulher com pênis" e castradora. A mãe, portanto, é portadora e mediadora da castração pelo pai. Para Melanie Klein, esse *deslocamento* para o temor do pênis imaginário da mãe desempenha um papel importante na etiologia dos distúrbios mentais; é também uma das causas do homossexualismo e das perturbações da sexualidade masculina.

A fase de feminilidade no menino caracteriza-se, pois, por uma angústia ligada ao ventre materno e ao pênis. Ele só poderá livrar-se disso acreditando intensamente na bondade do órgão genital masculino, o seu e o de seu pai, o que lhe permitirá sentir seus desejos genitais pela mãe, posicionar-se de maneira masculina e, depois, abandonar a mãe, a fim de preservar sua integridade.

Mais tarde, quando a fase de feminilidade não é realmente ultrapassada, mas supercompensada por atividades intelectuais, o homem vem a manifestar uma rivalidade com as mulheres, uma rivalidade mesclada de ódio e inveja. Quando, ao contrário, essa fase é superada por uma identificação com o pai, ou analisada de maneira suficientemente profunda, particularmente nos casos de neurose obsessiva, como sublinha Melanie Klein, isso permite ao homem exercer sua generosidade benevolente, à semelhança do seio, e reparar os danos fantasísticos que causou a este (a fantasia feminina do cavalheiro protetor!).

Na menina, as coisas são diferentes. A princípio, tal como o menino, ela se afasta da mãe em conseqüência do desmame e da aprendizagem da higiene. Quando as tendências genitais começam a agir, assiste-se a *um duplo deslocamento*: primeiro, a libido oral desloca-se para o genital e a menina toma conhecimento da existência da vagina; em segundo lugar, o objetivo receptivo dos órgãos genitais femininos desempenha um papel no fato de a menina se voltar para o pai. Esse duplo deslocamento é reforçado pela inveja e pelo ódio inspirados pela mãe, que possui o pênis do pai e que dele privou sua filha, não o dando a ela. O medo de que a mãe se vingue dessa inveja impele a menina a se identificar com o pai.

A identificação com o pai, na menina, é menos carregada de angústia do que a identificação com a mãe, embora a relação da menina com a mãe dê uma direção mais ou menos positiva a sua relação com o pai e, mais tarde, com os homens. Segundo Melanie Klein, "o marido sempre representa, ao mesmo tempo, a mãe que dá aquilo que é desejado e o filho amado".

A filha, durante toda a vida, é muito marcada por seu desejo pela mãe e por seu medo dela, em virtude de lhe invejar o que ela tem. O ciúme se enraíza aí. A menina só ultrapassa essa posição ao se identificar com a mãe boa, que lhe deu o que pôde, e ao receber de um homem o que a mãe não lhe pôde dar.

*

O aspecto arcaico do supereu e a constituição muito precoce da organização edipiana foram estabelecidos por Melanie Klein desde 1925, portanto, durante a vida de Freud, que nunca lhes reconheceu a pertinência. Há aí uma questão que se liga à das relações entre mestre e discípulos: conquanto Melanie Klein extraísse as conseqüências lógicas das teorias de Freud[18], e embora essas conseqüências fossem corroboradas por sua clínica e o fato de levá-las em conta se revelasse eficaz no tratamento de crianças pequenas, Freud as desmentiu — por quê? Em 1927, ele escreveu a Jones: "Posso, de qualquer modo, revelar-lhe que as idéias da Sra. Klein sobre o supereu das crianças parecem-me totalmente impossíveis e contraditórias com todos os meus pressupostos"[19]. Ele apoiou sua filha, Anna, que insistia no fato de que o supereu infantil ainda estaria sob a influência direta da educação parental — e não que era efeito de uma incorporação primordial do pai, como Freud sugerira em *O Eu e o Isso*, nem de um começo de introjeção do pai proibidor, como revelava Melanie Klein.

Podemos supor que tenha havido um mal-entendido a propósito do supereu. Freud estava considerando o supereu advindo do declínio do Édipo, enquanto Melanie Klein analisava o supereu arcaico, pressuposto, no entanto, por ele mesmo. Melanie Klein, diríamos, tinha enxergado mais longe: em 1941, ela continuaria afirmando a E. Jones: "Insisto particularmente no fato de que, se a descoberta feita por Freud sobre o supereu não for mais desenvolvida, ela correrá o risco de se perder no que tem de essencial." Calcemos botas de sete léguas para assinalar que Lacan colheu esse essencial no conceito de *gozo* e, no caso do supereu arcaico, de gozo do Outro, que apresenta este paradoxo: sentido, ele não existe[20].

Na concepção kleiniana da problemática do Édipo, *o lugar conferido à mãe é central*. Essa seria a terceira descoberta importante, saída de uma prática com crianças pequenas.

*

Três aspectos do primado da mãe

Primeiramente, a mãe kleiniana aparece como a metáfora, a imagem da *Outra Cena*, para empregarmos uma noção freudiana, ou seja, como *o lugar* onde se encenarão, para o sujeito, suas fantasias e seus desejos inconscientes, e portanto, a simbolização e a constituição do eu, entendida como constituição do princípio de prazer. Ela é o lugar imajado em que se ata, desde logo, a relação conflituosa que é a relação edipiana. A tendência edipiana, com efeito, concerne principalmente ao corpo da mãe, à *imago* do corpo materno, que é concebido como "a cena de todos os processos e de todos os acontecimentos sexuais"[21]. Por outro lado, "esse corpo representa, no inconsciente, *um tesouro* que contém todas as coisas desejáveis, que só podem ser retiradas dali"[22].

Se a relação com a mãe, portanto, é desde logo conflituosa, é porque nesse terreno se realiza não uma relação direta e dual entre ela e a criança, mas uma relação em que já existe sempre um terceiro na competição: o seio, que ela dá ou não, as fezes que ela exige, e o pênis do pai que ela encerra. Assim, a mãe é a cena, o lugar dos deslocamentos do sujeito e o receptáculo de um número cada vez mais considerável de objetos[23].

Em segundo lugar, a mãe kleiniana é *uma mãe não castrada*, receptadora do pênis e fálica. Ela não apenas contém todos os objetos evocados, o pênis do pai e também o pai, já que a parte equivale ao todo, mas é, ela mesma, completa. Em outras palavras, trata-se de uma mãe anterior à castração, no sentido como Freud entende a castração enquanto aquilo que põe fim à onipotência materna, depois que a criança vê que ela não tem aquilo que o pai supostamente possui.

Há uma diferença entre a mãe freudiana e a mãe kleiniana, pois o grande trauma, para Melanie Klein, não é, justamente, a visão da castração da mãe, não é a castração representada pela possível privação do pênis; é o *trauma do desmame*[24], ou seja, do fato de que o sujeito depende, em sua vida animal, do seio que satisfaz, e, em sua vida humana, do seio que cria uma falta quando se faz ausente ou presente.

Por fim, *a mãe é portadora do seio*, é mamófora, se me posso permitir a expressão. É necessário notar que houve uma degradação dos conceitos de seio e de mãe, que são objetos primordiais, míticos, isto é, pertencentes à ordem discursiva, em prol do seio e da mãe da realidade; isso acarretou uma confusão desses dois níveis nas reflexões e na prática psicanalíticas.

Melanie Klein diria que o seio é um "objeto de uma bondade ímpar", do qual o bebê tem um conhecimento inconsciente: "o fato de, no começo da vida pós-natal, existir um conhecimento inconsciente do seio, e de a criança ter a experiência de sentimentos em relação ao seio, só pode ser concebido como uma herança filogenética"[25]. A mãe é portadora do Seio, de um seio filogenético, mítico, é definitivamente portadora do Bem Supremo[26].

Mas, como o bebê sente que não tem a gratificação máxima e o gozo total do seio, ele sente "uma *profunda nostalgia* do objeto-ímpar que poderia lhe proporcionar isto". Essa nostalgia profunda do seio mítico pode ser compreendida, proponho, como a satisfação alucinatória, ou seja, como a memória da pulsão. As pulsões têm uma memória, comportam a dimensão histórica que foi perfeitamente sublinhada por Melanie Klein, quando ela falou num conhecimento do seio pela herança filogenética. Trata-se da memória de um antecedente de gozo perdido para sempre e sempre procurado.

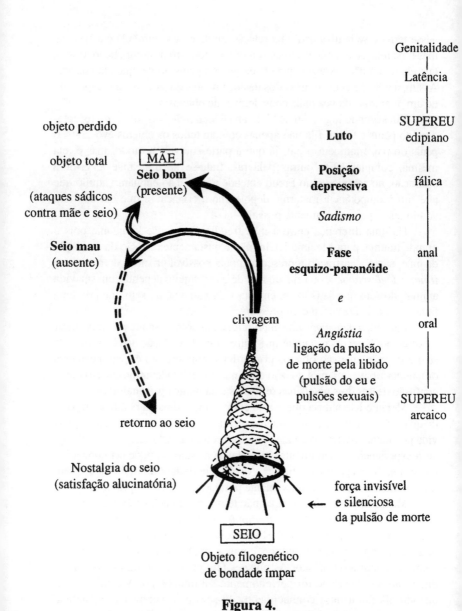

Figura 4.

Síntese do conflito edipiano e da posição depressiva

Estamos diante de uma coisa complexa, que poderíamos dizer da seguinte maneira: a nostalgia profunda do seio, ou memória da pulsão, é rival, é inimiga das satisfações que a pulsão está encarregada de assegurar, e é aí que entra, na experiência humana, a destruição. Isso significa que a mãe mítica, portadora do seio, é, a um só tempo, aquela que provoca a nostalgia do seio, a satisfação alucinatória, enfim, a excitação máxima e a satisfação máxima, porém mortal, e é, ao mesmo tempo, aquela que aplaca, hora após hora, dia após dia, a tensão precedente.

*

A transferência e a castração

A precocidade do supereu, decorrente de sua origem pré-histórica e filogenética, que se liga muito depressa à constituição do supereu edipiano; a precocidade do conflito edipiano desde o desmame, que precipita uma "identificação com a mãe" nos dois sexos; e, por fim, o lugar central conferido à mãe como metáfora da outra cena, lugar do deslocamento dos objetos internalizados, foram os três avanços que permitiram a M. Klein estabelecer a possibilidade da transferência no tratamento com crianças pequenas, ao contrário do que afirmava A. Freud. Trata-se de uma "transferência espontânea" e até pendente de se realizar, pois "os objetos interessam ao inconsciente infantil na medida em que geram ou dissipam a angústia; de uma ou outra dessas características depende a forma positiva ou negativa da transferência que eles despertam"[27].

Por outro lado, a originalidade da concepção da castração em M. Klein prende-se à tríade princeps mãe/filho/objeto (seio, fezes, pênis) em relação à tríade freudiana de 1923, mãe/filho/falo. A originalidade da concepção do falicismo da mãe deve-se ao processo defensivo de deslocamento do pênis do pai para ela.

Se a mãe aparece como estragada, amputada — variação da castração —, não é pelo fato de a criança ter visto a ausência do pênis, mas por ela haver tomado fantasisticamente o seio ou o pênis[28]. O que falta na mãe é o que a criança lhe tira; assim, esta poderá devolver-lhe isso e reparar a mãe "castrada". Temos aí em gestação dois grandes temas kleinianos: ódio e reparação, inveja e gratidão.

Melanie Klein tinha, até esse momento, uma concepção da castração de tipo retaliador, persecutório e imaginário, uma concepção certamente regida pela lei da troca: o que o menino tirasse da mãe, ele daria a sua mulher; o que a menina houvesse recebido da mãe, daria a seus filhos. A dimensão simbólica da castração, isto é, a perda que tem efeitos de simbolização, seria uma conseqüência da problemática do luto, tal como Melanie Klein a destacaria na saída da posição depressiva.

Em 1932, M. Klein escreveria *Psicanálise da criança*, obra que expôs o conjunto de seus primeiros avanços. Estes logo seriam retomados, reorganizados e prolongados pelo que seria verdadeiramente a inovação de M. Klein no campo da psicanálise, a saber, a fase esquizo-paranóide e a posição depressiva. A *Figura 4* tenta fazer a síntese dessa rearticulação do pensamento kleiniano.

*

A metapsicologia kleiniana e suas descobertas

> *Ter e ser na criança. A criança gosta de exprimir a relação objetal pela identificação: sou o objeto. O ter é a relação posterior, recai no ser depois da perda objetal. Modelo: seio. O seio é um pedaço de mim, eu sou o seio. Somente mais tarde: eu o tenho, isto é, não o sou...*
>
> S. Freud

Vamos agora penetrar mais fundo na própria originalidade do pensamento de Melanie Klein, "nas profundezas", segundo sua expressão, do que podemos chamar de *metapsicologia*. A metapsicologia kleiniana elabora todo o princípio da constituição do eu, do narcisismo primário e, depois, secundário, ou seja, a passagem do complexo do desmame, da fase feminina, para o complexo de Édipo, sob os termos *fase esquizo-paranóide* e *posição depressiva*.

Mantemos a distinção entre "fase" e "posição", apesar do "posição" posteriormente padronizado, adotado por M. Klein e pelos kleinianos. Essa padronização apaga uma diferença: se a posição depressiva é realmente uma posição, termo a ser tomado em toda a sua riqueza semântica de lugar subjetivo, a fase esquizo-paranóide é uma passagem, uma aparição da qual somente a posição depressiva fornece um esboço de profundidade sem fundo, de cloaca e de despedaçamento caótico. Não há nenhuma simetria entre as duas.

Esses termos, "fase" ou "posição", marcam também a preocupação de Melanie Klein de não reduzir esses momentos à época do desenvolvimento da primeira infância. Ao contrário, encontramos os mecanismos esquizo-paranóides e os depressivos mais tarde, na adolescência e na idade adulta. *Trata-se de posições subjetivas ou de passagens a uma outra posição subjetiva, bem como de etapas do desenvolvimento psíquico.*

Sua elaboração pode ser localizada em três textos principais de Melanie Klein — o tríptico da posição depressiva —, escalonados ao longo de doze anos, em 1934, 1940 e 1946.

*

O tríptico da posição depressiva

- Já em 1934, a "Contribuição à psicogênese dos estados maníaco-depressivos"[29] foi uma exploração da psique kleiniana. Assim como *A interpretação dos sonhos* fora para Freud o resultado de sua análise[30], esse texto sobre a depressão certamente foi, para Melanie Klein, aos 52 anos, a maneira de terminar postumamente sua análise com Abraham, para além de sua confidente, Paula Heimann, com quem ela podia falar em alemão sobre sua vida, então particularmente dolorosa. Trata-se de um texto de leitura difícil, pois Melanie Klein superpõe referências a "Luto e Melancolia", de S. Freud, aos artigos de K. Abraham, "A psicose maníaco-depressiva" e "Os estados maníaco-depressivos e os níveis pré-genitais da libido"[31], à psicopatologia da melancolia, da mania e da paranóia e, por fim, à sua prática com pacientes muito pequenos e com adultos, bem como à sua própria elaboração psíquica.

Dessas superposições configura-se *uma posição central* no desenvolvimento da criança: *a posição depressiva infantil*, que podemos definir assim: o bebê, o sujeito, por volta dos seis meses, acha-se numa posição tal em relação a sua mãe que a apreende pela primeira vez como uma totalidade, como um objeto completo, e não mais por suas partes (seio, mãos, rosto etc.). Esse novo ponto de vista tem um efeito depressivo.

• Seis anos depois, em 1940, em "O luto e a sua relação com os estados maníaco-depressivos"[32], Melanie Klein articulou clara e plenamente a posição depressiva e as numerosas defesas erguidas para combater a depressão e o luto decorrentes da perda do objeto.

• Por fim, somente seis anos depois, em 1946, nas "Notas sobre alguns mecanismos esquizóides", foi que Melanie Klein conferiu toda a sua amplitude a um estado que precedia a posição depressiva, um estado reconhecido desde longa data, dominado por angústias paranóides e pela clivagem do objeto primordial em um objeto bom e um objeto mau. A localização da fase esquizo-paranóide permitiu a Melanie Klein introduzir um conceito que se tornaria importantíssimo na escola kleiniana, o de *identificação projetiva*[33].

Para facilitar, apresentarei sinteticamente a fase esquizo-paranóide e, em seguida, a posição depressiva. Antes de mais nada, eu gostaria de citar Melanie Klein a propósito desses conceitos: "As hipóteses que avançarei, e que se referem às primeiras fases do desenvolvimento, foram inferidas a partir do material obtido em análises de adultos e crianças"[34].

Não se trata, pois, da observação de bebês ou de uma realidade tangível, mas de construções elaboradas a partir de uma prática discursiva; assim, empregarei indistintamente "sujeito", "bebê" ou "criança", sabendo que se trata de uma *criança fictícia*.

*

A fase esquizo-paranóide

Rememoremos. No começo, era o seio. E o sujeito era o seio. O sujeito só vivia através do seio, sendo o seio ("seio" em seu sentido pleno: a um tempo mítico e salvador em relação ao desamparo do recém-nascido). Mas o bebê, o sujeito, corre o risco de ser aniquilado pelo seio: ou desaparece no seio quando este se acha presente, já que ele é o seio, isto é, existe o nada ou a satisfação alucinatória que o anula como sujeito, quando o seio está ausente. Trata-se de um estado de angústia extrema, primitiva, uma angústia que é *sentida* como o medo de ser aniquilado e que assume a *forma* do medo da perseguição.

O sujeito, o primeiro eu ou "eu primitivo", então reage. Sua função principal é administrar essa angústia essencial, clivando o objeto: a defesa primordial no sistema kleiniano é *a clivagem*. O seio, como objeto primordial, é dividido em seio bom e seio mau, ou num bom objeto que o sujeito possui e num mau objeto que está ausente. É assim que se instaura uma alternância entre o sujeito e o objeto, entre o ser e o ter: por não ter o objeto, o sujeito passa a sê-lo, alternância de onde se origina a identificação secundária.

Avancemos passo a passo: identificamos então uma defesa primária e radical, pela *clivagem* que divide o seio em bom, ou seja, presente, e mau, isto é, ausente. Mas, ao mesmo tempo que se instala a clivagem, instauram-se os mecanismos da *introjeção* e da *projeção*. Aqui está uma rápida definição desses dois conceitos. Na introjeção, a libido — no caso, a pulsão sádica oral — investe um objeto e reproduz sua *imago*, ou seja, a deformação fantasística desse objeto externo, que é então percebido como "bom" ou "mau": serão esses os objetos internalizados, cuja propriedade fantasística e parcial é indicada pelas aspas. Esses objetos estão irremediavelmente conotados de negatividade, pois, por princípio, tudo o que é fragmento é mau, inclusive o seio "bom", que às vezes pode perseguir; somente o íntegro, o completo, é realmente bom, e a introjeção não deixa, justamente, que o íntegro subsista.

A introjeção participa do mecanismo geral da internalização, mas fragmenta os objetos, ao passo que a identificação, que participa do mesmo mecanismo, concerne aos objetos em sua totalidade. Uma vez introjetados, os objetos "bons" ou "maus" permanecem no interior da outra cena, onde serão definitivamente inscritos. A introjeção é uma marca definitiva.

Por isso é que a projeção não é o mecanismo estritamente inverso da introjeção, porque, por mais que o sujeito tente colocar para fora os maus objetos internalizados, projetá-los, ele não consegue fazê-lo. A projeção, ou *ejeção*, é a tentativa de expulsar o sadismo, ou então o objeto "mau". Embora projetado, o objeto continua a ser um mau objeto internalizado, uma sombra marcada no eu, e tão mais perigosamente ameaçador quanto mais é sadicamente projetado. Daí os temores das retaliações vingativas por parte do seio materno, no qual se exercem essas projeções.

O seio mau, portanto, tem dois níveis de definição: em primeiro lugar, ele é o seio ausente; em segundo, e por conseguinte, é o seio internalizado, isto é, parcial, "bom" ou "mau".

O desenvolvimento do sujeito, que tem como ponto de partida a clivagem do objeto primordial, é regido pelos mecanismos de introjeção e projeção. O sujeito introjeta o objeto fantasístico alimentando-se dele, mas também o devorando, retalhando. Disso, o sujeito quer se defender, projetando-o, pois teme suas represálias. Surge a angústia e o sujeito é impelido a introjetar, oral e sadicamente, um outro objeto equivalente, mas afastado do objeto primordial. A angústia surge outra vez, com o medo da perseguição vingativa. O sujeito é levado a um novo deslocamento para outro objeto equivalente etc. Trata-se, aí, do mecanismo do recalcamento, tal como Freud o expôs em 1915, na *Metapsicologia*, um mecanismo que é igualmente o estabelecimento do princípio de prazer, aquele que reduz a tensão por intermédio do brincar ou da associação.

A fase esquizo-paranóide é dominada pelo sadismo. As pulsões sádicas orais, anais e uretrais se juntam para se apoderar do seio. A criança fica dominada pelo medo de uma vingança; é submetida a sentimentos e fantasias de perseguição. A destruição dos perseguidores por meios violentos, ou, ao contrário, dissimulados e ardilosos, é a defesa principal; por exemplo, as projeções anais visam a colocar os excrementos no corpo da mãe. A mãe é então identificada como má, e se dá a identificação projetiva. E isso prossegue indefinidamente, segundo um "círculo vicioso".

O conceito de *identificação projetiva* elaborou uma realidade clínica que Melanie Klein havia distinguido muito antes, na verdade, desde 1930[35]. A identificação projetiva é, a princípio, a idéia de que um objeto externo pode ser detestado, na medida em que represente uma parte odiosa do sujeito: o sujeito ejeta, projeta o que tem de "mau", seus excrementos, no outro, e assim o identifica como mau. Mas também é possível que assim sejam projetadas partes boas, permitindo à criança desenvolver relações estáveis com os objetos necessários à constituição do eu.

Esse tipo de identificação, todavia, tem o inconveniente de criar uma confusão entre o eu e o outro, o que não deixa de lembrar os fenômenos de transitivismo. Melanie Klein esclareceu que a natureza arcaica desse mecanismo só está normalmente presente no bebê, como resquício das angústias e dos mecanismos esquizo-paranóides, e desaparece no início do segundo ano. A identificação projetiva persiste na psicose. A utilização abusiva desse conceito pelos analistas kleinianos foi recentemente interrogada[36].

O "seio mau", que se recusa ou se vinga, é então percebido como um perseguidor interno e externo. Esse fato e, mais tarde, a assimilação do "seio mau" às fezes produzem o caráter *fantasístico* e *não realista* que a criança cultiva com todos os objetos de seu corpo (os bons, que dão um prazer imenso, coabitam com os mais angustiantes) e com todos os pedaços de seu mundo caótico. Felizmente, como prosseguem os mecanismos de introjeção e projeção e como o "bom" objeto, desde o início, tem uma influência fundamental no processo de desenvolvimento, o eu vem a se organizar. Podemos dizer que, sem o objeto "bom", isto é, sem a inscrição do bom seio presente e a do bom seio ausente (alucinado), o desenvolvimento se interromperia.

À medida que a introjeção e a projeção permitem o deslocamento de um objeto para outro, as imagens internalizadas aproximam-se mais estreitamente da realidade, e a identificação do eu com os objetos bons torna-se mais completa. Essa evolução é paralela a uma mudança da mais alta importância: de uma relação com objetos parciais e disjuntos — "bons" e "maus" —, o sujeito passa para a relação com seu objeto fundamental e prevalente: a mãe como um todo.

*

A posição depressiva

Com efeito, por volta dos seis meses, o eu da criança vê-se diante da necessidade de reconhecer tanto a realidade psíquica quanto a realidade externa; de reconhecer que os objetos reais e os personagens imaginários, sejam eles externos ou internos, estão ligados uns aos outros. A criança passa a conhecer a mãe como uma pessoa inteira e então se identifica com uma pessoa completa, real e amada.

A posição depressiva caracteriza-se, inicialmente, pelo *lugar*, pela posição que o sujeito ocupa em relação à mãe, a quem apreende como uma totalidade, uma forma completa. A criança investe libidinalmente essa forma completa, que se torna *objeto de amor*, e não mais apenas objeto dos desejos; é o narcisismo secundário.

Em seguida, essa posição dá ensejo à situação a que chamamos perda do objeto. "De fato, a perda do objeto não pode ser sentida *como uma perda total* enquanto este não é amado como um objeto total"[37]. A condição da perda do objeto é o acesso ao outro como tudo o que imediatamente o descompleta. Essa operação é decisiva num tratamento.

A transposição dessa etapa tem um *efeito depressivo*, e o sadismo diminui. Proponho discernirmos as razões da depressão, razões estas que se conjugam entre si.

• *A ação persistente da angústia persecutória* dos "maus" objetos parciais

traz o risco de destruir, de matar o objeto de amor, o objeto total. O sujeito tem que se confrontar com o fato de que o objeto de amor é o mesmo que o objeto de ódio.
- O sujeito, cujo eu está completamente identificado com o objeto total, percebe, nesse mesmo momento, sua própria *impotência para proteger* seu bom objeto total dos objetos persecutórios anteriormente internalizados. Essa impotência, assemelhada a uma fraqueza mortal, tem um efeito depressivo.
- O medo de perder o objeto amado, sua perda e o desejo de recuperá-lo provocam, reativam o que Melanie Klein chama de *"nostalgia"* do primeiro objeto anterior à clivagem, o Seio. Essa nostalgia também tem um efeito depressivo.
- Por fim, a identificação do objeto em sua totalidade, como forma completa, permite ao eu constituir-se igualmente como forma total. A forma total do eu, portanto, está *na dependência* do objeto amado.

Essas razões — a persistência da angústia persecutória, a impotência, a nostalgia, a dependência e a proximidade entre o amor e o ódio — estão na origem da *depressão infantil*, e constituem a fonte mais profunda dos dolorosos conflitos vivenciados na situação edipiana, no correr da neurose infantil. Essas razões acham-se também na origem das depressões da idade adulta, por ocasião dos grandes sofrimentos e das grandes inibições.

O sujeito, para evitar os sofrimentos da depressão, emprega *defesas* contra a presença do objeto total, amado, já que essa presença aponta para sua perda. O número de defesas descritas por Melanie Klein é impressionante. Mencionarei apenas as mais importantes:
- *As defesas maníacas*, em que os sentimentos de *onipotência* tentam controlar os "maus" objetos destruidores. O triunfo sobre os objetos internalizados, que o eu do sujeito domina, humilha e tortura, faz parte do ódio (o ódio provém das pulsões de autopreservação para defender o eu). Assim, a proteção da integridade do bom objeto total fica assegurada, mas de maneira frágil. Por outro lado, a onipotência caracteriza um pendor do sujeito para avaliar seu objeto de maneira exagerada, seja por uma admiração sem limites — a idealização —, seja por um desprezo total — a desvalorização. Isso lhe permite defender-se do "medo de perder o único objeto insubstituível, a mãe, que no entanto, no fundo, ele chora". Como conseqüência, as defesas maníacas impedem o trabalho do luto.
- O mesmo acontece com *as defesas pela fuga*: fuga para os "bons" objetos internos (psicoses, autismo) e fuga para os bons objetos externos (estados amorosos repetitivos nas neuroses).

• Por fim, a *reparação* ou restauração: o sujeito é obrigado, em virtude de sua identificação com o bom objeto, a reparar o "desastre criado por seu sadismo". Diferentes fantasias atualizam a reparação: a de preservar o corpo materno dos ataques dos maus objetos, ou de devolver a vida ao que foi morto etc. Restituir a integridade ao objeto de amor tem um efeito de restauração do eu. A reparação, que dá forma, beleza e perfeição ao objeto perdido, é uma condição da aceitação da perda. Portanto, faz parte do trabalho do luto.

A única superação verdadeira da posição depressiva é o *trabalho do luto*, tanto do luto da mãe quanto do seio, isto é, o luto da pessoa fantasística. Isso não significa que a mãe esteja morta, mas que o "bom extraordinário", o Bem Supremo que ela representa, é perdido tão logo é atingido.

Examinar em detalhe o mecanismo do luto seria demorado. Lembremos apenas que Melanie Klein retomou integralmente os processos freudianos concernentes à melancolia e ao luto, a saber, o objeto de amor como suporte do objeto perdido e reerigido no eu. Um investimento objetal é substituído por uma identificação, como na formação do supereu. Fazer o luto do objeto amado, portanto, é amá-lo ainda mais, restaurando-o — o que provoca dor —, e instalá-lo dentro de si, inscrevê-lo em si, mas não apenas isso: Melanie Klein considera que a pessoa enlutada reerige em si o ser que acaba de perder, e reinstaura também seus "bons" objetos internalizados, que haviam corrido o risco de destruição.

Resumamos. A posição depressiva caracteriza-se por ser o momento crucial do curso do desenvolvimento, no qual o sujeito consegue, encontrando aos poucos a boa posição, realizar a mãe como objeto em sua totalidade e, com isso, consegue, em primeiro lugar, organizar o mundo caótico dos objetos parciais, colocando-os dentro ou fora dessa forma total, o que caminha de mãos dadas com uma diminuição da angústia; e, em segundo lugar, entrever a perda do objeto de amor que é a mãe, mas que, em última análise, é o seio que ele mesmo foi no passado. Daí a depressão (impotência, nostalgia e dependência) e o luto. É do resultado do trabalho de luto do objeto primordial que depende a saída da neurose infantil e da neurose transferencial.

Para Melanie Klein, todo luto que ocorre posteriormente na vida reaviva a posição depressiva, isto é, tem um episódio confusional, ativado pelas angústias persecutórias e pelos sentimentos de ódio, desespero e saudade. A nostalgia, isto é, a memória do "bom" objeto, é o estímulo para o trabalho do luto. Somente o amor pelo objeto, e não o ódio, garante o processo. Nesse estádio do luto, o sofrimento pode tornar-se produtivo, e não mais inibidor. A reconstrução do mundo interno caracteriza então o sucesso do trabalho do luto.

Melanie Klein atribuiu a essa compreensão do luto consumado um alcance teórico e terapêutico de tamanha importância que, em 1940, disse ser impossível avaliá-lo em sua plenitude[38]. Somente nove anos depois é que faria dela o critério do término da análise[39].

Com efeito, mesmo que se hajam obtido resultados satisfatórios no correr do tratamento, o término dele, inevitavelmente, faz com que ressurjam sentimentos dolorosos e sejam reativadas as angústias originárias de perseguição e depressão. Isso pressupõe não apenas a análise das primeiras experiências de luto, mas também que o término do tratamento equivale a um estado de luto. O trabalho do luto, aliás, prossegue após o término das sessões.

*

A inveja

A evocação do último trabalho teórico importante de Melanie Klein, *Inveja e gratidão*, publicado em 1957[40], encerrará o conjunto desta exposição.

Melanie Klein estava com 75 anos. Com essa obra, prestou uma última homenagem a Karl Abraham, passados uns trinta anos de sua morte: uma homenagem pelas descobertas que ele fizera no tocante às pulsões de destruição ligadas à oralidade e à inveja. O livro foi também uma espécie de síntese, como Melanie Klein adquiriu o hábito de fazer a partir dos anos cinqüenta, destacando em cada ocasião um aspecto singular ou novas hipóteses.

Nesse caso, trata-se das noções de inveja e gratidão. A inveja está ligada ao complexo de Édipo: fala-se em *inveja do pênis* na menina ou em *inveja da feminilidade* e da gravidez no menino, nos casos de inversão do Édipo. Para Melanie Klein, esse desejo é complexo, pois a inveja do pênis do pai, que tem existência própria, é reforçada por duas fontes: inveja do corpo da mãe e inveja de tudo o que ele contém, o pênis e os bebês.

Mas a inveja deriva, na verdade, de uma forma originária, que é a *inveja do seio*: essa é a primeira emoção fundamental na relação do sujeito com o seio materno e com a mãe. Essa relação, aliás, provém de uma inversão: "Ter feito parte do corpo materno", escreveu Melanie Klein, "durante a gestação por certo contribui para o sentimento inato da criança de que existe, fora dela, alguma coisa capaz de satisfazer todas as suas necessidades e todos os seus desejos. O seio bom, incorporado, é desde então parte integrante do eu; a criança, que inicialmente se achava no interior da mãe, agora coloca a mãe em seu próprio interior"[41].

Mas, como sabemos, o seio se faz ausente, e um elemento de frustração é necessariamente introduzido na primeiríssima relação da criança com o seio materno. A inveja, portanto, é o sentimento de cólera experimentado pelo sujeito quando ele teme que um outro, a mãe ou outra criança, possua essa coisa desejável e goze com ela, a *"jalouissance"*,* diria Lacan.

A inveja do seio tanto pode ser provocada pela gratificação do seio bom, já que a gratificação é a prova dos recursos infinitos do seio, quanto pela frustração ou pela perda do seio.

A inveja se realiza pela depredação, pela danificação do seio e pela introdução, no seio materno, de tudo o que é mau: os "maus excrementos" ou as "partes más" de si. A criatividade do seio — e, nesse ponto, Melanie Klein pensava nas interpretações com que alimentava seus pacientes — fica reduzida a nada pelo aspecto destrutivo da identificação projetiva. A inveja significa, literalmente, "lançar o olhar mau" [o mau-olhado], *in video*.

Aí reencontramos o grande tema kleiniano — já explorado a propósito da fase esquizo-paranóide. Nesse ponto, no entanto, Melanie Klein parece haver deparado com dois limites do círculo vicioso infinitamente retorcido. E estes constituirão minhas duas últimas observações.

O primeiro limite é a consideração da ausência do seio que se entreabre para a ausência pura, para o vazio sem maldade, nem ataque, e portanto, nem reparação. Essa ausência é fonte da criação: com efeito, "os desejos não saciados — que não podem ser satisfeitos — contribuem para abrir caminho para as sublimações e as atividades criativas"[42].

O segundo limite é o fracasso da análise da transferência negativa ligada à inveja, nos pacientes que apresentam angústias paranóides e mecanismos esquizóides, sem, no entanto, serem psicóticos. Mas é possível que, mais do que uma análise forçada da transferência negativa — que, como

---

* Neologismo que entrelaça os termos "ciúme" (*jalousie*) e "gozo" (*jouissance*). (N.T.)

sublinhei, continua a ser uma questão importante —, esses pacientes esperem o reconhecimento de um desejo, algo assim como um dúbio "seio-a-mais".*

*

Conclusão

Mulher que despertou paixões, Melanie Klein colocou toda a sua na psicanálise. Conseguiu levar seu pensamento ao conhecimento de muitos: psicanalistas, em sua maioria, filósofos[43] e escritores.

Hoje em dia, há uma aceitação mundial de sua obra pela Associação Internacional de Psicanálise, bem como, mais perto de nós, por Jacques Lacan. Lacan, que comparou o estádio do espelho à posição depressiva[44]; ou os objetos internalizados aos significantes[45]; ou que soube, ainda, dar ao objeto mau sua função de causa do desejo (*kakon*). Por último, se Melanie Klein derrubou o pai freudiano, não terá Lacan chegado muito perto disso?

Ao efetuar um retorno a Freud, Lacan teve pontos de partida no campo da psicanálise. Um de seus esteios principais, penso agora, foi a obra de Melanie Klein. Não há de se tratar, portanto, nos efeitos futuros desta leitura, de avaliar M. Klein pelo parâmetro lacaniano, já que, não havendo distinguido os três registros, o Imaginário, o Simbólico e o Real, ela sairia perdedora na comparação. Ao contrário, o rigor epistemológico requer que discernamos, nela, o que foi importante para Lacan.

---

* A expressão francesa, "plus de sein", é homófona a "plus dessein" (desígnio, propósito, intenção, querer etc.), o que permitiria a acepção de um "mais-desejar". (N.T.)

Excertos da obra de Klein

Melanie Klein e Anna Freud

Há mais divergência entre a concepção de Anna Freud e minha concepção da primeira infância do que entre os pontos de vista de Freud, tomados em seu conjunto, e os meus.[1]

*

Melanie Klein e Sándor Ferenczi

Devo muito a Ferenczi. Uma coisa que ele me fez apreender e que desenvolveu em mim foi a convicção da existência do inconsciente e de sua importância na vida psíquica.[2]

*

A técnica do brincar

(...) minha prática com as crianças, assim como com os adultos, bem como minha contribuição para a teoria psicanalítica em seu conjunto, derivam, definitivamente, da técnica do brincar desenvolvida com as crianças pequenas.[3]

*

A psicanálise de crianças

Quando é levada suficientemente longe, a análise de crianças pequenas, bem como a de crianças mais velhas, dá uma imagem de uma complexidade extraordinária, [que] mostra que aos três anos de idade, por exemplo, justamente por já serem, em enorme medida, produtos da cultura, as crianças já atravessaram e continuam a atravessar graves conflitos.[4]

Se compararmos essa técnica com a dos adultos, observaremos o seguinte: aceitamos incondicionalmente que uma verdadeira situação analítica só pode se estabelecer por meios analíticos.[5]

*

Mas, e a criança? Qual pode ser a repercussão da análise numa vida em plena evolução? Ao liquidar as fixações sádicas infantis, ela modera o rigor do supereu e a intensidade da angústia e das necessidades instintivas. (...) Ao favorecer esse processo, a análise acompanha e sustenta, etapa por etapa, o curso natural do crescimento da criança. (...) Implicitamente, impomos limites às possibilidades da análise, ao afirmar que os efeitos das primeiras situações ansiogênicas nunca deixam completamente de se manifestar.[6]

*

A opinião de Sigmund Freud sobre Melanie Klein

Sua demanda de que a análise das crianças seja uma verdadeira análise, inteiramente independente de qualquer medida educativa, parece-me tão infundada teoricamente quanto inadequada na realidade. Quanto mais tomo conhecimento das coisas, mais acredito que Melanie Klein está no mau caminho, e Anna, no bom.[7]

*

Uma lembrança de um discípulo de Melanie Klein

A Sra. Klein me disse, certa vez: "Graças a Deus, Dr. Gammil, o senhor não interpretou a inveja nesse material, pois não havia nada que se ligasse a ela. Durante toda esta semana, tive várias pessoas que me trouxeram material e interpretaram a inveja, embora não houvesse nenhuma prova clínica para isso. Sabe, não sei se minha obra será destruída por meus partidários mais fervorosos ou por meus piores inimigos!..."[8]

*

A opinião de Jacques Lacan sobre Melanie Klein

Ela não encontra, essa questão com que o sujeito pontua o significante, outro eco senão o silêncio da pulsão de morte, que precisou realmente entrar em jogo para provocar esse fundo de depressão, reconstituído pela Sra. Melanie Klein com o talento que a guiou ao longo das fantasias.[9]

*
* *

Referências dos excertos citados

1. "Les origines du transfert" (1951), in *Revue Française de Psychanalyse* 16, nº 2, p. 209.
2. "Autobiographie", citada por P. Grosskurth, *Melanie Klein, son monde et son œuvre*, Paris, PUF, 1990, p. 104.
3. "A técnica psicanalítica através do brinquedo: sua história e significado", in *Novas tendências na psicanálise*, Rio de Janeiro, Zahar Eds., 1980.
4. *Essais de psychanalyse*, "Colloque sur l'analyse des enfants" (1927), p. 195 ["Simpósio sobre análise infantil", in *Contribuições à psicanálise*, São Paulo, Mestre Jou, 1970].
5. Ibid., p. 182.
6. *La psychanalyse des enfants*, "Limites et portée de l'analyse des enfants" (1932), p. 287-8 ["Alcances e limites da análise infantil", in *Psicanálise da criança*, São Paulo, Mestre Jou, 1975].
7. S. Freud, 22 de fevereiro de 1928, carta inédita a E. Jones.
8. James Gammil, "Quelques souvenirs personnels sur Melanie Klein", in *Melanie Klein Aujourd'hui*.
9. J. Lacan, "Remarque sur le rapport de Daniel Lagache", in *Écrits*, Paris, Seuil, 1966, p. 667.

Biografia de Melanie Klein

VIENA

1882   30 de março: nascimento de Melanie Reizes numa família judia em que o pai era médico.
Irmã caçula de três irmãos: Emilie, Emmanuel, que morreu em 1902, e Sidonie, falecida em 1886. Projeto de estudar medicina.

1899   17 anos. Conhece Arthur Klein, que estuda engenharia química.

1900   Morte do pai, Moritz Reizes.

1903   31 de março: casamento com Arthur Klein. O casal teve três filhos: Melitta, em 1904, Hans, em 1907, e Erich, em 1914.

1907-14   Numerosas viagens e tratamentos de repouso em decorrência de depressões. A mãe de Melanie Klein, Libussa, cuida da casa; ela morre em 1914.

BUDAPESTE

1910   Estabelecimento da família Klein em Budapeste.

1914   32 anos. Leitura de "A interpretação de sonhos", de S. Freud; convicção imediata e entusiástica.
1914 ou 1916, início de um tratamento analítico com Sándor Ferenczi, que a incentiva a se dedicar à psicanálise e, em particular, à análise de crianças.

1919   Apresentação de seu primeiro texto à Sociedade Psicanalítica de Budapeste: "O romance familiar em seu estado nascente" (a educação analítica de seu filho Erich).
Membro da Sociedade de Budapeste.
Queda do império austro-húngaro.

1920   *Além do princípio de prazer*, de Freud.
No Congresso de Haia, M. Klein ouve a comunicação de Hermine von Hug-Hellmuth, "Sobre a técnica da análise de crianças".

BERLIM

1921 M. Klein instala-se em Berlim. Numerosos tratamentos de crianças. Apoio de Karl Abraham.
1923 Membro da Sociedade de Berlim.
Freud publica *O Eu e o Isso*, "A organização genital infantil" e "A dissolução do complexo de Édipo".
1924 42 anos. Começo de 1924 a maio de 1925: análise de 14 meses com K. Abraham. Em abril, Melitta casa-se com Walter Schmideberg. No VIII Congresso Internacional de Psicanálise, M. Klein expõe "A técnica da análise de crianças pequenas".
Descoberta do supereu arcaico e da precocidade do complexo de Édipo.
1925 Em julho, M. Klein faz conferências em Londres, graças a Alix Strachey.
Convite de Ernest Jones para ela se estabelecer na Inglaterra. Morte de K. Abraham em 25 de dezembro.

LONDRES

1926 Divórcio de Melanie e Arthur Klein. Em setembro, M. Klein chega a Londres. Apoio de E. Jones e dos psicanalistas ingleses.
Freud publica *Inibição, sintoma e angústia*.
1927 45 anos. Após a publicação do livro de Anna Freud, *O tratamento psicanalítico de crianças*, M. Klein organiza um colóquio sobre a análise de crianças.
Ato de fundação analítico da prática com crianças.
M. Klein torna-se membro da Sociedade Britânica de Psicanálise.
1929 Freud publica *O mal-estar na cultura*.
Análise de Dick (menino autista de 5 anos) até 1946.
Demonstração da importância do símbolo no desenvolvimento do eu.
1932 Publicação de *Psicanálise da criança*. Primeiras análises didáticas.
Início da hostilidade no relacionamento de M. Klein com sua filha Melitta.
1933 Morte de S. Ferenczi. Chegada de Paula Heimann à Inglaterra.
1934 52 anos. Morte do filho Hans num acidente de alpinismo, em abril.

Em agosto, apresentação da "Contribuição à psicogênese dos estados maníaco-depressivos".

1934-40 **Descoberta da posição depressiva e da fase esquizo-paranóide.**
1940-46

1936 Conferência sobre "O desmame".

1937 Publicação de *Amor, ódio e reparação*, de M. Klein e Joan Rivière.

1938 Chegada de Freud a Londres, em junho, com a mulher e a filha Anna. Morte de Freud em 23 de setembro de 1939.

1940 Redação definitiva da comunicação apresentada no XV Congresso, em 1938, "O luto e a sua relação com os estados maníaco-depressivos".
Dissensões entre M. Klein e A. Freud.
Segunda Guerra Mundial.

1941 59 anos. Análise de Richard, um menino de 10 anos. **Vinculação entre o complexo de castração e a posição depressiva** (cf. 1945, "O complexo de Édipo esclarecido pelas angústias precoces" e, em 1956-59, a redação da *Narrativa da análise de uma criança*).

1942-44 As Assembléias Extraordinárias e as Discussões Polêmicas organizam as oposições teóricas e políticas entre kleinianos e annafreudianos.
Conclusões de novembro de 1946: a Sociedade Britânica é dividida em três Grupos, e a Formação, em dois regimes de ensino.
Elaboração da doutrina kleiniana por M. Klein e seus discípulos, J. Rickman, C. Scott, D. Winnicott, S. Isaacs, J. Rivière e P. Heimann.

1944 Comunicação sobre "A vida emocional dos bebês". Análise de Hanna Segal.

1946 Comunicação "Notas sobre alguns mecanismos esquizóides", onde a **noção de identificação projetiva** seria introduzida, na redação de 1952, e desenvolvida pelos kleinianos, em particular H. Rosenfeld, a propósito das psicoses.

1947 65 anos. Publicação de *Contribuições à psicanálise (1921-1945)*.

1949 Congresso de Zurique, "Sobre os critérios do término da análise".
Concepção do término do tratamento como uma experiência de luto.
"O estádio do espelho como formador da função do eu", de J. Lacan (primeira versão do estádio do espelho, 1938; introdução do "Tempo lógico" em 1945).

1951 Congresso de Amsterdam, "As origens da transferência".

1952	**70 anos.** Banquete organizado por E. Jones em sua homenagem e publicação de *Os progressos da psicanálise* por seus discípulos e colegas.
1953	Congresso de Londres, intervenção sobre "A psicologia da esquizofrenia", "Da identificação". Lacan expõe "Função e campo da fala e da linguagem" em Roma.
1955	**Fundação do Melanie Klein Trust** [Fundação Melanie Klein]. Congresso de Genebra, "**Um estudo sobre a inveja e a gratidão**". Rompimento com P. Heimann. Publicação de "A técnica psicanalítica através do brinquedo; sua história, sua significação", artigo escrito a partir de uma conferência de 1953.
1957	Publicação de **Inveja e gratidão**.
1958	Morte de Ernest Jones.
1959	"As raízes infantis do mundo adulto". Congresso de Copenhague, "O sentimento de solidão".
1960	78 anos. Na primavera, M. Klein fica anêmica. É operada de um câncer do cólon em setembro e morre em 22 de setembro.
1961	Publicação da *Narrativa da análise de uma criança*.

Seleção bibliográfica

KLEIN, M.

Contribuições à psicanálise, São Paulo, Mestre Jou, 1970.

Psicanálise da criança, São Paulo, Mestre Jou, 1975.

Amor, ódio e reparação, Rio de Janeiro, Imago, 1975.

Os progressos da psicanálise, Rio de Janeiro, Zahar, 1978.

Inveja e gratidão — Um estudo das fontes do inconsciente, Rio de Janeiro, Imago, 1974.

Narrativa da análise de uma criança, Rio de Janeiro, Imago, 1976.

"Sur les critères de fin d'analyse", in *Psychanalyse à l'Université*, dezembro de 1982, vol. 8, n? 29.

"A técnica psicanalítica através do brinquedo: sua história e significado", in *Novas tendências na psicanálise*, Rio de Janeiro, Zahar, 1980.

"Le sevrage", in *Le discours psychanalytique*, 1982, n?? 4 e 5, e 1983, n? 7.

"Les origines du transfert", in *Revue Française de Psychanalyse*, 16, n? 2.

*

COLLECTIF, PSYCHANALYSE, C.L.E., *Melanie Klein aujourd'hui*, 1985.

GROSSKURTH, P., *Melanie Klein, son monde et son œuvre*, Paris, PUF, 1990.

LAURENT, E., "Ce que savait Melanie", in *Ornicar?*, n° 24, 1981.
"Trois guises de l'objet", in *Ornicar?*, n°s 26-27, 1983.

MELTZER, D., *Le développement kleinien de la psychanalyse*, vols. 1 e 2, Paris, Privat, 1984 e 1987.

PETOT, J.-M., *Melanie Klein, Premières découvertes et premiers systèmes 1919-1932*, Paris, Dunod, 1979.
Melanie Klein, Le moi et le bon objet, 1932-1960, Paris, Dunod, 1982.

PONTALIS, J.-B., "Nos débuts dans la vie selon Melanie Klein", in *Après Freud*, Paris, Gallimard, 1968.

SEGAL, H., *Introdução à obra de Melanie Klein*, Rio de Janeiro, Imago, 1975.
Melanie Klein: développement d'une pensée, Paris, PUF, 1982.

THOMAS, M.-C., "La Play-Technique", in *Le Discours Psychanalytique*, n° 5, 1982.

Introdução à obra de WINNICOTT

A.-M. Arcangioli

A vida de Donald Woods Winnicott

*

A obra de D. W. Winnicott

*

A fase de dependência absoluta

*

As três funções maternas

*

A mãe suficientemente boa

*

O *self* verdadeiro

*

A mãe insuficientemente boa

*

Distúrbios psíquicos cuja origem situa-se na fase de dependência absoluta. Orientações terapêuticas

*

Fase de dependência relativa

*

Os fenômenos transicionais

* * *

Excertos da obra de Winnicott
Biografia de Donald Woods Winnicott
Seleção bibliográfica

A vida de Donald Woods Winnicott[*]

Donald Woods Winnicott nasceu em Plymouth, um porto do sudoeste da Grã-Bretanha. Passou a infância numa vasta mansão, adornada por um grande jardim. Seus pais eram protestantes. Ele era o único menino da família, tendo duas irmãs mais velhas. O pai ficava muito ocupado com suas atividades profissionais e políticas. Winnicott assim se exprimiu sobre sua pouca disponibilidade: "Durante meus primeiros anos, meu pai deixava-me com grande freqüência sob a guarda de minhas numerosas mães, e as coisas nunca se endireitaram completamente"[1]. Seus pais eram grandes amantes da arte e todos os membros da família eram aficcionados da música.

Segundo suas palavras, Winnicott foi mandado para um internato em Cambridge pelo pai, que o ouvira proferir um palavrão. Foi lá que iniciou seus estudos de medicina. Dizem que foi depois de uma fratura, aos 16 anos de idade, que Winnicott escolheu essa carreira, na esperança de nunca depender de nenhum médico em caso de doença. No começo da guerra de 1914, ele tinha 18 anos; foi auxiliar de enfermagem em Cambridge, a princípio, e depois se alistou na marinha. Passada a guerra, continuou seus estudos em Londres e se diplomou em medicina em 1920.

Foi ao ler um livro de Freud que ele teve a intuição de que a psicanálise era o caminho que estava procurando. Em 1923, aos 27 anos, Winnicott

---

[*] Texto escrito com a colaboração de J.-D. Nasio.

iniciou um tratamento analítico com James Strachey, que duraria dez anos. Nesse mesmo ano, obteve dois empregos de clínico em pediatria, em especial no Paddington Green Children's Hospital, onde exerceria a medicina por quarenta anos. Seu consultório de pediatria iria transformar-se, pouco a pouco, num consultório de pedopsiquiatria.

Em 1924, ele se casou pela primeira vez. Iria divorciar-se pouco depois da morte do pai, ocorrida em 1948.

Winnicott tornou-se psicanalista habilitado da Sociedade Britânica de Psicanálise por volta de 1935. Fez supervisão com Melanie Klein de 1935 a 1940. Na mesma época, Melanie Klein lhe pediu que recebesse seu filho Erich em análise.

Em 1940, Winnicott iniciou uma segunda análise de dez anos com Joan Rivière. Durante a guerra de 1939-45, tornou-se psiquiatra das Forças Armadas. Foi lá que conheceu sua segunda mulher, Clare Britton, assistente social em psiquiatria. Os dois se casaram em 1951.

Em 1954, Winnicott intercedeu junto a Melanie Klein para que ela concordasse em receber sua mulher em análise. Para melhor sustentar sua demanda, lembrou a Melanie Klein que tivera de renunciar a fazer um tratamento analítico com ela para se dedicar com total liberdade à análise de seu filho Erich. Clare Winnicott acabaria fazendo um tratamento analítico com Melanie Klein até a morte desta. Observe-se que esse tratamento se desenrolou num clima particularmente tempestuoso.

Para situar o lugar de D. W. Winnicott na Sociedade Britânica de Psicanálise, convém lembrar que, a partir dos anos quarenta, a Sociedade foi sede de disputas extremamente violentas. Essas disputas levaram, em 1946, ao estabelecimento de dois programas de formação. Havia dois grupos antagônicos, os *annafreudianos* (discípulos de Anna Freud) e os *kleinianos*, além de um certo número de analistas que se recusavam a aderir a um ou outro "partido" e se agruparam sob a denominação de *Middle Group*. Foi nesse grupo intermediário que Winnicott encontrou seu lugar. Seu relacionamento com Anna Freud, deixando de lado alguns momentos críticos, colocou-se basicamente sob o signo da neutralidade. As coisas foram diferentes em suas relações com Melanie Klein, pois entre os dois teceu-se uma longa amizade, que seria ensombrecida por suas divergências teóricas e técnicas.

Dentro da Sociedade Britânica de Psicanálise, Winnicott ocupou diferentes cargos importantes. Em especial, foi presidente nos períodos de 1956 a 1959 e de 1965 a 1968. Na ocasião de seu primeiro mandato, escreveu a um colega: "Sinto-me engraçado ao ocupar a cadeira de Presidente, pois não conheço meu Freud como um Presidente deveria conhecê-lo, embora me sinta impregnado de Freud até a medula óssea"[2].

Ao longo de toda a sua carreira, Winnicott foi constantemente solicitado a proferir conferências diante de platéias variadas, de médicos, assistentes sociais e professores. Fez também uma série de transmissões radiofônicas na BBC sobre o desenvolvimento da criança. Sua atividade profissional, muito densa, não o impediu de se interessar pelas artes e pela vida social e política. Ele ainda estava em plena atividade ao morrer, em 1971, em decorrência de uma doença pulmonar e cardíaca.

Feitas essas referências biográficas, passemos agora à obra.

*

A obra de D. W. Winnicott

Ao longo de toda sua obra, Winnicott enfatizou a influência do meio ambiente no desenvolvimento psíquico do ser humano.

Para Winnicott, como para todos os autores que estudam sua evolução, o ser humano traz em si uma tendência inata a se desenvolver e a se unificar. Essa tendência atualiza-se no funcionamento dos processos de maturação. No plano psíquico, a expressão "processo de maturação" aplica-se à formação e à evolução do eu, do isso e do supereu, bem como ao estabelecimento dos mecanismos de defesa elaborados pelo eu num indivíduo sadio. A saúde psíquica, portanto, repousaria no livre desenrolar desses processos de maturação. Entretanto, é o ambiente, inicialmente representado pela mãe ou por um de seus substitutos, que permite ou entrava o livre desenrolar desses processos. Seguindo esse fio condutor, definido pela interação entre o meio e o desenvolvimento psíquico do ser humano, examinaremos as duas primeiras fases da vida. Primeiramente, a fase inicial, desde o nascimento até os seis meses, em que a criança pequena acha-se num estado de *dependência absoluta* em relação ao meio, isto é, à mãe. Depois, a segunda fase, dos 6 meses aos 2 anos, em que a criança se encontra, ao contrário, num estado de *dependência relativa*.

Sempre preocupados com a influência do meio, estudaremos em seguida os distúrbios psíquicos cuja etiologia se situa exatamente no curso dessas duas fases, e as orientações terapêuticas propostas por Winnicott para o tratamento desses distúrbios.

*

A fase de dependência absoluta

Tomemos o primeiro ponto: a evolução psíquica do ser humano durante a fase de *dependência absoluta*.

Para Winnicott, é nos primeiros seis meses de vida, aproximadamente, que o ser humano bebê acha-se num estado de total dependência do meio, representado, nessa época, pela mãe ou por um seu substituto. O bebê depende inteiramente do mundo que lhe é oferecido pela mãe, porém o mais importante, e que constitui a base da teoria de Winnicott, é o desconhecimento de seu estado de dependência por parte do bebê. Na mente do bebê, ele e o meio são uma coisa só. Ora, idealmente, seria por uma perfeita adaptação às necessidades do bebê que a mãe permitiria o livre desenrolar dos processos de maturação.

*

As três funções maternas

Nos primórdios da vida, as necessidades do bebê por certo são de ordem corporal, mas há também necessidades ligadas ao desenvolvimento psíquico do eu. A adaptação da mãe a essas necessidades do bebê concretiza-se através do emprego de três funções maternas:
- *a apresentação do objeto*
- *o holding*
- *o handling*

Essas três funções são simultaneamente exercidas, mas, a bem da clareza, vou abordá-las em separado.
- Na função materna de *apresentação do objeto*, pareceu-me que o exemplo mais impressionante é a apresentação do seio ou da mamadeira. Essa oferta começa com o que Winnicott denomina de primeira refeição teórica, que é também uma primeira refeição real. Só que essa primeira refeição teórica é representada, na vida real, pela soma das experiências precoces de muitas refeições. Dada a extrema imaturidade do recém-nascido, a primeira refeição não pode assumir, *a priori*, a significação de uma experiência

emocional, mas, "em razão de um estado vital na criança e graças ao desenvolvimento da tensão pulsional, a criancinha passa a esperar alguma coisa; e então surge alguma coisa que logo assume uma forma, é a mão ou a boca que se estende naturalmente para o objeto"[3].

Durante essa primeira refeição, a mãe apresenta o seio ou a mamadeira no momento em que o bebê está pronto para imaginá-lo, e portanto, para encontrá-lo. Ao oferecer o seio mais ou menos no momento certo, ela dá ao bebê a ilusão de que ele mesmo criou o objeto do qual sente confusamente a necessidade. Ao lhe dar a ilusão dessa criação, a mãe permite que o bebê tenha uma experiência de onipotência, isto é, que o objeto adquira existência real no momento em que é esperado. Durante esse período de dependência absoluta, a mãe, que age de maneira a estar disponível diante de uma excitação potencial do bebê, permite que este adquira, no correr das mamadas, a capacidade de assumir relações estimulantes com as coisas ou as pessoas. Em outras palavras, o ser humano torna-se capaz de experimentar emoções, sentimentos de amor ou de ódio, sem que eles representem uma ameaça potencial e sejam, necessariamente, uma fonte de angústia insuportável.

• A segunda função da mãe corresponde ao *holding*, ou seja, à sustentação. A mãe protege o bebê dos perigos físicos, leva em conta sua sensibilidade cutânea, auditiva e visual, sua sensibilidade às quedas e sua ignorância da realidade externa. Através dos cuidados cotidianos, ela instaura uma rotina, seqüências repetitivas. Com essa função de *holding*, Winnicott enfatiza o modo de segurar a criança, a princípio fisicamente, mas também psiquicamente. A sustentação psíquica consiste em dar esteio ao eu do bebê em seu desenvolvimento, isto é, em colocá-lo em contato com uma realidade externa simplificada, repetitiva, que permita ao eu nascente encontrar pontos de referência simples e estáveis, necessários para que ele leve a cabo seu trabalho de integração no tempo e no espaço.

• A terceira função da mãe se exerce através do *handling*, ou seja, da manipulação do bebê enquanto ele é cuidado. A mãe troca a roupa do bebê, dá-lhe banho, embala-o etc. O emprego dessa terceira função materna é necessário para o bem-estar físico do bebê, que aos poucos se experimenta como vivendo dentro de um corpo e, com isso, realiza uma união entre sua vida psíquica e seu corpo. Uma união que Winnicott chama de personalização.

*

A mãe suficientemente boa

A mãe que, durante os primeiros meses de vida do filho, identifica-se estreitamente com ele, e que, na teoria, adapta-se perfeitamente a suas necessidades é chamada por Winnicott de *mãe suficientemente boa*. Ou seja, boa o bastante para que o bebê possa conviver com ela sem prejuízo para sua saúde psíquica. Essa mãe representa o ambiente suficientemente bom, cuja importância é vital para a saúde psíquica do ser humano em devir. A mãe suficientemente boa permite à criança pequena desenvolver uma vida psíquica e física fundamentada em suas tendências inatas. Assim, ela pode experimentar um sentimento de continuidade da vida, que é o sinal da emergência de um verdadeiro *self*, de um verdadeiro eu. Com esse termo, *self* verdadeiro, abordamos uma das noções mais abstratas da teoria winnicottiana.

Esclareçamos, a propósito, que Winnicott não foi o criador da noção de *self*; esta noção foi introduzida por Hartmann, um dos fundadores da escola da Psicologia do Ego, em 1950. Para esse autor, o *self* designa a representação da pessoa inteira, incluindo o corpo e a organização mental. Mas foi Winnicott quem propôs distinguir dois aspectos no *self*: um verdadeiro e um falso. Esses dois aspectos do *self* estão presentes em todos os seres humanos, mas em proporções extremamente variadas de um indivíduo para outro.

*

O *self* verdadeiro

O que nos interessa de imediato é o *self verdadeiro*. Segundo Winnicott, o verdadeiro *self* é a pessoa que é eu e apenas eu, ou seja, a pessoa que se constrói, fundamentalmente, a partir do emprego de suas tendências inatas. No começo da vida, o *self* verdadeiro não é muito mais do que o somatório da vida sensório-motora. Manifesta-se através dos gestos espontâneos, das idéias pessoais. "O gesto espontâneo é o *self* verdadeiro em ação. Só o verdadeiro *self* pode ser criador e só o verdadeiro *self* pode ser sentido como real"[4].

A evolução psíquica do bebê, tal como acabo de expô-la, acha-se estreitamente ligada, portanto, à presença de uma mãe suficientemente boa e, do lado do bebê, pressupõe uma ausência de fatores patológicos hereditários ou congênitos.

*

A mãe insuficientemente boa

Vejamos agora o que se passa com a *mãe insuficientemente boa* e suas conseqüências.
Winnicott nos fornece diversas descrições desse tipo de mãe insuficientemente boa. Ela pode corresponder a uma mãe real ou a uma situação. Quando se trata de uma mãe real, Winnicott fala numa mãe que, em termos globais, não tem a capacidade de se identificar com as necessidades do filho. Em vez de responder aos gestos espontâneos e às necessidades do bebê, ela os substitui pelos seus. Entretanto, a pior das mães é a que, "logo de início, não consegue impedir-se de atormentar, ou seja, de ser imprevisível", de passar, por exemplo, de uma adaptação perfeita para uma adaptação falha, ou de passar subitamente da intromissão para a negligência, de tal modo que o bebê não pode confiar nela, nem prever nenhuma de suas condutas. Em alguns casos, a mãe insuficientemente boa não designa o comportamento de uma mãe real, porém uma situação em que os cuidados são prodigalizados à criança por diversas pessoas. A criança depara então com uma mãe dividida em pedaços e tem a experiência da complexidade dos cuidados que lhe são prestados, e não da simplicidade que seria desejável. Conforme as circunstâncias, portanto, a mãe insuficientemente boa é representada por uma pessoa ou por uma situação. A propósito desse segundo caso ilustrativo, Winnicott escreveria que mãe insuficientemente boa é o nome dado por ele, "não a uma pessoa, mas à ausência de alguém cujo apego à criança seja simplesmente comum"[5].

*

Distúrbios psíquicos cuja origem situa-se na fase de dependência absoluta. Orientações terapêuticas

Examinemos agora os efeitos que terá essa mãe insuficientemente boa na evolução psíquica da criança. Para compreender esses efeitos, é preciso admitir que, durante essa fase de dependência absoluta, as falhas de adaptação da mãe não são sentidas pelo bebê como frustrações, isto é, como recusas de satisfações pulsionais. As falhas de adaptação provocam carências na satisfação das necessidades e criam obstáculos ao desenrolar dos processos vitais.

Nessa época, o bebê necessita de uma mãe que dê esteio ao nascimento e desenvolvimento das principais funções do eu, quais sejam, a integração no tempo e no espaço, o encontro com os objetos do mundo externo e a unificação entre a vida psíquica e o corpo.

Quando o bebê é privado dessa mãe, a maturação do eu não pode se efetuar e o desenvolvimento das funções principais fica bloqueado ou distorcido.

Durante essa fase, convém pensar no bebê como um ser imaturo, que está, o tempo todo, à beira de uma angústia inimaginável, impensável. Quando a mãe não cumpre sua função de sustentação do eu, o que surge é essa angústia impensável. A angústia é, nesse caso, portadora de uma ameaça de aniquilação, cujas principais variações são as seguintes:
- Despedaçar-se.
- Ter a impressão de uma queda infindável.
- Sentir-se levado para alturas infinitas.
- Não ter relação com o próprio corpo e, por fim, não ter orientação espaço-temporal.

Segundo Winnicott, essas variações constituem a essência das angústias psicóticas.

É em função dos graus e variedades das carências de adaptação materna e da maneira como o bebê consegue arranjar-se com isso que ele vem ou não a evoluir para uma forma de organização patológica da personalidade.

Lembremos algumas dessas organizações patológicas:
- A *esquizofrenia* infantil ou *autismo* (note-se que Winnicott não distingue essas duas estruturas clínicas).
- A *esquizofrenia latente*, que poderá manifestar-se mais tarde, em particular em fases de tensão e fadiga.
- O *estado limítrofe*, em que o núcleo do distúrbio é de natureza psicótica, embora o paciente se apresente como neurótico.
- A personalidade construída com base num *falso self*. Neste último caso, a formação de um falso *self* é o traço principal da reação do bebê às falhas de

adaptação da mãe. Frente a uma mãe incapaz de sentir suas necessidades, o bebê renuncia à esperança de vê-las satisfeitas. Adapta-se a cuidados maternos que não lhe convêm. Submete-se às pressões de uma mãe que lhe impõe uma maneira inadequada de exprimir suas tendências inatas e que, por conseguinte, obriga-o a adotar um modo de ser falso e artificial. O bebê desenvolve uma personalidade construída a partir de um falso *self*. Nos casos extremos, esse *self* artificial é clivado do *self* verdadeiro, que, por sua vez, fica bloqueado em sua expressão. A organização da vida psíquica baseada num falso *self* leva o indivíduo a experimentar um sentimento de irrealidade a respeito de si mesmo, dos outros e da vida em geral. Ao chegar à idade adulta, ele se comporta como um camaleão que se funde com o meio ambiente e reage especularmente às pessoas de seu círculo. Por isso, sua capacidade de adaptação ao ambiente é hipertrofiada. Mas um sentimento persistente de irrealidade, de vacuidade, pode acarretar graves descompensações.

Por fim, eis o último distúrbio psíquico cuja etiologia situa-se nessa fase:
- A *personalidade esquizóide*, que se refere a uma personalidade sadia na qual encontramos, no entanto, elementos esquizóides, provenientes do emprego de mecanismos de clivagem.

*

Para distinguir as orientações terapêuticas concernentes a esses diferentes distúrbios, Winnicott raciocinaria a partir do tratamento analítico tal como elaborado por Freud. Ele considerou que esse tipo de tratamento destinava-se a pacientes que, durante sua primeira infância, haviam recebido cuidados suficientemente bons. Esses cuidados teriam permitido ao eu do analisando desenvolver-se, tornar-se uma entidade e vivenciar as pulsões do isso. Sua organização psíquica seria de ordem neurótica. As coisas seriam totalmente diferentes nos pacientes cuja etiologia dos distúrbios se situasse nos primeiros meses de vida. Com um paciente assim, a opção terapêutica era muito distinta. Era indispensável, nesses casos, levar em conta a vulnerabilidade e as distorções mais ou menos graves sofridas pelo eu, por causa de carências de adaptação precoces e maciças.

Quanto a tal paciente, a possibilidade de cura ou de uma melhora de seu estado passaria por um redirecionamento dos processos de maturação da primeira infância. Esse redirecionamento só pode ter lugar no contexto de uma relação de dependência extremamente forte, ou mesmo absoluta, com o terapeuta. Quando se instala essa dependência, o analista fica no lugar da mãe suficientemente boa, que se supõe que atenda às necessidades do bebê, ou, dito de outra maneira, àquilo de que o bebê necessita para o livre desenrolar dos processos de maturação.

É graças a sua capacidade de identificação com as necessidades do paciente que o analista assegura, no nível simbólico, uma função de sustentação psíquica (*holding*) que cria uma situação de confiança. Por exemplo, se o paciente precisa de quietude, não se pode fazer nada senão oferecê-la a ele. Um paciente encolhe-se no divã, apóia a cabeça na mão e parece ficar acomodado, satisfeito; o doente está só. O analista não deve intervir, mas reconhecer que está sendo utilizado pelo paciente de maneira muito primitiva e muito positiva. É possível que um analisando molhe o divã, se suje ou babe. Esses comportamentos, longe de serem uma complicação da relação analítica, são naturalmente inerentes a esse tipo de situação terapêutica. O psicanalista não tem que dizer ou fazer nada.

A capacidade do analista de se identificar com as necessidades do paciente libera os processos de maturação e acarreta um descongelamento da situação primitiva de carência ambiental. Ela permite ao eu uma evolução suficiente para que o paciente possa sentir cólera e exprimi-la quando surgir uma inadaptação na situação analítica. Essa cólera vem substituir as angústias inimagináveis da época primitiva, pois o eu adquire a capacidade de utilizar as carências para se enriquecer e a capacidade de vivenciar emoções sem risco de aniquilamento.

A seqüência se constitui:
- da adaptação do analista às necessidades do paciente,
- da liberação dos processos de maturação,
- da intervenção de uma falta de adaptação,
- da cólera sentida e expressada pelo paciente,
- do novo progresso do eu.

Essa seqüência repete-se incansavelmente ao longo de todo o trabalho terapêutico. Nos casos mais favoráveis, esse trabalho evolui progressivamente para uma análise clássica.

*

Fase de dependência relativa

Abordemos agora a segunda fase da vida. Ela se estende, aproximadamente, dos 6 meses aos 2 anos. Para a criança pequena, trata-se de uma fase de *dependência relativa* da mãe e dos substitutos parentais, que agora intervêm de maneira mais freqüente. A dependência é relativa porque a criança se conscientiza de sua sujeição e, por conseguinte, tolera melhor as falhas de adaptação da mãe, assim se tornando capaz de tirar proveito delas para se desenvolver.

Quando se aproxima dessa segunda fase, a criança já progrediu consideravelmente. Está em condições de reconhecer os objetos e as pessoas como fazendo parte da realidade externa. Percebe a mãe como separada dela e realiza uma união entre sua vida psíquica e seu corpo. Sua capacidade de se situar no tempo e no espaço também se desenvolveu, sobretudo sua capacidade de se antecipar aos acontecimentos. Assim, os ruídos na cozinha, as palavras da mãe e os deslocamentos dela lhe indicam que o alimento logo estará pronto e que a mãe irá cuidar dela. Do lado da mãe, também se produziu uma evolução psíquica. Ela se desliga aos poucos de um estado de identificação com o filho, que fora intenso na primeira fase. Retoma sua vida pessoal e/ou profissional e introduz "falhas de adaptação" moderadas frente à criança. Ou seja, as "falhas de adaptação" da mãe são então ajustadas ao desenvolvimento da criança, o que permite a esta não apenas vivenciá-las sem prejuízo, como tirar proveito delas para sua evolução.

Entretanto, para progredir no caminho da humanização, a criança ainda terá que resolver muitos problemas e continuará a ter necessidade da ajuda da mãe. Darei um exemplo disso, através da dificuldade em que a criança pequena esbarra para perceber a mãe de maneira unificada durante essa segunda fase da vida. Com efeito, ao se aproximar dessa fase, ela pensa, inicialmente, estar-se relacionando com duas mães.

A primeira é "a mãe dos momentos de calma, de tranqüilidade", a mãe que cuidou do filho através dos cuidados que lhe prodigalizou, que falou com ele, brincou com ele, e de quem ele reconheceu o rosto, a voz, as atitudes etc. Essa mãe que zelou por seu bem-estar é ternamente amada pela criança.

A segunda mãe é aquela com quem a criança se encontra na hora das refeições, em fases de excitação em que a agressividade está implicada. Em virtude do componente agressivo presente na pulsão oral, o bebê passa a imaginar que a satisfação de sua fome acarreta uma deterioração do corpo da mãe, que cava nele um buraco, um vazio.

Durante a primeira fase da vida, a criança pequena não se preocupava com essa destruição, mas, agora, inquieta-se com ela, pois reconhece que depende da mãe para seu bem-estar. Para que a criança pequena reconheça que "a mãe dos momentos de excitação" não foi destruída, é-lhe necessário reconhecer que "a mãe dos momentos tranqüilos", que ela reencontra após os momentos de tensão pulsional, é a mesma pessoa. Para efetuar a contento esse processo de integração das duas figuras maternas, ela precisa de uma *mãe suficientemente boa*.

Durante essa fase, a mãe suficientemente boa é a mãe que sobrevive. Isso significa, é claro, que ela não morre, não desaparece, mas também quer dizer muitas outras coisas. A sobrevivência da mãe implica que, na realidade, é a mesma pessoa que está presente e cuida da criança nos momentos de calma e nos momentos de tensão pulsional.

A sobrevivência da mãe também é representada pelo fato de que a mãe dos momentos tranqüilos continua a cuidar da criança com a mesma atenção e a mesma ternura. A mãe que sobrevive é a mãe que não se ausenta por um tempo que ultrapasse a capacidade da criança de conservar uma representação viva dela, de acreditar em sua existência. A integração dos diferentes aspectos da mãe numa única e mesma pessoa recoloca, de uma outra forma, a questão de sua sobrevivência. A criança passa a experimentar uma angústia depressiva, uma inquietação, pois é a mãe em sua totalidade que ela corre o risco de destruir com seus ataques agressivos.

Por outro lado, a criança sente culpa, já que a mãe que é objeto de seus ataques é também a mãe amada e amorosa dos momentos tranqüilos.

É por causa da angústia depressiva e da culpa que a criança pequena se empenha em atividades de reparação e restauração da mãe, quando sentida como danificada ou destruída. Essa reparação é empregada no nível fantasístico e, depois, na realidade, sob a forma de gestos de ternura e de presentes. Para que a criança pequena possa suportar a angústia e a culpa, portanto, ela precisa agir e reparar. Para tanto, precisa da existência de uma mãe suficientemente boa, de uma mãe que consiga sobreviver.

A experiência repetida da sobrevivência da mãe, no correr dos dias, permite à criança:
• aceitar como suas as fantasias e os pensamentos ligados à experiência pulsional;
• distinguir progressivamente essas fantasias e pensamentos do que acontece na realidade externa;
• ter a experiência de uma relação de excitação que não é destrutiva nem desestruturante.

*

Os fenômenos transicionais

Em relação a essa fase da vida da criança pequena, convém dizer algumas palavras sobre atividades que Winnicott estudou longamente e que aparecem no correr do segundo semestre da vida. Para compreender a emergência e a significação dessas atividades, é preciso recolocá-las no contexto da evolução psíquica da criança pequena. Esquematicamente, depois de uma fase em que teve a ilusão de ser onipotente, de criar os objetos de suas necessidades, de ser uma só com a mãe, a criança descobre, pouco a pouco, que ela e sua mãe são separadas, que ela depende da mãe para a satisfação de suas necessidades e que a fantasia não corresponde à realidade. Após uma fase de ilusão, ela enfrenta a desilusão. É para se sustentar nessa experiência difícil, geradora de angústia e, em particular, de angústia depressiva, que a criança pequena desenvolve essas atividades. A observação delas na vida cotidiana dos bebês permitiu a Winnicott fornecer a seguinte descrição:

"1. — O bebê leva à boca, junto com os dedos, algum objeto externo, como, por exemplo, uma ponta do lençol ou do cobertor; ou

2. — segura um pedaço de tecido, que ele chupa ou não chupa realmente; os objetos geralmente utilizados são, é claro, fraldas e, mais tarde, lenços. Essa escolha é em função do que está disponível e se encontra ao alcance da criança;

3. — desde os primeiros meses, o bebê começa a puxar fiapos de lã e a fazer com eles uma bolota com que se acaricia; sucede, só que mais raramente, ele engolir a lã, o que pode trazer complicações; ou

4. — surgem atividades bucais acompanhadas por diversos sons, 'mm...mm', balbucios, ruídos anais e as primeiras notas musicais etc"[6].

A descrição dessas atividades frisa sua diversidade e nos indica que elas incluem ou não a utilização de um objeto. Todavia, apesar de sua diversidade, tais atividades têm uma característica comum. Revestem-se de uma importância vital para a criança, que a elas se dedica em momentos em que poderia surgir a angústia, especialmente por ocasião das separações da mãe, na hora de dormir. Essas diversas atividades foram chamadas por Winnicott de *fenômenos transicionais* e, por extensão, quando algum objeto é utilizado, ele recebe o nome de *objeto transicional*. O adjetivo "transicional" indica o lugar e a função que esses fenômenos, esses objetos, ocupam na vida psíquica da criança. Eles vêm alojar-se num espaço intermediário entre a realidade interna e a realidade externa. Esse espaço intermediário tem um papel de amortecedor no choque ocasionado pela conscientização de uma realidade externa, povoada de coisas e pessoas, e pelo relacionamento dessa realidade externa com a realidade interna, povoada, por sua vez, de fantasias pessoais. Esse espaço, em virtude do lugar que ocupa, é igualmente qualificado de transicional.

O objeto transicional é um sinal tangível da existência do espaço transicional. Contudo, o importante não é a existência efetiva de um objeto, mas a existência de um espaço transicional, que pode, eventualmente, ser habitado por fenômenos transicionais que passam despercebidos aos olhos do observador. Se o estudo dos fenômenos transicionais focalizou-se no objeto que faz as vezes deles, foi porque a existência de um objeto facilitou as observações. Quando existe um objeto transicional, esse objeto, como já evocamos, serve de defesa contra a angústia depressiva, mas podemos ir mais longe em sua descrição, porque esse objeto é carregado de significações. Ele representa a mãe. É dotado das qualidades da mãe dos momentos tranqüilos. "Ele representa a transição da criança pequena que passa do estado de união com a mãe para o estado em que se relaciona com ela como uma coisa externa e separada"[7]. Ele marca a passagem do controle onipotente, exercido na fantasia, para o controle pela manipulação. Antecede o reconhecimento da realidade externa percebida como tal, ou seja, não interpretada numa atividade fantasística. Quanto ao destino desse objeto, ele não é esquecido, mas desinvestido, quando deixa de ser necessário à criança. Na verdade, perde sua significação quando os fenômenos transicionais tornam-se difusos e se distribuem pelo espaço transicional, que, lembro eu, situa-se entre a realidade interna e a realidade externa.

Esse espaço transicional persiste ao longo de toda a vida. Será ocupado por atividades lúdicas e criativas extremamente variadas. Terá por função aliviar o ser humano da constante tensão suscitada pelo relacionamento da realidade de dentro com a realidade de fora.

Como nos outros campos do desenvolvimento psíquico, o ambiente desempenha um papel no aparecimento e na evolução dos fenômenos transicionais. Antes de mais nada, seu aparecimento é, para Winnicott, o sinal de que a mãe da primeira fase foi suficientemente boa. Quanto à evolução desses fenômenos transicionais, o ambiente tem por missão respeitar e proteger sua expressão. Quando se trata de um objeto, "os pais reconhecem seu valor e o carregam por toda parte, inclusive nas viagens. A mãe concorda em que ele fique sujo e cheire mal; não toca nele, pois sabe perfeitamente que, ao lavá-lo, introduziria uma ruptura na continuidade da experiência da criança pequena, uma quebra que poderia destruir a significação e o valor do objeto para a criança"[8].

Winnicott insiste na normalidade dos fenômenos transicionais; todavia, em alguns casos, podemos discernir uma psicopatologia. Por exemplo, quando a mãe se ausenta por um tempo que ultrapassa a capacidade da criança de mantê-la viva em sua lembrança, assiste-se a um desinvestimento do objeto. Esse desinvestimento pode ser precedido por um uso excessivo, que corresponde a uma tentativa de negação da separação da mãe e do sentimento de perda que ela provoca.

Os diferentes distúrbios psíquicos ligados ao sentimento de falta de sobrevivência da mãe, no decorrer dessa fase, podem ser agrupados sob o termo "doenças da pulsão agressiva", dentre as quais encontramos a tendência anti-social, a hipocondria, a paranóia, a psicose maníaco-depressiva e algumas formas de depressão.

No tratamento desses distúrbios psíquicos, Winnicott não propõe um manejo técnico do tratamento. Mas chama a atenção para o fato de que a análise cuida de acontecimentos ligados ao embate entre a agressividade e a libido, entre o ódio e o amor, num estádio em que a criança se preocupa com as conseqüências de seu ódio e sente culpa por ele. Por conseguinte, o que importa é a sobrevivência do analista, ou seja, que o analista não morra, e também que sustente a situação analítica, que não faça represálias em resposta ao ódio exprimido ou atuado pelo paciente.

Como acabamos de ver, o ambiente constitui o esteio indispensável em que o ser humano se apóia para construir as bases de sua personalidade. A partir dessa perspectiva desenvolvimentista, é fácil imaginar que, para Winnicott, o ambiente continua a exercer influência na criança que cresce, no adolescente e até no adulto. Se essa influência descreve uma curva decrescente, ela nunca pára por completo. Assistimos ao estabelecimento progressivo de uma interdependência entre o indivíduo e o ambiente.

* * *

E assim chegamos ao término deste texto introdutório à obra de Winnicott. Se optei por seguir o fio condutor constituído pelo estudo da influência do ambiente no desenvolvimento psíquico, foi porque essa me pareceu a parte mais original e mais fecunda da obra de Winnicott.

Winnicott achava que Freud tinha dito o que havia para dizer no campo das neuroses, e que havia instaurado uma técnica terapêutica adaptada aos pacientes neuróticos. Nesse campo, ele não via nada a acrescentar. Seu interesse voltou-se para a vida dos recém-nascidos, dos bebês, e para os distúrbios cuja etiologia era anterior à fase edipiana. Por certo já existiam os trabalhos de Melanie Klein, autora que Winnicott considerava haver contribuído decisivamente para o estudo da vida dos bebês e para o campo da psicopatologia. Mas ele se situava em rompimento com alguns aspectos da concepção kleiniana, em particular com a falta de uma verdadeira consideração da influência do ambiente no ser psíquico. O estudo da influência do ambiente levou Winnicott a ampliar o campo de reflexão e de aplicação da psicanálise. Ele passou do estudo dos conflitos intrapsíquicos para o estudo dos conflitos interpsíquicos, das distorções psíquicas provocadas por um ambiente patogênico. Esse estudo levou-o a reconsiderar a técnica analítica clássica. Winnicott propôs uma nova técnica terapêutica, concernente aos pacientes que, em sua primeira infância, haviam deparado com um ambiente que fracassara na adaptação a suas necessidades.

Em conclusão, poderíamos afirmar que o princípio que norteou o conjunto dos trabalhos de Winnicott foi a necessidade de criar um ambiente novo e adaptado a cada paciente.

Excertos da obra de Winnicott

A psicanálise e a influência do ambiente

Afirmo que a psicanálise, atualmente, dispõe de meios para dar plena importância aos fatores externos, tanto bons quanto maus, e particularmente ao papel desempenhado pela mãe logo no começo da vida, quando a criança ainda não estabeleceu uma separação entre o que é e o que não é ela.[1]

*

A dependência absoluta

Nesse estado, a criança não tem meios de reconhecer os cuidados maternos, que são sobretudo uma questão de profilaxia. Ela não pode adquirir o domínio do que é bem-feito e do que é malfeito; está tão-somente em condições de tirar proveito ou de sofrer perturbações com isso.[2]

*

As crianças começam a vida diferentemente, conforme as condições sejam favoráveis ou não. Ao mesmo tempo, estas determinam apenas o potencial da criança pequena, que é inato; é legítimo estudar separadamente esse potencial inato do indivíduo, sempre sem esquecer que o potencial inato de uma criança não pode transformar-se numa criança, se não for pareado com os cuidados maternos.[3]

*

A mãe suficientemente boa

O melhor que uma mulher real pode fazer com um filho é ser, no começo, suficientemente boa em termos sensíveis, de tal modo que, desde o início, a criança possa ter a ilusão de que essa mãe suficientemente boa é o "seio bom".[4]

*

Distúrbio — dependência absoluta

A falência dos primeiros cuidados fundamentais do ambiente perturba os processos de maturação ou os impede de participarem do crescimento afetivo da criança. É essa falência do processo de maturação, de integração etc. que constitui a doença a que chamamos psicótica.[5]

*

A dependência relativa

Nela, a criança é capaz de se dar conta da necessidade que tem dos cuidados maternos em seus mínimos detalhes; além disso, pode ligá-los a impulsos pessoais e, mais tarde, no curso de um tratamento psicanalítico, poderá, portanto, reproduzi-los na transferência.[6]

*

O inato e o adquirido

A tendência hereditária não pode agir sozinha, é o ambiente que facilita o crescimento do indivíduo durante o desenvolvimento do bebê e da criança pequena. No extremo oposto, se disséssemos que ensinamos tudo a nossos filhos, isso seria um patente absurdo. Não somos capazes sequer de ensiná-los a andar, mas sua tendência inata para andar numa certa idade necessita de nós.[7]

*

Fenômeno transicional

O objeto transicional e os fenômenos transicionais trazem a todo ser humano, desde o começo, algo que será sempre importante para ele, a saber, uma área neutra de experiência que não seja contestada.[8]

*

As bases da saúde mental

O fundamento de uma estrutura psíquica sadia e estável deve ser relacionado, certamente, com a confiabilidade da mãe interna, mas essa própria capacidade é sustentada pelo indivíduo. É verdade que as pessoas passam a vida carregando o refletor em que se apóiam, mas, em algum lugar, no começo, tem que haver um refletor que se sustente sozinho, caso contrário, não há introjeção da confiabilidade.[9]

*

Em conclusão

Quando o desenvolvimento transcorre bem, o indivíduo torna-se capaz de enganar, de mentir, de transigir, de aceitar o conflito como um fato e de renunciar às idéias extremadas de perfeição e imperfeição, que tornam a vida intolerável. A capacidade de transigir não é o que caracteriza os loucos.

O ser humano, em sua maturidade, não é nem tão gentil nem tão malvado quanto o imaturo. A água dentro do copo é lodosa, mas não é lama.[10]

*
* *

Referências dos excertos citados

1. *Lettres vives*, Paris, Gallimard, 1986, p. 195.
2. *De la pédiatrie à la psychanalyse*, Paris, Payot, p. 246 [*Da pediatria à psicanálise*, Rio de Janeiro, Francisco Alves, 1988].
3. Ibid., p. 243.
4. *Lettres vives*, op. cit., p. 74.
5. *Processus de maturation chez l'enfant*, Paris, Payot, p. 254.
6. *De la pédiatrie à la psychanalyse*, op. cit., p. 246 [*Da pediatria à psicanálise*, op. cit.].
7. *Lettres vives*, op. cit., p. 249-50.
8. *Jeu et réalité*, Paris, Gallimard, 1975, p. 22-3 [*O brincar e a realidade*, Rio de Janeiro, Imago, 1979].
9. *Lettres vives*, op. cit., p. 216.
10. *La nature humaine*, Paris, Gallimard, 1990, p. 179.

Biografia de Donald Woods Winnicott

1896   Nascimento de Donald Woods Winnicott em Plymouth, no condado de Devon, no seio de uma família protestante. Ele tem duas irmãs mais velhas.
Aos 13 anos, é mandado para o internato em Cambridge.
Durante a guerra de 1914-18, é auxiliar de enfermagem em Cambridge, e depois se alista na marinha.
Depois da guerra, continua seus estudos de medicina em Londres, no St. Bartholomew's Hospital.
1920   Obtém seu diploma de medicina.
Converte-se ao anglicanismo.
1923   Início da análise com James Strachey. Winnicott tem dois cargos hospitalares: um no Queen's Hospital for Children e outro no Paddington Green Children's Hospital, onde clinicaria por quarenta anos.
1924   Primeiro casamento. Abre seu consultório na Harley Street, em Londres.
Mais ou menos em meados dos anos trinta, torna-se analista habilitado da Sociedade Britânica de Psicanálise.
1935-40 Faz supervisão com Melanie Klein. Nesse mesmo período, recebe em análise o filho de Melanie Klein, Erich.
1940   Inicia uma segunda análise com Joan Rivière.
Durante a guerra de 1939-45, torna-se psiquiatra das Forças Armadas.
1948   Morte do pai. Winnicott divorcia-se alguns meses depois.
1951   Segundo casamento, com Clare Britton.
De 1956 a 1959 e de 1965 a 1968, é eleito presidente da Sociedade Britânica de Psicanálise.
1968   Recebe "The James Spence Medal for Paediatrics" [Medalha James Spence de Pediatria].
1971   Morre em Londres, em 25 de janeiro.

Seleção bibliográfica

WINNICOTT, D. W.

Da pediatria à psicanálise, Rio de Janeiro, Francisco Alves, 1988.

O ambiente e os processos de maturação, Porto Alegre, Artes Médicas, 1983.

Consultas terapêuticas em psiquiatria infantil, Rio de Janeiro, Imago, 1984.

Fragments d'une analyse, Paris, Payot, 1975.

O brincar e a realidade, Rio de Janeiro, Imago, 1979.

The Piggle — Relato do tratamento psicanalítico de uma menina, Rio de Janeiro, Imago, 1979.

La nature humaine, Paris, Gallimard, 1990.

Lettres vives, Correspondance, Paris, Gallimard, 1989.

*

Obras de Winnicott destinadas ao grande público:

L'Enfant et sa famille, Paris, Payot, 1971.

L'Enfant et le monde extérieur, Paris, Payot, 1972.

Conversations ordinaires, Paris, Gallimard, 1988.

Le bébé et sa mère, Paris, Payot, 1992.

Privação e delinqüência, São Paulo, Martins Fontes, 1995.

Introdução à obra de
FRANÇOISE DOLTO

M.-H. Ledoux

A vida de Françoise Dolto

*

Introdução e temas principais

*

A relação mãe-filho e a triangulação
A díade
A construção do "infans"
A noção de triangulação

*

As castrações simboligênicas
Definição da castração segundo Dolto
A castração umbilical
A castração oral
A castração anal
A castração simboligênica

*

A imagem inconsciente do corpo
Definição da imagem inconsciente do corpo
Os três aspectos da imagem inconsciente do corpo
A patologia das imagens do corpo

*

Formulações sobre as entrevistas preliminares e a psicanálise com crianças
As entrevistas preliminares
O enquadre e as modalidades técnicas

Conclusão

* * *

Glossário dos principais conceitos de F. Dolto
Excertos da obra de Dolto
Biografia de Françoise Dolto
Seleção bibliográfica

A vida de Françoise Dolto

Em primeiro lugar, lembrarei muito sucintamente alguns aspectos da vida de F. Dolto e evocarei seu lugar na história da psicanálise.

Françoise Marette nasceu em 6 de novembro de 1908, em Paris, num meio de alta burguesia. Sua educação foi muito severa e restritiva. A morte de sua irmã mais velha, quando Françoise tinha doze anos, e as palavras então proferidas pela mãe iriam culpabilizá-la durante muito tempo. A depressão consecutiva da Sra. Marette dificultaria a vida familiar. Depois de aprovada em seu exame final do curso secundário, F. Dolto não obteve o direito de fazer estudos superiores, mas apenas o de seguir uma formação de enfermeira. Só mais tarde é que viria a estudar medicina. Depois, analisou-se com René Laforgue (1934-1937), conheceu Sophie Morgenstern e logo começou a trabalhar como psicanalista, após ingressar, em 1938, na Sociedade Psicanalítica de Paris. Trabalhou com crianças, primeiro no Hospital Bretonneau e, posteriormente, em 1940, no Hospital Trousseau.

Em 1953, ano da cisão da Sociedade Psicanalítica de Paris, Françoise Dolto, Daniel Lagache e Juliette Favez-Boutonnier, seguidos por Jacques Lacan, criaram a Sociedade Francesa de Psicanálise, arrastando com eles muitos alunos/candidatos a analistas. Essa sociedade, não reconhecida pela Associação Psicanalítica Internacional (IPA), iria ela mesma cindir-se, em 1963-1964, resultando, com J. Lacan, na Escola Freudiana de Paris, à qual F. Dolto aderiu, e na Associação Psicanalítica da França (J. Laplanche, J.-B. Pontalis, D. Anzieu etc.). No fim da década de 1960, o desenvolvimento da

Escola Freudiana era realmente prodigioso. Dolto ali fazia seminários e dava supervisões.

Foi em 1971 que saiu publicado *O caso Dominique*, e foi em 1978 que F. Dolto abandonou grande parte de suas atividades institucionais e analíticas para se dedicar mais a publicar antigos textos e escrever livros.

Boris Dolto, seu marido desde 1942, morreu em 1981, alguns meses depois do desaparecimento de Jacques Lacan. Foi em 1979-1980 que F. Dolto inaugurou a "Casa Verde" e, já doente, começou a receber, numa salinha da rua Cujas, as crianças de uma creche.

Françoise Dolto morreu em 25 de agosto de 1988, em conseqüência de uma afecção pulmonar.

Abordemos agora sua obra.

*

Introdução e temas principais

Cética diante de todo saber constituído, Françoise Dolto nos propôs teorizações originais e inovadoras, sempre buscando em sujeitos singulares as fontes de um saber. Psicanalista atuante, forneceu-nos uma fala e reflexões comandadas pela clínica e pela escuta do inconsciente. Clínica genial, foi também uma grande teorizadora, tendo deixado uma obra original.

Além de uma arte socrática secundada por uma ética rigorosa, podemos distinguir em sua obra os seguintes temas recorrentes:
• O ser humano é um ser de "filiação linguajeira", um ser de linguagem, pertencente a uma linhagem. Inscreve-se num mundo transgeracional.
• Paralelamente, ele é uma fonte autônoma de desejo desde a concepção. Françoise Dolto afirmava que o nascimento simboliza o desejo de assumir a si mesmo, a encarnação no corpo de um sujeito desejante.
• As pessoas parentais respondem pela coesão narcísica da criança, coesão que está referida à cena primária e às relações atuais. Assim, o bebê se inscreve num espaço afetivo triangular.
• A necessária articulação dos sexos para gerar a vida deve *ser dita à criança*. Uma mulher só se torna mãe através de um pai. Saber que a mãe concebeu o filho num ato de desejo com um homem situa a criança em sua verdade e a livra de uma hemiplegia afetiva e simbólica.
• A vinda ao mundo é a encarnação de três desejos: o da mãe, o do pai e o

do próprio sujeito. Françoise Dolto chegava até a afirmar que a criança escolhe seus pais; por isso, tem deveres para com eles, assim como os pais os têm em relação a ela. Se nem todos os pais de nascimento são pais educadores, em contrapartida, qualquer ataque à dignidade desses pais genitores parecia, aos olhos de Dolto, muito grave para o narcisismo da criança.

- O "infans" inscreve-se imediatamente numa tríade e não pode ocupar sem prejuízo o lugar de um objeto erótico na economia libidinal da mãe. Toda situação em que a criança serve de prótese para um dos pais é perversiva.
- O ser humano busca, desde a vida fetal, a comunicação. A relação inter-humana humaniza. Dirigir-se ao bebê com palavras que traduzam suas emoções, seu sofrimento e sua história faz com que ele entre no código humano da linguagem. O "falar verdadeiramente", isto é, a entrada em ressonância com a criança, através da comunicação no nível em que ela se encontra, produz efeitos liberadores e estruturantes. Assim, Françoise Dolto pregava que se dissesse à criança a verdade concernente a ela, inclusive a mais difícil, pois a mentira está em desequilíbrio com o pressentido e o inconsciente do sujeito. Fornecer os marcos referenciais de uma história é um dever dos adultos. A criança precisa conhecer a verdade de suas origens. A verdadeira relação unificadora, simboligênica, é realmente a relação de fala.
- O sujeito humano, se quiser libertar-se dos estados arcaicos, regressivos, terá que enfrentar e superar as castrações umbilical, oral, anal e edipiana. Essas castrações são definidas por Françoise Dolto como frustrações hedônicas, provações durante as quais a criança esbarra na proibição ligada a um gozo focalizado numa dada zona corporal, num certo estádio do desenvolvimento. A renúncia a um objeto desejado, a um fazer até então autorizado, possibilita uma simbolização adjacente, um circuito de comunicação mais elaborado. As castrações simboligênicas introduzem uma mudança do desejo. São também experiências implantadoras no mundo humano (castração umbilical), na pertença sexual (castração primária) e no mundo da cultura (proibição do incesto e castração edipiana). No fundo, elas participam do processo de individualização. Em cada etapa do desenvolvimento, o desejo esbarra na lei e a vida do indivíduo é transformada por isso. Em Françoise Dolto, os adjetivos anal, oral e genital não traduzem apenas o encontro das pulsões com o prazer de uma zona erógena, mas exprimem também uma modalidade de encontro com o outro, associada, no inconsciente, com esses lugares do corpo que são fontes de excitação.

- F. Dolto destacou com freqüência os vínculos entre a neurose dos pais e a dos filhos. Estes são portadores de dívidas transgeracionais não saldadas. Às vezes, o sofrimento não verbalizado de duas linhagens tira o dinamismo de um descendente. Mas as crianças também herdam qualidades dinâmicas dos pais. Assim, na estrutura do sujeito, há três gerações em jogo. Nem por isso, no entanto, Françoise Dolto reduzia o sujeito à simples expressão da fantasia parental. Nas entrevistas preliminares, ela analisava as relações dinâmicas inconscientes entre os pais e a criança, remontando às estruturações edipianas dos pais e dos avós.

- Se os defeitos e rompimentos do vínculo pós-natal podem ter repercussões graves na vitalidade do bebê, Françoise Dolto afirmava, por outro lado, que os sofrimentos e infortúnios não são traumatizantes, quando conseguem se exprimir. Ela assinalava que "o ser humano tem uma capacidade extraordinária de sublimar a privação de quase tudo, desde que essa privação seja mediatizada sem mudar a realidade, e desde que ele esteja em relação com alguém e possa dizer de sua experiência, sem precisar imitá-la com o corpo"[1]. Por isso, ela se afastou de uma visão realista da carência como explicação das dificuldades psicopatológicas, em prol de uma busca dos significantes alienantes e de dinâmicas libidinais pervertidas.

- As crianças encontram-se nas origens do saber, e os sintomas são perguntas mudas, mensagens por decodificar, mal-entendidos, bem como expressões da verdade delas. Não se trata, portanto, de reeducá-las nem de agrupá-las em rótulos esterilizantes.

*

Vamos agora expor e estudar os principais temas da obra doltoiana, a saber: a relação precoce mãe-filho e a triangulação; as diferentes castrações simboligênicas; a imagem inconsciente do corpo; a importância das entrevistas preliminares e o enquadre do tratamento psicanalítico com crianças.

*

A relação mãe-filho e a triangulação

F. Dolto trouxe dados novos no que concerne à relação precoce mãe-filho. Se uma mãe nutriz é essencial para o bom desenvolvimento psicológico da criança pequena, o pai, outro pólo do triângulo, também o é. Ele exerce uma função e ocupa um lugar radicalmente diferente do papel materno.

Podemos desde logo afirmar que a triangulação mãe-pai-filho começa já na concepção. A fecundação já é uma triangulação, e o nascimento, momento consumado de força vital e de desejos, é fruto de um encontro de três desejos: desejo de uma mãe, desejo de um pai e desejo de um sujeito de se encarnar num corpo. Mais tarde, a pretensa díade será sempre tríade, tripé. Ressalte-se que F. Dolto sustentou constantemente que os pais de nascimento são escolhidos pela criança.

A díade

Segundo F. Dolto, durante os primeiros meses de vida é necessário que haja uma única pessoa para servir de relacionamento eletivo do bebê, a fim de que ele se centre em seu próprio interior[2]. Ela também acrescenta que, desde o começo, essa pessoa deve ser mediadora das outras. O "infans" só fundamenta sua existência na e através da relação com um outro. Sente-se íntegro quando a mãe está presente e fala com ele. Essa estrutura de trocas e de palavras é o que funda sua identidade. A relação contínua com uma pessoa tutelar é vital, pois cria a memória de um "ele mesmo — o outro", primeiro fator de segurança narcísica. Ela é representante do ser "ele-ela". Essa presença humana vital é mediadora das percepções e instauradora de sentido e de humanização.

Desde o nascimento, a criança é um ser de fala, receptivo e ativo, na expectativa das trocas sensório-motoras e da linguagem vocal e gestual. Ela pleiteia uma comunicação interpsíquica. O bebê é, acima de tudo, um ser desejante à procura de um outro. A tensão do desejo sustenta a busca, pelo bebê, da complementaridade de um objeto que o satisfaça e lhe dê seu estatuto de ser: "Onde está aquilo pelo que terei o ser?" Quando não obtém resposta a seu apelo por trocas, às variações de suas sensações, de suas percepções, ele não experimenta a confiabilidade, não encontra alguém que mediatize o que ele está vivendo e lhe confira sentido. Há então um risco de mortalidade simbólica, psíquica, por falta de uma comunicação inter-humana verdadeira, por falta de comunicação de psiquismo a psiquismo. Quando a mãe se ausenta, o bebê fica privado de seus referenciais, é como que desertado (o objeto perdido é também o sujeito que se perde), mas se recupera quando ela reaparece e quando se reconstitui um *continuum* do ser.

Desde muito cedo, ele armazena em sua memória percepções de encontros auditivos, olfativos e visuais. Esses vestígios formam pontes e são memorizados. Graças a isso, pouco a pouco ele passa a poder suportar a ausência materna, e essa dialética presença/ausência torna-se vital para o impulso de sua vida psíquica: "de ausência em presença e de presença em ausência, a criança se informa de seu ser na solidão"[3].

F. Dolto evocou a memorização de um vínculo, que é a experiência fundamental que inicia o filho do homem em sua existência — um vínculo introjetado, integrado no sensório, sinônimo de coesão do bebê.

Durante a tenra idade, o bebê se constrói como um eco da vivência inconsciente da mãe e do que ela sente. Dolto chegava até a dizer que o período pós-natal é um período de identificação sujeita ao clima afetivo materno.

A construção do "infans"

O lactente se constrói através das referências carnais e pela comunicação da linguagem. Ele se *escora* numa mãe *co-ser*, num espaço-tempo humanizado por um vínculo de *co-vivência*. Desde os primeiros dias, está ligado à mãe pelo olfato e pela voz, que lhe permitem encontrar-se. É o outro que é detentor da identidade do sujeito, pois é através do outro, isto é, da mãe-nutriz, que o bebê reconhece e se conhece num campo de odor, ou, em termos mais gerais, num espaço mediatizado: "A criança, ao ouvir, conhece a si mesma através de quem fala com ela"[4]. Sem o outro, a função simbólica da criança se exerceria no vazio, já que é justamente o outro que dá sentido ao experimentado e ao percebido: o outro humaniza.

Nesse estádio, o bebê é um objeto parcial da mãe grande massa, esfera ovóide. Ou seja, durante o aleitamento e os cuidados corporais, o bebê sente-se "um atributo do ser da mãe, ao mesmo tempo que ela lhe aparece como um objeto parcial dele mesmo". Assim, para F. Dolto, o objeto total é "ele-a mãe nutriz, numa imagem do corpo fálica, fusional"[5]. As mãos, os seios e os fonemas da mãe são percebidos pela criança como pedaços de seu próprio corpo.

Portanto, é o outro que centra o sujeito. Assim, a imagem do corpo digestivo, receptáculo a ser complementado, constitui-se mais pelo cheiro da mãe e pelo seio, ligados à boca e ao nariz do bebê, do que apenas pelo corpo da criança. O corpo da mãe é também seu próprio corpo. O lactente constrói-se com pedaços do corpo relacional. Mas, graças também às referências viscerais, ele se sente coeso.

Por ocasião da ruptura da díade simbiótica visível, uma zona erógena olfativa, que fora complementada pelo cheiro da mãe, passa a desempenhar um papel decisivo. Esse cheiro é símbolo da mãe, pois, através dele, a mãe se faz presente. Além da distância do corpo-a-corpo, quando a mãe sai do campo visual, são as percepções sutis, como o odor e alguns objetos "mamãezados", ou os vestígios memorizados, que estabelecem um vínculo narcizante com a mãe e prolongam o "sentimento de viver em segurança".

As palavras que acompanham as relações "constituem as franjas da presença tutelar"[6]. Da díade surge, pouco a pouco, um "pré-eu", a partir desses "segmentos alternantes de corporeidade"[7]. Para o bebê, essa presença repetitiva e pluriquotidiana do contato sensorial com a mãe é indispensável à preservação das imagens do corpo básicas.

Os cuidados alimentares, repetidos, dão às zonas de comunicação substancial (os orifícios do corpo) um valor significante de trocas; e é pelos sentidos sutis, ou seja, o olfato, a visão, a audição e o tato, que o lactente organiza suas trocas significantes.

Nos primórdios da vida, o ser está referido ao umbigo, à boca, às sensações do tubo digestivo e às sensações táteis. Mas o corpo nem por isso deixa de ser, antes de mais nada, um lugar relacional.

Resumamos:
• A mãe é tranqüilizadora por carregar a criança, pelas carícias, pelas brincadeiras corpo-a-corpo, e é humanizante pelo efeito da fala. Mediadora das percepções, ela confere, graças à fala, um valor significante às sensações. Sem a fala do outro, as percepções da criança só se cruzam com seu próprio corpo, que então se torna um corpo-coisa.
• A descontinuidade na díade acarreta uma alternância entre o *co-ser* com a mãe e o não-*co-ser*. Essa temível descontinuidade (quando a mãe se separa dele, o *infans* fica como que amputado), no entanto, é pontuadora, simboligênica. Ela inicia a criança na experiência da falta, no fluxo do tempo, na experiência dos reencontros e na constatação de que a mãe também pode desejar em outros lugares.
• Se é verdade que, na díade, o *infans* fica sujeito ao que é sentido pela mãe, ele está pronto, no entanto, para receber a linguagem, e é, ele mesmo, uma fonte autônoma de desejo.

Não abordaremos aqui os aspectos patogênicos da relação mãe-filho. Assinalamos simplesmente que, para F. Dolto, não há mães boas nem más, esquema que é demasiadamente simplista. Mas ela nos sensibiliza para a decodificação das conseqüências patológicas de diferentes configurações da relação mãe-filho: as conseqüências mutilantes, para o bebê, de ser um objeto reparador, os efeitos despedaçadores de uma excessiva erotização oral e anal dos pais etc. Assim, o gozo do corpo-a-corpo pode constituir um eclipse do ser, da identidade do sujeito. Citemos F. Dolto: "O homem não é um representante da morte para o inconsciente. A mulher o é, porque é dela que provêm os gozos que fazem o sujeito esquecer seu corpo e, o bebê, esquecer seu ser. Quando, estando esfaimado, ela o sacia, angustiado, ela o consola, ele se sente transformado nela, mas é também a ela que tem de renunciar (...). A criança, por sua vez, tem que se furtar à solicitude dela, a partir de um certo ponto de seu desenvolvimento, e se recusar a dar-lhe o prazer que ela lhe demanda a partir de certo momento, que é, no mais tardar, o do Édipo. Por isso é que considero que a mãe tanto pode ser símbolo da morte quanto da vida"[8]. Sem sequer falar em relações patogênicas mãe-filho, F. Dolto sustenta, portanto, que o gozo como satisfação do desejo equivale, de certa maneira, ao esvaecimento do sujeito[9]. Por outro lado, ela sempre tomou o cuidado de destacar a problemática da díade e enfatizar o papel separador e dinâmico do pai.

A noção de triangulação

Desde a concepção, a criança situa-se numa tríade. A díade mãe-filho só tem sentido estruturante quando a mãe maternante "conserva e continua a desenvolver interesses fundamentais pela sociedade"[10], e quando preserva uma atração física e emocional pelo parceiro. Para o bebê, "seu corpo e seu ser só se distinguem dos da mãe nos momentos em que uma terceira pessoa está presente"[11].

A não-resposta aos apelos da criança, quando a mãe está ocupada com seu cônjuge, é um comportamento materno estruturante. Há, pois, um além do outro materno e, por conseguinte, um além da díade. Quando a criança é o centro exclusivo do interesse e da polarização da mãe, ela fica aprisionada no desejo materno e, nesse caso, a fonte de seu desejo corre o risco de secar. Numa palavra, é pelo fato de a criança ver sua mãe unida a um parceiro que a díade formada com ela adquire sentido para seu futuro acesso à identidade sexual.

F. Dolto não pára de nos lembrar que o casal mãe-pai sempre representa a mediação básica, a célula de referência simbólica, cuja "função original é garantir a triangulação". Ela afirma que "é preciso uma triangulação para que o sujeito fale de si num Eu referido a um Ele"[12], e que "é pelo fato de a pessoa maternante tirar de seu filho valências energéticas e emocionais, para dá-las ao ser humano que a atrai genitalmente e que é complementar a sua feminilidade, que o desejo do bebê e da criança encontra uma saída iniciática na afeição". Sem um termo terceiro, não existe Eu. Françoise Dolto sempre criticou a ideologia sumária do amor materno em todos os sentidos; a afeição pode ser a pior das coisas, a alienação, a confusão. Ao contrário, é o corpo-a-corpo barrado que permite o aparecimento das sublimações fonatórias.

F. Dolto lembrava com insistência a função humanizante do pai na relação mãe-filho, livrando a criança de uma relação imaginária, de caráter regressivo. Ele constitui o eixo da estrutura triangular. O pai tem uma função *separadora e dinamogênica*. A relação dual deve ser marcada pela lei do pai (marido, amante), "lei que é salutarmente dissociativa para a deliciosa díade do bebê", apontando à criança que a mãe não lhe pertence e apontando à mãe que o filho não é produto dela. Por isso, "o pai não é bom nem mau; ele é aquele que barra a mãe e elimina na criança a necessidade de fazê-la sorrir ou chorar"[13]. Note-se aqui a coincidência de pensamento com a afirmação de J. Lacan em que ele qualifica o pai de "privador do objeto".

O pai exerce um poder dinamogênico para a díade mãe-filho, enraíza a criança numa filiação, pelo sobrenome que lhe transmite, e desempenha um papel decisivo na sexuação. A propósito disso, F. Dolto sustentava a idéia de atrações heterossexuais precoces, que ela situava já nas primeiras mamadas. Para o menino, o pai é um esteio narcísico, um modelo identificatório. Para a menina, é o pai que responde ao que, na mãe, não dá resposta ao desejo sexualizado da filha.

O pai, segundo F. Dolto, é "um eixo que verticaliza", um pólo articulador e mutativo. Ela insiste na importância de a criança conhecer o papel fecundador que ele tem, conhecimento este que lhe confere estatuto e valor. Já o sexo feminino tem valor desde o começo, em virtude do apego à mãe durante os primeiros anos. Assim, saber-se filho de seu pai aponta o caminho do menino para sua identificação masculina.

*

As castrações simboligênicas

A noção de castração em Françoise Dolto não é superponível ao complexo de castração em Freud. Não se trata de uma ameaça ou de uma fantasia de mutilação peniana, mas de uma privação, de um desmame real e simbólico, concernente a um objeto até então eroticamente investido e que, um dia, tem que ser proibido. Assim, passa-se de um objeto parcial para outro, de um modo de atividades e relações para um outro modo, mais elaborado.

A definição da castração segundo Dolto

"A palavra castração, em psicanálise, dá conta do processo que se realiza no ser humano quando um outro ser humano lhe expressa que a realização de seu desejo, sob a forma que ele gostaria de dar-lhe, é proibida por Lei"[14]. Ou ainda: "As castrações — no sentido psicanalítico — são experiências de separação simbólica. São um dizer ou um agir significante, irreversível e que produz lei, que tem, portanto, um efeito operacional na realidade"[15].

Dentro da perspectiva da história e do desenvolvimento, a castração foi concebida por Françoise Dolto como uma proibição que se opõe a uma satisfação antes conhecida, mas que teve que ser ultrapassada, deslocada. "O caminho é definitivamente cortado, um dia, na busca de um 'cada vez mais' do prazer proporcionado pela satisfação direta e imediata, conhecida no corpo-a-corpo com a mãe e na saciação da necessidade substancial"[16]. Essa proibição de agir como antes provoca um efeito de choque, uma revolta e uma inibição. A criança pode suportar essa experiência mediante a verbalização e a constatação de que o adulto também está submetido à proibição. Há uma proibição das pulsões — não podendo mais as pulsões serem satisfeitas diretamente no corpo-a-corpo ou com objetos incestuosos —, recalcamento e, depois, sublimação.

Portanto, existe a idéia de que a lei é não apenas repressiva, mas também iniciadora[17], "promotora", liberadora e sublimatória. A castração, ao interditar certas realizações do desejo, obriga e libera as pulsões para outros meios, outros encontros, abandonando-se um modo de satisfação até então experimentado para se aceder a um gozar mais elaborado.

A castração umbilical

O corte do cordão umbilical funciona como uma verdadeira castração. Castrado o umbigo, o alimento passa a vir pela boca. Nesse momento, há uma partição física do corpo, com a perda de uma parte até então essencial à vida. Essa mudança fundamental (passagem de um meio líquido para um meio aéreo), essa separação realizada pela secção do cordão no nível real, é chamada de *castração umbilical* por Françoise Dolto. Ela é concomitante ao nascimento e fundadora do ser humano. A alternativa seria: sai de teu envoltório, é tua placenta ou a morte. Trata-se de uma saída difícil, pois "deixar a placenta, deixar o envoltório, isto é, deixar a oxigenação passiva, a nutrição passiva e, ao mesmo tempo, a segurança do corpo inteiro é realmente sair de um estado vital, o único estado conhecido — é morrer"[18]. São transformações fundamentais, pois "a cesura umbilical origina o esquema corporal dentro dos limites do envoltório constituído pela pele, separada da placenta e dos envoltórios incluídos no útero e ali deixados. A imagem do corpo, parcialmente originada nos ritmos, no calor, nas sonoridades e nas percepções fetais, vê-se modificada pela brusca variação dessas percepções; em particular, pela perda, no que tange às pulsões passivas auditivas, do duplo batimento cardíaco que a criança ouvia *in utero*. Essa modificação é acompanhada pelo aparecimento do sopro pulmonar e da ativação do peristaltismo do tubo digestivo, que, nascida a criança, expele o mecônio acumulado na vida fetal. A cicatriz umbilical e a perda da placenta podem, em virtude da seqüência do destino humano, ser consideradas uma prefiguração de todas as experiências que depois serão chamadas de castrações"[19]. No ventre materno, o sangue placentário alimentava o feto. Doravante, é no ar que sua vida se enxerta. A luz, os odores e as sensações já não são filtrados pelo corpo da mãe. O bebê necessita de um objeto parcial que já não seja umbilical, mas sim a sublimação da relação umbilical, passando a relação com o alimento a ser feita pela boca, e não mais pelo umbigo: o umbigo foi castrado. A separação da placenta, portanto, é um momento simbólico de nascimento que, enquanto viabilidade do feto, é fonte de uma vitalidade simboligênica, nem que seja no nível do narcisismo dos genitores.

A castração oral

Corresponde ao desmame. O desejo do seio é proibido, sendo a criança privada da mama. A castração oral "significa a privação imposta ao bebê daquilo que, para ele, é o canibalismo em relação à mãe: significa o desmame, e também o impedimento de ele consumir aquilo que seria um veneno mortífero para seu corpo, ou seja, a proibição de comer o que não seria alimentar, o que seria perigoso para a saúde ou para a vida"[20]. Essa castração é, para a criança, a separação de uma parte dela mesma, encontrada no corpo da mãe: o leite. Françoise Dolto observou que esse leite está, ao mesmo tempo, na mãe e no lactente, pois é este que o faz subir até os seios maternos.

A criança separa-se do objeto parcial seio e do primeiro alimento lácteo. Sua boca é privada do mamilo que ela julgava seu. Ela preenche esse buraco hiante, criado pela ausência do seio, colocando o polegar na boca. A castração oral instaura uma proibição do corpo-a-corpo e dinamiza o desejo de falar (é preciso castrar a língua do mamilo para que a criança possa falar) e a descoberta de novos meios de comunicação. Mas esse desmame também implica que a mãe aceite o rompimento do corpo-a-corpo e possa se comunicar de outra maneira que não pelos cuidados corporais. As pulsões orais, barradas num certo nível de realização, podem então transmudar-se num comportamento linguageiro. É este o efeito simboligênico da castração oral: a introdução da criança, como separada da presença absolutamente necessária da mãe, na relação com outrem, nas trocas mímicas e verbais, moduladas e expressivas.

Se a linguagem preexiste ao nascimento, é somente após o desmame do corpo-a-corpo, para Françoise Dolto, que a assimilação da língua materna começa a ser feita. É preciso também que esse desmame não intervenha numa relação vazia de palavras. "Quando, ao contrário, a separação do desmame é progressiva e o prazer parcial que liga a boca ao seio é levado pela mãe a se distribuir pelo conhecimento sucessivo da tatilidade de outros objetos que o bebê põe na boca, esses objetos, nomeados por ela, introduzem-no na linguagem, e assistimos então ao fato de a criança se exercitar, quando está só e acordada no berço, 'falando' sozinha, primeiro em balbucios e, depois, em modulações de sonoridade, tal como ouviu a mãe fazer com ela e com outros"[21].

A castração anal

A castração anal significa a separação da mãe no que concerne à dependência das necessidades excrementícias, o término da assistência materna na manutenção do corpo e no vestir, o fim do parasitismo físico e a entrada no agir, nas experiências, na autonomia motora, nas manipulações lúdicas com os outros, no reconhecimento dos limites. A proibição da agressão ao corpo do outro, do assassinato, decorreria da sublimação das pulsões anais. A castração anal induz à proibição da deterioração, à proibição de prejudicar o outro, ao ensino da diferença entre propriedade pessoal e propriedade alheia, à proibição de fazer qualquer coisa em nome do prazer erótico. Pela sublimação do desejo anal, a criança torna-se diligente e lúdica e adquire maior domínio da motricidade e do intercâmbio com os outros.

Em *A imagem inconsciente do corpo*, F. Dolto distingue duas acepções do termo "castração anal". A primeira é sinônima da separação entre a criança e a ajuda materna no "fazer"; é, de certa forma, um segundo desmame. A segunda acepção relaciona-se com a proibição expressa à criança de qualquer agir prejudicial a outrem. Não se trata, evidentemente, de adestramento, mutilação nem desejo de controle[22]. A castração só existe e só se produz quando a criança é reconhecida como sujeito, quando suas pulsões (de vandalismo) são parcialmente barradas. Ela deve ser imposta por aqueles que sustentam a identificação com o sexo da criança.

A castração simboligênica

A castração significa suspensão, perda, modificação da relação com o outro, sobretudo no nível do corpo, modificação do trajeto pulsional: na castração umbilical, é a suspensão do ser um só com a mãe, do estar dentro, do ser alimentado pelo cordão; é a perda dos envoltórios, da placenta, e a perda da audição do próprio ritmo cardíaco; na castração oral, é a perda de um tipo de alimentação, de um tipo de corpo-a-corpo, perda do mamilo que o bebê acreditava ser seu; na castração anal, é a perda da dependência física no tocante às necessidades, ao vestir, é a perda de uma mamãe que faz tudo.

Longe de ser uma barreira ou um trauma negativo, a castração é dinamizadora e é condição de acesso a uma autonomia maior. É concomitante a que se seja humanizado como sujeito, e não mais como objeto do outro. A castração é simboligênica por impedir as pulsões de se satisfazerem de imediato num circuito curto em direção ao objeto visado, e por adiar a satisfação delas num circuito longo, mediante um objeto transicional e, posteriormente, graças a sucessivos objetos ligados ao primeiro objeto.

Para que as castrações sejam portadoras de um valor simboligênico, várias condições são desejáveis:
- O esquema corporal da criança deve estar em condições de suportá-las. Uma criança que não tenha estado por tempo suficiente junto ao corpo da mãe faz uma regressão no momento do desmame, quando da castração oral; há um momento certo para cada castração; as pulsões devem ter obtido satisfação num primeiro momento.
- É necessário que o adulto que impõe a castração seja movido pela tolerância, pelo respeito e pelo amor casto, e que possa servir de exemplo e tornar seu poder e seu saber acessíveis à criança, um dia.
- O desejo deve ser reconhecido e valorizado.
- Essas castrações, sempre conflitivas, precisam de palavras.

Portanto, a castração é simboligênica e valorizadora porque, ao impedir a realização da satisfação imediata e causadora de regressão, ela descortina para a criança as relações de troca. É somente ao preço de castrações operacionais, "isto é, recebidas a tempo, e não fora de hora, ou seja, quando as pulsões recalcadas pelas proibições são simultaneamente capazes de se organizar, em parte, como sólidos tabus inconscientes, enquanto as pulsões livres podem aceder ao prazer nas conquistas do estádio libidinal seguinte"[23], que a criança se humaniza. Para nossa autora, portanto, as castrações são experiências mutativas que pontuam o desenvolvimento da criança; elas participam da aprendizagem do desejo humanizado.

*

A imagem inconsciente do corpo

Estamos na presença de um conceito original, intimamente ligado à prática de Françoise Dolto com crianças muito regredidas ou psicóticas. Ela prosseguiu sua teorização das imagens inconscientes do corpo durante mais de vinte e cinco anos, já que o primeiro artigo sobre o assunto foi publicado em 1957[24], enquanto o livro *A imagem inconsciente do corpo* data de 1984.

Lembremo-nos de que, desde sua origem, o próprio ser humano é uma fonte autônoma de desejo. Desde sua concepção, o sujeito ganha corpo, imerso na linguagem e apoiado nas emoções de seu círculo mais imediato, através de trocas substanciais e sutis. O substancial deve ser entendido como o mundo das necessidades, o da materialidade dos alimentos e dos excrementos, isto é, dos objetos parciais de trocas. Já o sutil refere-se ao coração-a-coração, à comunicação, ao desejo, ao olfato, à audição e à visão.

Definição da imagem inconsciente do corpo

O conceito de *imagem inconsciente do corpo* atendeu à preocupação de apreender as primeiras representações psíquicas e pensar nas etapas pré-especulares; pois se o *infans*, para F. Dolto, é um ser relacional e em comunicação, ele é dotado, desde o início, de uma atividade representativa. Essa função apóia-se nas trocas que se travam no lugar de seu corpo. As palavras e os afetos, associados à vivência corporal e relacional, deixam impressões somato-psíquicas a partir das quais se constituem os primeiros referenciais, as primeiras imagens inconscientes do corpo.

A imagem inconsciente do corpo é uma noção fundamentalmente saída da clínica; ela dá conta das representações precoces e não figurativas no momento em que elas são elaboradas, e que só se revelarão *a posteriori*, durante o tratamento analítico, graças ao desenho e à modelagem. Esclareçamos aqui que as representações conscientes são posteriores à moldagem dessas imagens inconscientes. A imagem inconsciente do corpo não é nem o esquema corporal, nem o corpo fantasiado, mas o lugar inconsciente de emissão e recepção das emoções inicialmente focalizadas nas zonas erógenas de prazer. Deve ser entendida como uma memória inconsciente do vivido, ou como o "Isso relacional". Vestígio estrutural da história emocional do sujeito, e não prolongamento psíquico do esquema corporal, a imagem inconsciente do corpo molda-se como uma elaboração de emoções precoces, experimentadas na relação intersubjetiva com os pais nutridores. Como síntese viva das experiências vividas, ela "refere o sujeito do desejo a seu gozo, mediatizado pela linguagem memorizada da comunicação entre sujeitos"[25]. Constituindo uma espécie de receptáculo psíquico basal, ela é o local de representação das experiências relacionais. Essa imagem é, fundamentalmente, um substrato relacional que passa pelo corpo, lugar da comunicação precoce. Assim reencontramos a idéia doltoiana do cruzamento indispensável entre a experiência corporal e a linguagem, para que se produza a representação.

O *infans* produz imagens como primeiros referenciais identificatórios, primeiras simbolizações em seu *ser em devir*. Dolto atinha-se particularmente a essa noção de imagem [*image*] e assim decompunha a palavra[26]:

I remete à identidade,
ma, a mamãe, minha mãe,
ge, à terra, base, eu [*Je*] corpo por advir.

Em nossa obra sobre F. Dolto[27], distinguimos *três aspectos da imagem inconsciente do corpo*: um aspecto estrutural, um aspecto genético ou dinâmico e um aspecto relacional.

Os três aspectos da imagem inconsciente do corpo

O aspecto estrutural

A imagem do corpo apresenta-se como a articulação dinâmica de uma imagem de base, uma imagem funcional e uma imagem das zonas erógenas. Essas três modalidades da imagem inconsciente do corpo são ligadas por um substrato dinâmico, as pulsões de vida.

- *A imagem de base* concerne ao ser em sua coesão narcísica. Origina-se na vivência repetitiva de massa e presentifica a imagem do corpo em repouso. Associada à cena da concepção, à imagem fetal e ao narcisismo fundamental, ela liga o sujeito à vida. A respiração e a circulação cardiovascular seriam os principais lugares corporais dessa imagem. A imagem de base é constitutiva do narcisismo primordial ou fundamental, que se atualiza nas primeiras relações que acompanham a respiração e a satisfação das necessidades e dos desejos parciais. Essa noção de imagem de base aparenta-se com algumas concepções do *self*, quando F. Dolto a define, por exemplo, como aquilo que permite ao sujeito sentir-se numa "mesmidade de ser", numa continuidade narcísica espaço-temporal. Ela abrange, portanto, o *sentimento de existir numa continuidade*. Qualquer ameaça à integridade dessa imagem de base é sentida como mortal.
- *A imagem funcional* define-se como a imagem estênica de um sujeito que almeja a realização de seu desejo; ela veicula as pulsões de vida. Ela é ativa, dinâmica e excentradora em relação à imagem de base, enraizadora. Está ligada à tensão do desejo.
- *A imagem erógena*, por sua vez, focaliza o prazer e o desprazer na relação com o outro.

Essas três imagens são entrelaçadas pela *imagem dinâmica*, que corresponde ao desejo de ser e de perseverar num advir, a uma "intensidade de espera e de alcance do objeto", a uma tensão de intenção. Essa imagem exprime "em cada um de nós o Ente que conclama o Advir: o sujeito no direito de desejar"[28].

O aspecto genético, dinâmico

A imagem do corpo é fruto de uma elaboração e de um desenvolvimento que a reformulam através do tempo. Cada estádio vem modificar as representações da imagem de base. Haveria a imagem respiratória, a imagem mais arcaica do corpo, "porque o ar que respiramos é nossa placenta"[29]. Depois, Françoise Dolto distingue uma imagem básica oral e, em seguida, uma imagem anal. O papel das experiências olfativas, visuais, auditivas e táteis, bem como a necessidade de um *continuum* de percepções repetidas e reconhecidas, são fundamentais na constituição dessas imagens. Com o tempo, as imagens do corpo evoluem e se estruturam, graças às emoções, articuladas com o desejo erótico. As castrações permitem suas sucessivas reformulações.

Por ocasião da experiência do espelho, a imagem do corpo é recalcada e desaparece, em prol da corporeidade visível. Estamos na presença de uma forma de castração, já que há uma reformulação radical, uma clivagem entre o imaginário e a realidade, um alinhamento da experiência sensorial no visual. A realidade do visível se impõe. Essa experiência é uma *prova* em que o sujeito se descobre outro, distinto da mãe. O reconhecimento no espelho é uma situação dramática, na qual se impõe uma identificação com um corpo separado. O espelho, portanto, subverte a problemática da imagem inconsciente do corpo. A imagem escópica torna-se o substituto consciente da imagem do corpo inconsciente.

O aspecto relacional

A elaboração da imagem do corpo só se faz numa relação de trocas e de linguagem com os outros. Ela se apóia no outro, molda-se "como referência intuitiva ao desejo do outro". Ordena-se corporalmente no corpo, no sentir e no dizer da mãe. A comunicação sensorial, emocional, e a fala do outro aparecem como os dois substratos dessa imagem do corpo. A fala organiza e permite o cruzamento do esquema corporal com essa imagem inconsciente.

A patologia das imagens do corpo

Françoise Dolto valorizou mais particularmente dois fatos. A disjunção das três imagens do corpo e a reversão (ou retorno) para uma imagem básica mais arcaica. Várias noções esclarecem essa patologia: não-estruturação, enclaves fóbicos, alteração-dissociação, desvitalização.

Em termos sucintos, note-se que:
- quando há perigo e ataque contra a imagem de base, podem desenvolver-se mecanismos fóbicos ou persecutórios;
- quando há carência de uma pessoa nutriz ou falta de reconhecimento do desejo, podemos temer uma regressão, com o ressurgimento de uma imagem do corpo passada;
- havendo perda dos primeiros referenciais identificatórios, sobretudo sensoriais, existe um risco de morte psíquica;
- quanto à alteração e à dissociação, o contato com crianças psicóticas ou autistas remete-nos a imagens arcaicas do corpo, ao apego da criança a uma imagem a que ela não consegue renunciar, a zonas psíquicas danificadas, insólitas, não mais codificadas na relação com o outro. O cruzamento entre o corpo, as emoções, as palavras e o outro fica destroçado. Podem-se apresentar vários casos. Em geral, uma falha na comunicação perturba a mesmidade do ser: o *infans* fica privado da possibilidade de compartilhar suas experiências sensoriais, e o que ele experimenta não é acolhido nem "sentido" por um outro. A perda do outro numa idade muito precoce equivale a uma perda da boca relacional, a uma perda do lugar do vínculo em seu corpo. A imagem do corpo, nesse caso, é amputada de uma zona erógena que desaparece junto com a mãe. F. Dolto sempre sublinhou os riscos da descontinuidade do sensório linguajeiro mãe-filho, que pode provocar dissociações da imagem do corpo. Assim, a criança pode perder todo o sentido de sua identidade, mantido e moldado com um outro, perder toda a capacidade de se comunicar, e então se fechar, regredindo para um estado de sensações corporais, viscerais, que lhe assegurem um mínimo de sentimento de existência, e havendo, portanto, uma prevalência das pulsões de morte. Na falta de uma relação com o outro, de um enlace entre o esquema corporal e a imagem inconsciente do corpo, entre o sujeito e o corpo, o *infans* é tragado por um imaginário sem sentido, ficando entregue a sensações e percepções que, não mediatizadas, tornam-se absurdas e fortuitas.

Concluindo, a concepção original de F. Dolto sobre a imagem inconsciente do corpo visa a dar conta da atividade psíquica precoce do lactente, das figurações corpóreo-psíquicas do sujeito em relação, antes do estádio do espelho. Françoise Dolto preferia situar o cerne do ser autêntico nessa imagem inconsciente do corpo, enquanto o espelho inovaria o mundo da aparência.

*

Formulações sobre as entrevistas preliminares e a psicanálise com crianças

Françoise Dolto teve o mérito de expressar claramente a especificidade do trabalho de reeducação, do trabalho psicoterápico e da prática psicanalítica com crianças. As indicações, as condições, o contrato, as entrevistas preliminares e o lugar do psicanalista em relação aos pais e à educação foram objeto, por parte dela, de explicações precisas[30]. Em sua prática, ela dava grande atenção ao ambiente familiar. Por isso, antes que se decidisse pelo tratamento de uma criança, as entrevistas preliminares revestiam-se de grande importância, de uma função essencial.

As entrevistas preliminares

Elas devem permitir, de um lado, discernir de onde vem a demanda, investigar quem está realmente sofrendo e, de outro, estudar a dinâmica familiar, o lugar da criança no narcisismo dos pais, as projeções de que ela foi objeto, o Édipo do pai, o Édipo da mãe e o "jogo" inconsciente pais-filho. Atenta ao discurso parental, F. Dolto sabia reconhecer o que se havia tecido entre a mãe e o *infans*, o lugar ocupado pelo pai e o que se passava com o desejo dos pais um pelo outro. Em geral, primeiro ela recebia os pais, juntos, depois somente a mãe, somente o pai, a criança com os pais e a criança sozinha. Exigia que o pai, mesmo ausente ou separado da mãe, desse sua concordância ao procedimento iniciado e à decisão de começar o tratamento da criança.

Os pais eram levados a formular diante da criança as razões pelas quais haviam pensado numa ajuda, numa psicoterapia analítica para ela. Parecia importante a Dolto que o próprios pais dissessem o que os incomodava, e ela também perguntava à criança o que achava disso. Depois, a criança era vista sozinha, para que, por sua vez, pudesse dizer o que lhe causava ou não causava problemas.

Por vezes, as entrevistas com os pais eram suficientes para desenredar uma situação, especialmente quando a criança era apenas o sintoma de uma problemática parental. Quando a criança se recusava a comparecer, Dolto pedia que a pessoa mais ansiosa a respeito dela fosse a seu consultório conversar.

Nesse trabalho preliminar, F. Dolto tentava fazer emergir o que pudesse ter sido dito e projetado antes que a criança nascesse, compreender o lugar dela numa história de ramificações complexas, feita de acontecimentos, desejos e palavras, estas últimas decisivas, às vezes, para o destino do sujeito. Ela se esforçava por fazer com que se esclarecesse a vivência parental da primeira infância, por avaliar os processos inconscientes em jogo e identificar as satisfações da criança em torno da oralidade e da analidade, com ou sem o encontro com castrações simboligênicas. Tentava apreender o que era implicitamente veiculado nas palavras, descobrir o que poderia ter alienado a criança em determinados significantes e tirá-la do eixo de seu "ir e vir". Assim, F. Dolto dava extrema atenção ao contexto e à língua falada. Procurava identificar e explicitar o lugar ocupado pela criança na própria economia psíquica da mãe e trazer à luz as fixações eróticas regressivas da díade, nas quais a criança talvez estivesse obtendo um certo gozo (cf. a noção de "simbólico falseado"). Essas entrevistas, portanto, visavam a reinjetar o sintoma — um sintoma a ser compreendido como uma linguagem por decodificar, um mal-entendido — na dinâmica relacional, histórica e inconsciente pais-criança.

Esse trabalho preliminar requeria tempo, mas um tempo muito mais precioso por permitir que F. Dolto evitasse os tratamentos de crianças com menos de seis anos. Com efeito, ela achava que, durante o Édipo, uma pessoa levada a se encontrar freqüentemente com a criança trazia o risco de retardar a evolução desta para uma estruturação libidinal sexuada, uma vez que essa estruturação só podia efetuar-se favoravelmente, na visão de Dolto, dentro da conjuntura familiar triangular.

Quando, em decorrência desses encontros, emergia uma demanda verdadeira por parte da criança, podia então começar um trabalho analítico individual, em geral depois de três sessões experimentais.

O enquadre e as modalidades técnicas

Se o enquadre do tratamento com adultos não é aplicável às crianças e exige algumas reformulações, não há, por outro lado, uma diferença de natureza entre a análise de adultos e a análise de crianças. As duas regras fundamentais, a verbalização das associações livres e o pagamento das sessões, são retomadas, embora com modalidades específicas.

• Françoise Dolto pregava um certo despojamento no material e rejeitava a introdução de brinquedos. A criança tinha a seu dispor apenas papel, lápis, massa de modelar e sua fala. Podia dizer tudo, mas não fazer tudo: "Você vai dizer em palavras, nos desenhos ou na modelagem tudo o que pensar ou sentir enquanto estiver aqui, mesmo as coisas que, com outras pessoas, você sabe ou acha que não convém dizer." Quanto ao suporte da prática, a autora assim se explicava: "Já se vão longos anos que registramos esses desenhos e modelagens (...) como associações livres, testemunhos adjacentes da vivência transferencial, numa relação provável com as palavras proferidas, que amiúde são muito diferentes dos temas desenhados e modelados (...), criações [que] se nos afiguram, portanto, como um sonho extemporâneo, decorrente da relação analítica de transferência, que o estudo do conteúdo latente permite explicitar"[31].

Se o desenho era compreendido como uma estrutura do corpo projetada, uma fantasia, um testemunho da imagem inconsciente do corpo, o importante, no entanto, era fazer a criança falar sobre seu desenho, fazê-la associar com base nessa mediação representante. Os desenhos e modelagens têm que ser questionados, falados, assumindo um valor quase equivalente ao dos sonhos e fantasias da prática analítica com adultos. Assim, os desenhos e modelagens, registrados como associações livres, são compreendidos como testemunhos da vivência histórica e transferencial, como testemunhos de imagens do corpo, já que a criança se representa nessas produções. A imagem do corpo, dentro dessa perspectiva, é uma mediação para exprimir sonhos, fantasias e desejos. Não é redutível ao desenho ou à modelagem, mas deve revelar-se pelo diálogo analítico.

Muito se enfatizou a maravilhosa faculdade de F. Dolto de escutar as crianças no nível de compreensão delas, pois "escutar uma criança é importante, mas sob a condição de compreender o que significa falar na idade dela. E isso depende da imagem do corpo, que é uma linguagem". Com os anoréxicos ou psicóticos muito pequenos, escutá-los "significa falar com eles no nível das imagens do corpo"[32]. Trabalhar com eles é compreender essa linguagem das imagens do corpo e estabelecer uma comunicação significante nesse nível. Portanto, F. Dolto traduzia na língua da criança o que ela estava sentindo. Propunha-lhe uma construção esclarecedora em que ela se apoiasse para tornar a deslanchar.

• O pagamento simbólico, nessa situação, era equivalente ao pagamento das sessões na análise de adultos. Parece fundamental que o analisando invista sua psicanálise como um espaço de autonomia para um trabalho pessoal. Françoise Dolto insistia no fato de que a análise não é uma brincadeira, nem uma erotização relacional, nem um gozo compartilhado. A criança ia lá para aprender sobre si mesma, e não para ser consolada. O pagamento simbólico (pedrinhas, selos, pedaços de papel colorido) demarca o registro do tratamento, coloca a criança numa posição de sujeito desejante e presentifica a dívida para com o analista. Não sendo oferenda nem objeto parcial, ele não tem que ser interpretado; representa o contrato e tem um valor de troca no trabalho contratado com o psicanalista.

*

Conclusão

Depois desta exposição sobre as contribuições teóricas originais de Françoise Dolto, evoquemos brevemente a clínica inovadora.

Sua preocupação profilática e sua paixão pela educação, vislumbradas desde quando ela era pequena ("tornar-se médica da educação"), seriam o fio condutor da vida profissional de Françoise Dolto. Ela logo adquiriu a convicção de que a etiologia dos distúrbios situava-se nos não-ditos e nas dinâmicas inconscientes transgeracionais pervertidas. Julgando, além disso, que as contribuições da psicanálise não deviam ficar circunscritas apenas ao consultório do analista ou à capitalização de um saber, ela se dedicou, no fim da vida, a inúmeras atividades de prevenção, como a criação da Casa Verde, local de recepção e escuta de pais e crianças de tenra idade, ou à publicação de numerosas obras. Militante da fala verdadeira e da escuta das crianças, ela trabalhou por restaurar a verdade do sujeito em sua dimensão desejante. Por isso, a criança que ela promovia era autônoma e tinha direitos, embora não todos os direitos.

Poder ouvir a criança, pensar segundo seu modo de pensar, colocar-se no lugar dela, sem sair da posição de analista, foi esse o seu desafio. E tudo isso sem afetação nem compaixão geradora de regressão, e sem confundir a prática psicanalítica com a educação. Seu trabalho nunca foi um tapar buracos, mas uma verbalização que devolvia sentido e orgulho ao sujeito. O insuportável não deve ser tamponado por medidas formais ou pseudo-reparadoras, mas ouvido e atestado.

Françoise Dolto foi sobretudo uma clínica que teorizava *a posteriori*, e cujo próprio saber provinha das crianças em análise. Elas foram seus mestres, porque Dolto soube "manter contato" com elas e levá-las a sério. Muito distante das brigas entre escolas, ela deixou uma obra importante, centrada na cessação da dor de viver.

Glossário dos principais conceitos de F. Dolto

Bicéfalo
Nos primórdios da vida, os pais seriam sentidos pela criança como uma espécie de unidade estruturante bicéfala: "A criança os sente, no começo, como uma díade bicéfala, depois bicorporificada, e depois, como uma associação complementar e articulada de poderes, que ela representa sob a forma mítica do rei e da rainha em seus desenhos, modelagens e fantasias" (*Au jeu du désir* [*No jogo do desejo*], p. 70).

Castração
Em F. Dolto, a noção de castração é paralela à de Lei e subjaz à mutação, à experiência e à sublimação. "Em psicanálise, esse termo significa uma proibição do desejo em relação a certas modalidades de obtenção de prazer, uma proibição com um efeito harmonizador e promovedor, tanto do desejante, assim integrado na lei que o humaniza, quanto do desejo, com respeito ao qual essa proibição abre caminho para gozos maiores" (*Au jeu du désir* [*No jogo do desejo*], p. 301). As castrações são experiências mutantes com efeitos simboligênicos, geradores de novas maneiras de ser. Às vezes, elas têm efeitos patogênicos, pois é somente num clima de confiança, respeito e palavras adequadas que são efetivadas e ultrapassadas.

Castração natural ou primária
Resulta da realidade monossexuada e mortal do corpo humano. As meninas não têm pênis e os meninos não terão filhos.

Castração umbilical
Refere-se ao nascimento, ao corte do cordão umbilical, à passagem de um certo tipo de vida — a vida fetal — para um novo tipo de vida — a vida aérea —, cujas modalidades são muito diferentes: meio, percepções e circuitos de troca novos.

Castração oral
Contemporânea ao desmame, à privação de consumir algo que provém do corpo da mãe, ou aquilo que não é alimentar. Rompimento do corpo-a-corpo canibalesco, promovendo um circuito de trocas mais extenso e o desejo de falar.

Castração anal
Simultaneamente entendida como separação entre a criança, capaz de motricidade voluntária, e a assistência auxiliar da mãe (aquisição da autonomia motora, alimentar, do vestir-se e da locomoção), e como proibição de qualquer agir prejudicial aos outros (proibição do assassinato, do vandalismo). A sublimação desse processo é o fazer industrioso, lúdico, linguajeiro e cultural com os outros.

Castração simboligênica
A castração é uma verbalização da proibição imposta a uma dada meta do desejo. Essa proibição inicia o sujeito na potência de seu desejo e na lei. Através do trabalho do recalcamento, opera-se um remanejamento dinâmico, com um processo de mutação, sublimação e elaboração que não era exigido pelo objeto primitivamente visado. A proibição é repressiva quanto ao agir mas é promovedora para o sujeito em sua humanização. As castrações têm efeitos simboligênicos, por permitirem que as pulsões se exprimam de outra maneira que não pelo gozo simples e imediato do corpo. Elas sustentam a simbolização das pulsões no sentido da linguagem, em direção à busca de novos alvos, de conformidade com as leis do grupo. A castração é simboligênica enquanto privação da satisfação das pulsões num circuito curto em relação ao objeto visado, para ser retomada num circuito mais longo com outros objetos. As castrações são frutíferas, têm um valor promovedor, acarretam mudanças e inauguram as relações de troca. Devem ser impostas por aqueles que sustentam a identificação da criança e se realizar num clima de respeito, com o acompanhamento de palavras e promessa.

Eu ideal
"O Eu ideal é uma instância que toma um ser da realidade (um Tu) como referencial idealizado (modelo) para o pré-sujeito, que é o Eu referido ao Tu. Modelo mestre, com direito de dizer 'eu'. Depois do Édipo, o próprio sujeito é o sujeito Eu [*Je*], assumindo o Eu [*Moi*], com seu comportamento tão marcado pela lei genital quanto o são os adultos; e o Ideal do Eu não mais é

referido a alguém, porém a uma ética que serve de esteio imaginário do Eu no acesso à idade adulta" (*L'Image inconsciente du corps* [*A imagem inconsciente do corpo*], nota 1, p. 29). As pessoas que servem de suportes do Eu ideal são, geralmente, os pais. Do ponto de vista genético, o Eu ideal se situaria antes da resolução do Édipo.

Função simbólica
É bastante difícil ver na noção de função simbólica um conceito muito claro, a despeito de sua posição central no pensamento de F. Dolto. Ela é o que especificaria os seres humanos:
- como sendo, estruturalmente, seres de linguagem;
- como diferenciando-se uns dos outros por estarem inscritos numa história, num mito particular de cada um: "A função simbólica, da qual todo ser humano é dotado no nascimento, permite ao recém-nascido diferenciar-se, como sujeito desejante e previamente nomeado, de um representante anônimo da espécie humana" (*L'Image inconsciente du corps* [*A imagem inconsciente do corpo*], p. 82);
- como capazes ("dotados") de ligação, representações e mediatização das pulsões, capazes de dar sentido às simples percepções e sensações. Através dessa função, tudo tem valor de linguagem para o filho do homem.

A função simbólica é correlata, fundadora do humano. Está constantemente em jogo na vida e permite desenvolver a relação inter-humana. Seu exercício, no cerne da relação cruzada num espaço triangular, acha-se na origem da organização linguajeira.

A função simbólica opõe-se ao instinto do animal. Tem efeitos simboligênicos, quando é alimentada pela linguagem humana.

Humanização
O ser humano é um ser de linguagem; é essa a sua especificidade. O veículo da humanização é a fala. A fala humaniza tudo o que é olfação e animalidade no corpo-a-corpo.

Ideal do Eu
É concomitante à resolução do Édipo; surge "dos escombros do desejo incestuoso, atrai e estimula o Eu para as realizações culturais" (*Le Cas Dominique* [*O caso Dominique*], p. 237). Não se encarnando num ser humano, é uma instância pós-edipiana relacionada com a ética.

Imagem do corpo

Estrutura-se na relação intersubjetiva; constrói-se sob o efeito das pulsões, da comunicação sensorial (experiências olfativas, visuais, táteis) e da linguagem ouvida. É o esboço de uma unidade. F. Dolto diz que ela é um Isso relacional, tomado num corpo situado no espaço, um lugar de representação das pulsões. A imagem do corpo está ligada à história pessoal e é específica de uma relação libidinal. Ela "é a síntese viva de nossas experiências emocionais". Remete o sujeito a seu gozo, mediatizado pela linguagem memorizada da comunicação entre os sujeitos. Pode ser considerada como "a encarnação simbólica inconsciente do sujeito desejante" (*L'Image inconsciente du corps* [A imagem inconsciente do corpo], p. 22). É uma espécie de receptáculo psíquico basal onde se inscrevem as emoções e a vivência.

Do ponto de vista estrutural, pode decompor-se em uma imagem de base, uma imagem erógena e uma imagem funcional.

Imagem de base

Próxima da noção winnicottiana do sentimento contínuo de existir. Imagem que se refere a algo sentido, a uma mesmidade do ser numa continuidade narcísica. É constitutiva do narcisismo primordial.

Imagem erógena

Imagem associada à imagem funcional do corpo, lugar de focalização do prazer e do desprazer.

Imagem funcional

Imagem estênica do sujeito que visa à realização de seu desejo.

A imagem de base, a imagem erógena e a imagem funcional assumem a imagem do corpo vivo e do narcisismo do sujeito em cada etapa de sua evolução.

Narcisismo

É definido como "a mesmidade de ser, conhecida e reconhecida, o ir e vir de cada um no espírito de seu sexo" (*L'Image inconsciente du corps* [A imagem inconsciente do corpo], p. 50). Desde o nascimento, entrecruza-se com a relação linguageira sutil que se origina na mãe. Esse termo abrange o plano da coesão e da continuidade do sujeito. Deve ser concebido como um *continuum* que vai da vida fetal até a morte. Está ligado ao cruzamento da imagem do corpo inconsciente com o esquema corporal pré-consciente e consciente. Constrói-se na relação, no dia-a-dia, "com os desejos da eleita de seu desejo e seus familiares, e com o pai genitor" (*L'Image inconsciente du corps* [*A imagem inconsciente do corpo*], p. 157).

F. Dolto distingue três narcisismos: "o fundamental, o primário e o secundário, que se organizam à imagem de uma cebola composta de películas que se superpõem umas às outras" (*L'Enfant du miroir*, p. 16).

Narcisismo primordial ou fundamental
É o narcisismo do sujeito como sujeito do desejo de viver, preexistente ao nascimento e, talvez, à concepção, "que anima o apelo ao viver dentro de uma ética que sustenta o sujeito no desejar. É nisso que o filho é herdeiro simbólico do desejo dos genitores que o conceberam" (*L'Image inconsciente du corps* [*A imagem inconsciente do corpo*], p. 50). Esse conceito, como muitas vezes acontece em F. Dolto, abrange uma abordagem estrutural (cf. a linguagem, a filiação) e uma outra mais vivenciada, mais relacional, quando, por exemplo, ela faz da mãe nutriz a garantia desse narcisismo fundamental, ou declara que o narcisismo se enraíza nas primeiras relações que acompanham a respiração, nas primeiras necessidades alimentares e na satisfação dos desejos parciais.

Assinalemos que um sentido um pouco diferente foi dado a essa noção num outro trecho: "O narcisismo primordial está ligado à assunção de fato, pelo recém-nascido, da castração umbilical" (*L'Image inconsciente du corps* [*A imagem inconsciente do corpo*], p. 200).

Narcisismo primário
Segue-se ao anterior. "Está inserido nele, no sentido analógico do enxerto. Vem juntar-se a ele (...). A imagem do bulbo da cebola, envolto em suas túnicas, ilustra bem a relação existente entre o narcisismo fundamental e o narcisismo primário" (*L'Image inconsciente du corps* [*A imagem inconsciente do corpo*], p. 156). Alguns lugares, alguns funcionamentos do corpo, eleitos graças à repetição das sensações experimentadas, servem de centro para o narcisismo primário. Os funcionamentos substanciais, bem como os sutis, as comunicações e a atividade mental recheiam esse narcisismo.

Noutra passagem de *A imagem inconsciente do corpo* (p. 200), o narcisismo primário resulta da experiência do espelho, que revela à criança seu rosto. Uma experiência que é concomitante ao conhecimento do corpo como sexuado.

Narcisismo secundário
Decorre da proibição do incesto, da socialização das pulsões sexuais. É concomitante à diferença entre pensar e agir, à identificação do sujeito no grupo social. Esse narcisismo é contemporâneo do Édipo (cf. *L'Image inconsciente du corps* [A imagem inconsciente do corpo], p. 199). Em *No jogo do desejo*, é a introjeção da díade emocional que inaugura o registro do narcisismo secundário.

Lactente
Numa perspectiva desenvolvimentista, F. Dolto o situa como objeto parcial de uma grande massa, tangencial ao corpo da mãe, e depois uma duplicação dela, antes do acesso à autonomia. Ao mesmo tempo, Dolto também o situa como sujeito desde a concepção, com um desejo próprio que nunca é totalmente condicionado pelo desejo do outro.

Objetos mamãezados
Termo que designa objetos adotados como substitutos maternos, objetos associados à mãe e que a tornam presente, apesar de ausente na realidade.

Objeto total
"Chamo 'objeto total' ao ser vivo em sua inteireza, árvore, animal ou ser humano" (*L'Image inconsciente du corps* [A imagem inconsciente do corpo], nota 1, p. 38). Para F. Dolto, o objeto total já existe desde os primórdios da vida, é a criança com a mãe que o alimenta. "O objeto total, sujeito bicéfalo, é ele-sua mãe nutriz, numa imagem do corpo fálica, fusional" (*Séminaire de psychanalyse d'enfants*, vol. 2, p. 127).

Objetos parciais
"Chamo 'objeto parcial' a uma parte representativa do objeto total, pela qual o sujeito pode entrar numa relação mediatizada com esse objeto total" (*L'Image inconsciente du corps* [A imagem inconsciente do corpo], nota 1, p. 38).

Pré-Eu
O Pré-Eu surge aos poucos das alternâncias da fusão-desfusão com a mãe nutriz. Esse Pré-Eu "designa a consciência do sujeito em seu esquema corporal e em sua imagem do corpo de antes da castração primária, uma imagem do corpo ainda não conscientemente sexuada, mas já erógena, em virtude da erectilidade local..." (*L'Image inconsciente du corps* [A imagem

inconsciente do corpo], nota 1, p. 248). Ele se constrói por memorização, através da linguagem comportamental, emocional e verbal da instância tutelar, cruzada com as experiências lúdicas e utilitárias da criança. É limitado pelo Pré-Supereu, que sustenta, estimula ou barra o desejo. Haveria um Pré-Eu de predomínio oral, quando a criança, sublimando bem as pulsões orais após o desmame, compraz-se com palavras utilitárias e lúdicas; um Pré-Eu anal, quando a criança, tendo sublimado as pulsões anais depois do desmame, compraz-se no agir utilitário e lúdico. O Pré-Eu genital seria discernível pelas perguntas formuladas a respeito do sexo.

Pré-Supereu
Voz internalizada da mãe ou do pai. F. Dolto também diz que "o Pré-Supereu é a concordância emocional e rítmica da criança com a pessoa de quem sua vida depende" (*Séminaire de psychanalyse d'enfants*, p. 236). Do ponto de vista genético, ele se constitui a partir de uma zona erógena de um estádio anterior. No estádio oral, essa zona é dentária; no estádio anal, é o dejeto; no estádio genital, "a zona erógena imaginada como desempenhando o papel do Pré-Supereu é fragmentadora quanto ao objeto parcial peniano, mas é substituída pela pessoa inteira do sujeito, e o Pré-Supereu anal pode, acima de tudo, entrar em ação contra o sujeito perante os outros" (*Séminaire de psychanalyse d'enfants*, p. 219).

Pulsões de morte
São obra de um corpo não alertável pelo desejo. São desprovidas de representações, nem ativas nem passivas, vividas numa falta de ideação. Trata-se de um repouso, de uma colocação do sujeito entre parênteses, e não de agressividade ou desejo de morrer. São pulsões a-libidinais, vegetativas, de que o ser humano necessita para repousar, como durante o sono, pois o desejo é desgastante.

Pulsões de vida
Pulsões ativas ou passivas, sempre ligadas a uma representação a serviço da libido.

Sensório
A ser concebido como "núcleo narcísico de uma existência em segurança". Trata-se de uma noção vizinha à de narcisismo, à qual F. Dolto às vezes anexa o termo existencial.

Substancial
É o esteio do viver para o corpo. Mundo das necessidades. "Por substancial, entendo a materialidade do alimento e dos excrementos, objetos parciais de troca" (*Au jeu du désir* [*No jogo do desejo*], nota da p. 64). O substancial "está ligado à necessidade repetitiva em suas modalidades de prazer sem surpresa" (*L'Image inconsciente du corps* [*A imagem inconsciente do corpo*], p. 83).

Sutil
O sutil, ao contrário, refere-se ao coração-a-coração, à comunicação, às modalidades de comunicação: "Por sutil, entendo o olfato, a audição e a visão, pelos quais o objeto é percebido à distância" (*Au jeu du désir* [*No jogo do desejo*], p. 64). A erogenização do sutil (olfato, audição, visão) é um simbólico mais linguageiro que a do substancial (sucção).

Simbolização
Processo ligado à proibição, à castração, à lei. "As pulsões assim recalcadas sofrem um remanejamento dinâmico, e o desejo cujo alvo inicial foi proibido visa a sua realização por novos meios, por sublimações: por meios que exigem, para sua satisfação, um processo de elaboração que não era exigido pelo objeto primitivamente visado. É somente este último processo que leva o nome de simbolização, decorrendo de uma castração entendida no sentido psicanalítico" (*L'Image inconsciente du corps* [*A imagem inconsciente do corpo*], p. 80).

Excertos da obra de Dolto

O ser humano faz-se nascer

Desde a vida fetal, o ser humano não é uma parte do corpo materno, já é único. É ele que, por intermédio do pai e da mãe, ganha vida e se faz nascer. Ele é a própria Vida. Persevera em seu desenvolvimento e em sua chegada a termo por seu desejo de nascer.[1]

*

A criança humana é fruto de três desejos; é preciso, pelo menos, o desejo consciente de um ato sexual completo do pai; é preciso, pelo menos, o desejo inconsciente da mãe; mas o que esquecemos é que também é preciso o desejo inconsciente de sobrevivência por parte do embrião em que se origina uma vida humana.[2]

*

A castração é necessária e humanizante

Toda a minha pesquisa concernente aos distúrbios precoces do ser humano empenha-se em decodificar as condições necessárias para que as castrações impostas à criança no curso de seu desenvolvimento lhe permitam o acesso às sublimações e à ordem simbólica da lei humana.[3]

*

Não há simbolização sem castração do desejo imaginário.[4]

*

Falar verdadeiramente com a criança

Toda criança tem o entendimento da fala quando quem fala com ela lhe fala autenticamente, querendo comunicar alguma coisa que é verdadeira para ele.[5]

*

É formidável ver um ser humano beber a força que se filtra através das palavras portadoras de sentido.[6]

*

Sem palavras adequadas e verídicas sobre tudo o que acontece, e da qual ela é parte integrante ou testemunha, sem palavras dirigidas a sua pessoa e a seu espírito receptivo, [a criança] percebe a si mesma inteiramente como um objeto-coisa, vegetal, animal, submetido a sensações insólitas, e não como um sujeito humano.[7]

*

Nosso papel não é desejar alguma coisa por alguém, mas ser aquele graças a quem ele pode advir em seu desejo.[8]

*

Nosso papel de pais

Para se desenvolver bem, a criança deve estar na periferia do grupo de seus pais, e não constituir seu centro.[9]

*

A mãe não é boa nem má, é uma mãe para o oral, depois para o anal, para ser apanhada e rejeitada.[10]

*

Não é desvalorizante ter pais que não puderam fazer mais do que assumir o filho até seu nascimento e, depois, abandoná-lo.[11]

*

Três gerações para produzir uma psicose

Portanto, são necessárias três gerações para que apareça uma psicose: duas gerações de avós e pais neuróticos na genética do sujeito, para que ele seja psicotizado.[12]

*
* *

Referências dos excertos citados

1. *La cause des enfants*, Paris, Laffont, 1985, p. 285.
2. *Sexualité féminine*, Paris, Scarabée, 1982, p. 329.
3. *L'Image inconsciente du corps*, Paris, Seuil, 1984, p. 82.
4. *La difficulté de vivre*, Paris, Interéditions, 1981, p. 253.
5. *France Culture*, 14 de setembro de 1987.
6. *Séminaire de psychanalyse d'enfants*, Paris, Seuil, 1982, p. 136 [*Seminário de psicanálise de crianças*, Rio de janeiro, Zahar Eds., 1985].
7. *La difficulté de vivre*, op. cit., p. 360.
8. *Séminaire de psychanalyse d'enfants*, op. cit., p. 84 [*Seminário de psicanálise de crianças*, op. cit.].
9. *La cause des enfants*, op. cit., p. 273.
10. *Quelques pas sur le chemin de F. Dolto*, Paris, Seuil, 1988, p. 13.
11. *Séminaire de psychanalyse d'enfants*, op. cit., p. 18 [*Seminário de psicanálise de crianças*, op. cit.].
12. *O caso Dominique*, Rio de Janeiro, Zahar Eds., 1981.

Biografia de Françoise Dolto

1908   6 de novembro: nascimento de Françoise Marette numa família burguesa, católica pouco praticante, que somaria sete filhos (duas meninas e cinco meninos). Françoise é a quarta.
Infância muito familiar, bastante dourada, mas com pouca liberdade: *"Nunca fiz uma refeição fora da casa de minha mãe ou de minha avó até os 25 anos."*
Nos primeiros meses, uma babá irlandesa cuida de Françoise. Demissão dessa babá, que havia roubado algumas jóias. Logo depois dessa partida, aos seis meses, broncopneumonia de Françoise: *"Foi mamãe que me salvou, conservando-me junto dela a noite inteira... apertada contra o peito."* Esse episódio de vida foi reencontrado durante o tratamento analítico, com o enigma da rua Vineuse, da luxuosa casa de tolerância que a babá freqüentava.
Por volta dos quatro anos, experiência da passarela da rua Ranelagh com o trem que passava, com o fenômeno da fumaça: *"O mundo desaparecia, a gente parecia estar no céu"*, interrogação sobre o depois da morte e constatação do limite do saber dos adultos.

1916   Aos 7 anos e meio, morte do padrinho na guerra, um "tio edipiano" que Françoise Dolto considerava seu noivo; portanto, *"viúva por toda a vida"*, *"viúva de guerra aos 7 anos"*.
Escolaridade realizada sobretudo em casa. Françoise é uma menina imaginativa e curiosa.
Aos 8 anos, afirma que quer ser médica da educação, *"um médico que sabe que, quando há problemas na educação, isso produz doenças nas crianças, que não são doentes de verdade"*.
Os desastres da guerra e as famílias arruinadas pela morte dos maridos incitam-na ao dever de aprender uma profissão.

1920   Setembro: aos 12 anos, morte da irmã. Na véspera de sua primeira comunhão, a mãe de Françoise lhe anuncia que sua irmã está com

uma doença mortal e que é preciso rezar, pois Deus talvez possa fazer um milagre: *"E, como eu não soube rezar muito bem, ela morreu dois meses depois... Senti-me inteiramente culpada, e minha mãe me confirmou isso."* *"Eu nunca me teria tornado psicanalista sem esse luto, que transtornou toda a economia familiar."*
Depressão da mãe. Depois dessa morte, *"uma espécie de desânimo caiu sobre a casa"*.
Aos 15 anos, nascimento do último irmão, que traz *"como que uma brisa do mar"*. Françoise cuidaria muito dele, *"com ele descobri a psicologia da criança"*.

1924-34 Aulas de filosofia no liceu Molière, único ano em que Françoise freqüenta o liceu todos os dias. Sucesso no *baccalauréat*,* o que é muito mal recebido pela mãe, porque *"uma moça que fez o* baccalauréat *não consegue mais se casar"*.

Interrupção dos estudos depois do *baccalauréat*. Proibição parental. Para uma mulher, trabalhar é uma degradação.

Estudos de enfermagem aos 22-23 anos. Diploma obtido em 1930.

Aos 24 anos, inicia os estudos de medicina, ao mesmo tempo que o irmão, Philippe.

Início de uma psicanálise com Laforgue, que já tinha em análise seu irmão Philippe, em parte para se livrar de uma culpa.

1935 Conhece S. Morgenstern no Hospital das Crianças Enfermas.
Por ocasião da substituição de um médico num hospital psiquiátrico, confirmação do trabalho de prevenção que é preciso fazer com as crianças.

1936 Françoise deixa a casa familiar em decorrência dos conflitos com a mãe.

1937 Fim da análise com Laforgue em 12 de março.

1938 Pichon a contrata no hospital Bretonneau.

1939 Françoise Marette defende sua tese, *Psicanálise e pediatria*. Deseja ser pediatra, mas Laforgue a instiga a ser psicanalista.
Seminários no Instituto e supervisões com Hartmann, Garma, Loewenstein e Spitz.
Torna-se titular da Sociedade Psicanalítica de Paris.

1940 Trabalha no hospital Trousseau (até 1978).

---

* Exame final do curso secundário na França. (N.T.)

1941	Françoise Marette conhece Boris Dolto. Casamento em 1942.
1946	Trabalha durante algum tempo no primeiro CMPP "Claude Bernard".
1949	Texto "Tratamento psicanalítico com a ajuda da boneca-flor", *RFP*, vol. XIII, nº 1.
1953	Conflitos no seio da Sociedade Psicanalítica de Paris. Demissão de D. Lagache, J. Favez-Boutonnier, F. Dolto, Lacan. Criação da Sociedade Francesa de Psicanálise, não reconhecida pela IPA, em junho.
1953	Roma. Relatório de Lacan, "Função e campo da fala e da linguagem em psicanálise". Dolto e Lacan trocam um abraço, apesar de algumas divergências.
1960	Publicação de um artigo importante, "A libido genital e seu destino feminino".
1962	F. Dolto trabalha no Centro Etienne-Marcel até o começo dos anos oitenta.
1963-64	A Sociedade Francesa de Psicanálise deixa de ser reconhecida pela IPA, que visa principalmente atingir Lacan e, em menor grau, F. Dolto. Cisão da Sociedade. Lacan funda a Escola Freudiana de Paris, à qual F. Dolto adere. Importante impulso dessa Escola nos anos seguintes.
1971	Publicação do *Caso Dominique*.
1976	"Doutor X", "SOS Psicanalista" e Fleurus (programas de rádio de 1969). Começo de "Quando surge a criança" na [rádio] France-Inter.
1978	F. Dolto interrompe sua atividade de psicanalista.
1979	Criação da Casa Verde.
1980	Em 5 de janeiro, Lacan pede a dissolução da EFP. F. Dolto se opõe. A dissolução é aprovada em 27 de setembro de 1980.
1981	Publicação de *A dificuldade de viver* e *No jogo do desejo*. Morte de Boris Dolto em julho. Morte de Lacan em 9 de setembro.
1982	Publicação do *Seminário de psicanálise de crianças*.
1984	Publicação de *A imagem inconsciente do corpo*. Durante seus últimos anos de vida, F. Dolto dedica-se à publicação de várias obras. A partir de 1978, já não recebe pacientes adultos em análise, mas continua a dar consultas a crianças muito pequenas na rua Cujas.

1988 Em 25 de agosto, aos 79 anos, F. Dolto morre em conseqüência de uma afecção pulmonar.

Seleção bibliográfica

DOLTO, F.

Prefácio a M. Mannoni, *A primeira entrevista em psicanálise*, Rio de Janeiro, Campus, 1982.

Psicanálise e pediatria, Rio de Janeiro, Zahar, 1980.

O caso Dominique, Rio de Janeiro, Zahar, 1981.

La difficulté de vivre, Paris, Interéditions, 1981; Livre de poche, 1988.

No jogo do desejo, Rio de Janeiro, Zahar, 1984.

Seminário de psicanálise de crianças, Rio de Janeiro, Zahar, 1985.

Sexualidade feminina, São Paulo, Martins Fontes, 2ª ed., 1989.

A imagem inconsciente do corpo, São Paulo, Perspectiva, 1992.

Séminaire de psychanalyse d'enfants, 2, Paris, Seuil, 1985.

Tout est langage, Paris, Vertiges-Carrère, 1987.

Dialogues québecois, Paris, Seuil, 1987.

Auto-retrato de uma psicanalista, Rio de Janeiro, Zahar, 1990.

*

DOLTO, F. e J.-D. NASIO, *L'Enfant du miroir*, Paris, Rivages, 1987, e Petite Bibliothèque Payot, 1992.

*

AUBRY, J., S. BARUK, M. CIFALI, C. HALMOS, M. MONTRELAY, F. PERALDI, A. e J.-J. RASSIAL, E. ROUDINESCO, J.-F. de SAUVERZAC e D. VASSE, *Quelques pas sur le chemin de Françoise Dolto*, Paris, Seuil, 1988.

LE COQ-HÉRON, n° 111-112, "Françoise Dolto vue et lue par ses collègues et amis", 1989.

LEDOUX, M.-H., *Introdução à obra de Françoise Dolto*, Rio de Janeiro, Zahar, 1991.

SAUVERZAC, J.-F. de, *Françoise Dolto, itinéraire d'une psychanalyste*, Paris, Aubier, 1993.

Um testemunho sobre a clínica de Françoise DOLTO

J.-D. Nasio

Tive o privilégio de assistir e de participar do Ambulatório da Sra. Dolto, situado numa salinha da rua Cujas, em Paris, onde ela recebia crianças muito pequenas com dificuldades psíquicas.* Depois de manter por trinta anos seu Ambulatório geral no Hospital Trousseau, Françoise Dolto fizera questão, em 1985, de retomar esse trabalho clínico, só que, desta vez, dedicado apenas às crianças de uma creche. A creche era um estabelecimento público de permanência temporária, onde moravam crianças que sofriam de sérias dificuldades familiares ou sociais. Essas crianças ainda eram pequenas, de idade variável, entre alguns meses e quatro anos; tinham sido separadas de suas famílias de origem e eram portadoras de um passado doloroso, ou até trágico. Iam ao Ambulatório da rua Cujas por causa de distúrbios psíquicos, muitas vezes graves, e eram acompanhadas por uma auxiliar de puericultura, que ficava presente durante a sessão quando a criança o solicitava. Os pequenos pacientes eram acompanhados por F. Dolto duas vezes por mês. Os tratamentos, habitualmente bem curtos, às vezes se prolongavam por um ou dois anos, conforme a duração da estada da criança na creche. Quando a criança, à espera de uma família adotiva, era finalmente instalada, a continuação do tratamento passava a depender da decisão dos novos pais de prosseguir ou não a terapia.

Mas a idéia inédita de Françoise Dolto, que tornava seu Ambulatório

---

* Esta é a versão corrigida de uma intervenção realizada em homenagem a Françoise Dolto. Fiz questão de manter a forma falada, que me parece a mais adaptada ao tom de um testemunho.

tão peculiar, foi introduzir no próprio seio dos tratamentos a participação ativa — como co-terapeutas — de um grupo de psicanalistas desejosos de se aperfeiçoar em sua profissão. Na profissão de "psicanalistas", e não, como alguns poderiam pensar, de "psicanalistas de crianças". Na verdade, para a Sra. Dolto, não existia psicanálise de crianças. O que existia, ao contrário, era o psicanalista que praticava a análise *com* crianças. A psicanálise, tal como definida por Freud, é a experiência do inconsciente de um sujeito, independentemente de sua idade.

O Ambulatório da rua Cujas chamava-se *Seminário*, ou, mais exatamente, *Seminário prático de psicanálise dos distúrbios relacionais precoces*. Nesse longo título estão contidas as três funções, as três metas desse trabalho. O termo "seminário" indica a meta formadora, no tocante aos analistas presentes. Na expressão "psicanálise dos distúrbios relacionais" afirma-se a meta terapêutica, dirigida a crianças que sofriam de distúrbios provocados por um vínculo humano adoecido. Lembremos que, na teoria de F. Dolto, esse vínculo patológico e inconsciente entre a criança e o outro é conceituado com o nome de *imagem inconsciente do corpo*; uma das modalidades dessa imagem é, de fato, a relação da criança com seu círculo. E, por fim, o adjetivo "precoces" resume a terceira meta, preventiva e social, concretizada por uma ação terapêutica que intervém muito cedo na vida do sujeito.

*

Mas, antes de abordar com precisão o trabalho clínico de Françoise Dolto, sua maneira de escutar a criança, eu gostaria de levá-los a descobrirem a salinha da rua Cujas (*Figura 1*).

Ali encontrávamos uma mesa cercada por três cadeiras: a da Sra. Dolto, a da criança e, mais ao lado, a que era reservada à auxiliar de puericultura, quando ela permanecia presente na sessão. Alguns metros à direita da mesa, em semicírculo, instalavam-se os psicanalistas-ouvintes, dispostos de maneira a que nenhuma de suas cadeiras ficasse colocada atrás da criança.

Esse núcleo de analistas não constituía, como se poderia imaginar, um grupo de observadores que recebessem passivamente o ensino de uma prática. Éramos, ao contrário, participantes ativos, na maioria das vezes, em nossa implicação viva e transferencial no tocante ao tratamento, e em íntimo acordo com a dinâmica própria da sessão. Éramos ativos também quando a criança se dirigia diretamente a um de nós ou à totalidade do grupo. No

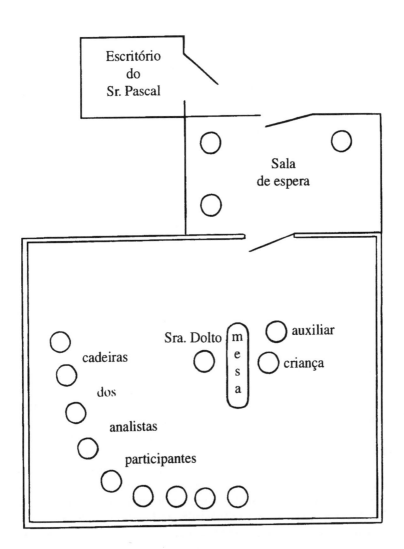

Figura 1

**Planta do consultório
da rua Cujas.**

momento de entrar e sair, o pequeno paciente cumprimentava todo mundo e nós lhe respondíamos. Também nos sucedia, a pedido de Françoise Dolto, cantar em coro alguma cantiga, como "Au clair de la lune". Às vezes, eram só os homens que tinham que cantar; noutras, todas as vozes se mesclavam em uníssono. Também acontecia uma criança aproximar-se de um de nós e a Sra. Dolto incentivá-la a se comunicar conosco através de um objeto, ou a falar conosco. Nosso grupo de adultos representava para a criança um novo espaço social, que era parte integrante da sessão. Digo "um novo espaço social" porque não representávamos nem a creche, nem a família de origem, nem a família adotiva, mas uma imagem completamente diferente do corpo social, realmente original na vida da criança.

A disposição do Ambulatório também incluía a sala de espera, com suas duas cadeiras de criança e sua arca de brinquedos, que continha bonecas e bichos de pelúcia.

Mais além da sala de espera ficava o escritório do Sr. Pascal, encarregado da recepção das crianças e seus acompanhantes; ele ia nos avisando à medida que chegavam os pequenos pacientes, que se sucediam a cada meia hora. As sessões eram separadas por uma pausa, durante a qual trocávamos impressões com Françoise Dolto sobre o diálogo analítico que acabara de ocorrer.

Eu tinha o hábito de me sentar na primeira cadeira, situada exatamente na altura da mesa. Isso me oferecia um ângulo de visão tal que a mesa se tornava, a meus olhos, o terreno em que se desenrolava a estranha partida de uma sessão analítica, o lugar onde se decidia a relação do psicanalista com a criança. Nessa mesa ficavam colocados diferentes objetos, que faço questão de detalhar. Ali se achavam uma caixa contendo massa de modelar, folhas de papel, um estojo de flanelas grossas, uma velha lata de biscoitos cheia de brinquedinhos variados (um soldado, um pato, um barquinho etc.) e, em particular, uma régua de madeira, tesouras pequenas, um molho de chaves de verdade, uma correntinha, duas faquinhas — uma de manteiga, para a modelagem, e outra mais afiada —, um espelho pequeno, um apito e vários lápis de cor com a ponta sempre quebrada, que Françoise Dolto muitas vezes apontava, com um canivete que tirava da bolsa. Através desse gesto de apontar o lápis, ela indicava à criança que cada um devia cuidar da tarefa que lhe cabia. Assim, incitava-a a se dedicar a seu próprio desenho ou modelagem. Lembro-me, por exemplo, de uma pequena paciente, Laetitia, que sofria do que se chama "pseudodebilidade", ou seja, continuava bancando o bebê, embora já estivesse com cinco anos. Ela solicitava incessantemente a atenção da Sra. Dolto e lhe pedia que comentasse seus desenhos. Então, Françoise Dolto pegava os lápis de ponta quebrada e começava a apontá-los. Quando Laetitia se tornava insistente demais, ela retrucava: "Escute, faça o seu desenho! Cada um faz o que tem que fazer; eu aponto, e você desenha seu sonho!"

*

Eu disse ter tido o privilégio de assistir a esse Ambulatório, pois foi mesmo um raro privilégio ter podido apreender de maneira tão imediata o modo de trabalhar de um psicanalista. Éramos — os analistas-participantes — instantaneamente convocados para o cerne da escuta analítica e dos efeitos dessa escuta, na criança e em nós mesmos. Por várias vezes, observando Françoise Dolto em ação, fiquei impressionado ao vê-la agir em contato direto com o inconsciente, ou melhor, devo dizer, em contato direto com essa instância psíquica que ela freqüentemente teorizava com o nome de imagem inconsciente do corpo.

Se nosso grupo estava tão implicado nos tratamentos, é porque éramos não apenas testemunhas do ato analítico, porém, mais ainda, uma das condições de realização desse ato, ou da rapidez com que podia surgir o retorno do recalcado e se mobilizarem os sintomas da criança. A presença dos analistas dinamizava os elementos cristalizados da estrutura psíquica do paciente e, com isso, favorecia a conclusão rápida dos tratamentos. Digo "ato analítico" porque o Ambulatório não era uma apresentação de pacientes, mas o lugar onde se praticavam tratamentos rigorosamente analíticos, mais breves ainda do que os conduzidos no consultório particular. E isso, insisto, graças à influência dessa presença terceira dos analistas-participantes, presença que rompia a dualidade erotizante e imaginária do vínculo criança-psicanalista. Muitas vezes, achei que essa presença terceira dos analistas tinha um peso decisivo no estilo de intervenção de F. Dolto. Eu diria até que toda a sua técnica e sua abordagem, tão particulares, foram moldadas por trinta anos de prática exercida às claras, trinta anos de prática na presença de um Outro analítico, investido por ela da autoridade de um garante de seu trabalho. Essa instância terceira — simbolicamente incluída em qualquer análise — encarnava-se, no quadro do Ambulatório, num lugar vivo, que permitia a Françoise Dolto, quando ela não compreendia o que estava acontecendo durante uma sessão, questionar-se abertamente e nos questionar diante da criança. Lembro-me do caso de Aícha, uma menina gravemente psicótica, acompanhada pela Sra. Dolto durante dois anos consecutivos. Em todas as sessões, Aícha, inconsolável, chorava ininterruptamente: chegava chorando, chorava ao longo de toda a sessão e sempre ia embora chorando. Antes mesmo que chegasse, já a ouvíamos gritando seu sofrimento pela rua, e dizíamos uns aos outros: "Olhe, está na hora da Aícha!" Durante a sessão, deitada no chão, Aícha gritava, chorava e martelava a cabeça no chão. Era, sem dúvida, a paciente mais difícil de acompanhar e de suportar. O caráter penoso dessas sessões era tamanho que dois dos analistas-participantes preferiram sair definitivamente do Ambulatório. Por isso, numa sessão em que Aícha berrava e se lamentava com o rosto no chão, Françoise Dolto, resignada, confessou-lhe: "Não sei mais o que te dizer para te ajudar..."; e, logo em seguida, virou-se para nós, olhou-nos, fez um gesto de quem se desculpava por não saber o que dizer à menina, e nos pediu, a nós, que lhe disséssemos a palavra que pudesse fazer cessar o sofrimento. Vocês podem imaginar a que ponto éramos considerados por Dolto como verdadeiros interlocutores, testemunhas ativamente implicadas na realização do ato analítico.

* * *

É chegado o momento, agora, de abordar com vocês o ponto crucial da ação analítica de Françoise Dolto, sua maneira singular de escutar a criança e de se comunicar com ela. Farei isso a partir de minha própria percepção, indissociável da teoria e da prática que me movem, e certo de que falar disso não poderá expressar o ato inteiro. Na verdade, ninguém jamais conseguirá traduzir a natureza exata do ato do psicanalista.

Se, no palco analítico do Ambulatório, no momento em que a criança entrava na sala, circunscrevíamos o espaço psíquico da psicanalista Françoise Dolto, podemos distinguir dois fatores que atuavam no momento em que a terapeuta verdadeiramente escutava seu paciente. Por um lado, um pano de fundo que preparava sua escuta e a pressupunha. Esse pano de fundo era definido por sua longa experiência como clínica, por sua história pessoal e pelo universo conceitual que lhe servia de referência. O outro fator constituía a escuta propriamente dita, o modo particular que tinha Dolto de realizar o ato de escutar, ou seja, de fazer silêncio e fornecer uma interpretação.

Consideremos, primeiramente, o pano de fundo a partir do qual a analista se engajava na escuta. Ela era essencialmente movida por um desejo firme e poderoso: querer falar com os seres humanos. "O que eu procuro", dizia ela, "é falar com esse ser humano, seja ele quem for. Ele quer dizer alguma coisa, e eu quero falar com ele." Pois bem, quando F. Dolto falava, sua voz adquiria aquela entonação inimitável, a voz de Dolto. Uma voz que ressoa até hoje, com seu timbre cativante, e que tinha o poder singular de estimular o pensamento. Não apenas o nosso pensamento, mas sobretudo o próprio pensamento de Françoise Dolto. Uma voz que, voltando a seus ouvidos, tinha o poder de gerar novos pensamentos e, muitas vezes, de levar sua mente a refletir sob a forma de um diálogo que se enunciava em voz alta. Quando ela se dirigia a uma criança ou nos relatava casos clínicos, falava colocando espontaneamente em cena os diferentes personagens da história. Num movimento recíproco, a voz recriava o pensamento e, inversamente, o pensamento se sonorizava, fazia-se voz.

Duas outras idéias mestras preparavam a escuta de Françoise Dolto. Primeiro, a convicção segura de que uma psicanálise de crianças não era uma psicoterapia infantil. Sem jamais antagonizá-las como práticas rivais, mas considerando-as complementares — já que uma psicanálise pode muito bem seguir-se a uma psicoterapia —, F. Dolto especificava com freqüência, de maneira decisiva, o que era a análise de criança. Eis uma de suas afirmações, dentre outras: "(...) Se a análise de crianças tem algum sentido, é unicamente por dizer respeito à análise do recalcado, isto é, às idades que precedem a vida atual da criança, e não, em absoluto, aos acontecimentos de sua vida presente. Se fizermos interpretações referidas às relações atuais da criança, não estaremos fazendo análise, e sim psicoterapia de apoio. Se é psicanálise, é porque tudo o que há de atual entre a criança e as pessoas de sua vida presente não nos diz respeito. Essa é a castração do analista"[1].

A outra convicção, sempre atuante em sua escuta de analista, levava Dolto a considerar os sintomas como a expressão adoecida de uma emoção inconsciente, outrora experimentada pela criança. Uma emoção que, ao surgir pela primeira vez, não pudera ser nomeada. Assim, o psicanalista era convocado a desempenhar o papel de um eu auxiliar que, na cena da análise, enunciava, no momento oportuno, o nome até então faltante de uma emoção perdida.

No pano de fundo do espaço psíquico da analista Françoise Dolto, portanto, conjugavam-se o desejo poderoso de falar com os seres humanos, o princípio de que psicoterapia não é psicanálise e, por fim, a certeza de que um sintoma revela a errância de uma emoção sem nome.

Passemos agora ao outro componente do trabalho de escuta — o brotamento, no psicanalista, de uma fala interpretativa. Eu gostaria de propor-lhes um artifício de exposição, destinado a lhes transmitir como percebi — "visualmente", eu diria — e formalizei, da maneira mais próxima possível, a gestação desse ato analítico que é a interpretação.

Imaginemos que Françoise Dolto, sentada diante de seu pequeno paciente, tentava *lançar uma ponte para atingir o inconsciente da criança*. A partir dessa meta, sua escuta se desenrolava em quatro tempos. Num primeiro tempo, ela se apoiava nos sinais observados no comportamento gestual do paciente, na menor expressão do rosto, em sua atitude lúdica, seus desenhos, nas palavras ou sons que ele emitia, ou ainda, nos dados da história familiar do sujeito, colhidos nas primeiras entrevistas.

Num segundo tempo, e partindo desses indicadores, muitas vezes lhe sucedia não compreender, ficar perplexa e entrar numa fase de *tateamento*, que preparava a ocorrência provável da interpretação. Súbito, num dado momento, F. Dolto parecia *isolar-se mentalmente* e fazer o que chamo "o silêncio em si", ou seja, subtrair-se dos ecos de seu próprio eu. Nesse estado de extrema abertura, infinitamente desperta, ela percebia então uma outra criança, muito diferente daquela que estava sentada a sua frente. Essa outra criança era uma *criança inconsciente*, com a aparência de um bebê infeliz, prematuro, com o choro sufocado, que em vão procurava dizer, que sofria e esperava. Se ampliarmos o campo da cena, aparecerão outros personagens, que, à maneira de uma roda fantasística, giravam em torno da criança inconsciente. Esta nunca está sozinha, portanto, mas sempre integrada numa cena e engajada numa relação intersubjetiva. Essa percepção, efetuada pelo analista, não é outra coisa senão a percepção da imagem inconsciente do corpo do pequeno paciente. Digamos com clareza: o analista não percebe uma imagem inconsciente do corpo já dada, que a criança traga em si; não, o analista a cria no exato momento em que a percebe e lhe dá vida, como síntese viva e atual da relação transferencial.

Consideremos agora o terceiro tempo. Sempre mantendo o contato e a fala com seu paciente e, além disso, com a ajuda dos analistas-participantes, F. Dolto *identificava-se em silêncio com a criança inconsciente*. Fazia seus o sofrimento e a expectativa dessa criança, sem no entanto deixar-se afetar por nenhum sentimento de compaixão. Identificar-se com a dor do outro não significa, em absoluto, sentir pena ou piedade.

Note-se que, ao mesmo tempo que realizava o processo silencioso de identificação com a criança inconsciente, Françoise Dolto também podia assumir o papel de cada personagem da constelação fantasística. E tudo isso sem jamais perder o contato com a criança da sessão e com os analistas presentes.

O quarto e último tempo era o da *irrupção da interpretação*. Esse é o tempo em que o psicanalista efetivamente consuma o ato analítico; ele enuncia em voz alta, no presente do tratamento, a palavra esperada que a criança inconsciente precisaria dizer ou ouvir. Concebemos a interpretação de F. Dolto, e, em termos mais gerais, toda interpretação analítica, como sendo a enunciação — dirigida ao ouvido da criança atualmente presente na sessão — das palavras, das frases ou dos sons que teriam saído da boca da criança inconsciente, se ela pudesse falar; ou como a enunciação das palavras, frases ou sons que teriam saído da boca de um dos personagens da roda fantasística, se esse personagem tivesse podido dizer o que foi silenciado no passado. Assumindo sua função de mensageira, F. Dolto transmitia à criança da sessão o significante que acabara de descobrir ao se identificar com a criança inconsciente. Ela transmitia a uma — a criança da sessão — aquilo que fora beber na outra — a criança inconsciente.

Através desse fracionamento artificial, procurei tornar-lhes visível o funcionamento da escuta de um psicanalista. Tentei situar ao máximo o ponto crucial do desejo da psicanalista Françoise Dolto, sem esquecer que, em sua verdade, ele permanecerá inelutavelmente inexplicado. É precisamente por permanecer inexplicado que esse desejo preserva, para mim, a força de um apelo que interroga o analista em constante devir que eu creio ser.

Vocês terão pressentido, através deste depoimento, o quanto os anos de trabalho com Françoise Dolto influenciaram minha prática e a teoria que a sustenta.

*

Desejo concluir sublinhando um traço, dentre muitos outros, que caracterizava a personalidade de Françoise Dolto. Vendo-a trabalhar, eu sempre tinha a impressão de perceber diversas pessoas ao mesmo tempo, cada uma falando um dialeto diferente:
- a *Dolto psicanalista*, que dizia e livrava a criança de seu sofrimento;
- a *Dolto criança*, quando se identificava em silêncio com seu pequeno paciente;
- a *Dolto mestra*, que ensinava;

• a *Dolto amiga*, que vibrava e sentia medo. Quantas vezes, no caminho que nos levava à rua Cujas, ela me surpreendeu no carro, confidenciando-me seu medo antes de começar uma nova manhã no Ambulatório! Um medo que, a despeito de uma vida de prática, repetia-se como se cada nova manhã estivesse marcada pela inocência da primeira vez!

Ocorreu-me dizer-lhe: "Você é uma poliglota maravilhosa, que não apenas fala vários dialetos, mas os fala todos ao mesmo tempo."

Introdução à obra de LACAN

G. Taillandier

I

O problema do estilo: loucura de Jacques Lacan

*

Que é a personalidade?

*

O milagre do estádio do espelho

*

A alienação no desejo do outro

*

Sair da alienação: a psicanálise

*

A dívida simbólica

*

O inconsciente de Freud é o discurso do Outro

II

O Grafo por elementos

* * *

Excertos da obra de Lacan
Biografia de Jacques-Marie Lacan
Seleção bibliográfica

I. O problema do estilo: loucura de Jacques Lacan*

Jacques Lacan nasceu em 1901. Seria preciso apenas vinte e cinco anos para que começassem a despontar no palco do mundo os efeitos desse nascimento, num primeiro ponto que podemos destacar num pequeno texto psiquiátrico[1], no qual podemos afirmar que o essencial do que Jacques Lacan teria a nos dizer já estava presente. Trata-se do problema do estilo; esse tema, J.-D. Nasio já o trabalhou no passado, porém, mesmo assim, tenciono dizer-lhes duas palavras a respeito.

O estilo, para Jacques Lacan, era uma síndrome de influência. Ele não escrevia por prazer, escrevia porque não podia fazer outra coisa, era inspirado; sofria uma influência que o obrigava a escrever e que fazia com que sua mão não pudesse parar de escrever, com que sua voz não pudesse parar de se fazer ouvir. "Ter estilo", nessas condições, era nada mais do que muito secundário à questão de *ser* a mão que escreve no lugar do que é ditado pela síndrome.

Desde logo, nesse texto, vemos aparecer o problema fundamental da trajetória lacaniana, a saber, que o estilo é um efeito automático, no sentido freudiano; é um automatismo de repetição, efeito de uma verdadeira loucura.

Considerar que o problema do estilo é efeito de uma loucura é a manifestação dessa mesma loucura — esse, ao que me parece, foi o contexto,

---

* Meus agradecimentos a J.-D. Nasio, M.-C. Thomas e A.-M. Arcangioli.

o horizonte em que se desdobrou o inferno pessoal de Jacques Lacan, a obrigação que ele tinha de produzir o que ficou sob seu nome.

*

Que é a personalidade?

Pouco mais tarde, surgiu um texto numa revista obscura[2], onde veio novamente à luz um complexo totalmente original, acompanhado de um interesse particularíssimo por uma estrutura singular, a paranóia; esse complexo pode ser traçado de mil maneiras. Vamos situá-lo da seguinte maneira: a colocação do problema do vínculo entre a paranóia como estrutura clínica e a loucura como fato humano geral, tudo isso ligado por uma relação, à primeira vista, contingente ao fato de se estar lidando com duas irmãs, as irmãs Papin, ou seja, também com duas mulheres. É como se devêssemos achar que ser mulher, para Lacan, era ser louca, como se a relação dual que nos revelava a paranóia delas, sua loucura a dois, já fosse um ensino concernente à posição que podemos dar à mulher no raciocínio de Lacan.

Depois, Jacques Lacan produziu uma tese, intitulada "O caso Aimée"[3] — mais uma vez, uma mulher paranóica; e aí as coisas se esclareceram. O que interessava a Jacques Lacan era a ligação entre paranóia e estrutura da *personalidade*. A paranóia, considerada como forma exemplar da loucura, deveria ensinar-nos sobre a personalidade humana. A palavra *personalidade*, aliás, seria tomada num sentido com ambigüidades de que outros tirariam proveito[4]. A personalidade é uma máscara que repousa no vazio, e aí está o fundo da experiência paranóica que Jacques Lacan se empenhou em destacar. A experiência paranóica, que outros nos ensinaram a situar em termos de projeção, é, acima de tudo, a de um *desconhecimento*. Um desconhecimento radical de todas as coisas, em particular de um si mesmo — e também do outro. O paranóico não quer saber nada do que constitui sua própria posição subjetiva.

Aí está, para Jacques Lacan, no que consiste a personalidade: *ela é uma função de ignorância*. A saudação com isso feita por Lacan à noção de "paranóia crítica", retirada de seu amigo Salvador Dali, não muda em nada o fato de que a personalidade humana, que Lacan destacou como algo que seria uma estrutura original do ser humano, não passa de uma espécie de odre, de bolha em expansão, que não tem outro mérito senão o de se identificar com o contorno que encerra um vazio central, o vazio que o paranóico ignora essencialmente — no que a paranóia seria reveladora dessa estrutura radical no ser humano. A personalidade, portanto, não é um atributo de uma substância humana, mas a própria substância humana. O ser humano, mais do que ter uma personalidade, *é* uma personalidade. Nessa medida, o ser humano é louco, mas não no sentido clínico da psicose. Entretanto, foi realmente a paranóia, no sentido clínico, que nos revelou essa loucura radical que fornece a estrutura do ser. O ser humano é louco por só poder ignorar aquilo que constituiria sua substância, e isso, sob a estranha forma de uma personalidade megalomaníaca e delirante. Aí está a revelação que me parece encontrar-se no cerne do problema colocado, com Lacan, pela paranóia: a revelação sintomática de uma experiência humana da loucura, de uma loucura consubstancial à própria natureza humana.

Essa experiência — para usar um termo lacaniano — é uma experiência *primordial*. Não é arcaica, nem ultrapassada, nem reabsorvida, nem reabsorvível; é a revelação de um núcleo de loucura que não pode ser ultrapassado nem deslocado. Foi com isso que se ocupou Jacques Lacan, e ficou em suas mãos a questão de saber como elaborar essa experiência primordial.

*

O milagre do estádio do espelho

Depois da experiência primordial, Jacques Lacan desvendou um objeto muito conhecido: o *estádio do espelho*. Como é curioso descobrir o estádio do espelho depois da experiência primordial da personalidade humana como experiência da loucura! Não nos caberia supor que essa descoberta do "estádio do espelho"[5] foi como que uma decorrência da experiência de que acabamos de falar?

Salvo um levantamento histórico mais preciso, a descoberta do estádio do espelho foi sensivelmente contemporânea à decisão de Jacques Lacan de fazer uma análise. Essa decisão teria sido tomada quando, havendo desejado acima de tudo herdar o posto de G. G. de Clérambault e tendo sido rechaçado, Jacques Lacan teria resolvido acabar na psicanálise, ante a experiência do fracasso em tomar o lugar de seu mestre, o único que ele nomeou como tal.

Abramos um parêntese explicativo, que rompe um pouco com o curso de minha exposição. O estádio do espelho[6], não é inconveniente dizer umas duas palavras sobre ele e esclarecer que Jacques Lacan não foi seu inventor, ao contrário de uma idéia difundida. Ele teria sido inventado por Henri Wallon; é neste que encontramos a expressão "estádio do espelho". Mesmo assim, seria uma questão de saber se Jacques Lacan se contentou em retomar uma invenção de Henri Wallon, ou se ele nos diz alguma outra coisa. Creio poder esclarecer que, em Wallon, que era partidário de uma concepção genética do desenvolvimento do psiquismo, esse estádio designa um simples momento crítico, revelador, no sujeito humano, da travessia da constituição do outro como outro e, por conseguinte, da diferenciação entre o eu e o outro. Essa perspectiva não dá ao estádio do espelho outro alcance senão o de ser um simples sinal de um momento do desenvolvimento da criança.

Convém sublinhar a novidade radical da contribuição de Jacques Lacan nesse ponto, que consiste, no plano teórico, em que ele nunca foi geneticista, e, por conseguinte, esse estádio deve ter nele um alcance diferente do de ser um momento crítico do desenvolvimento. Qual é ele?

Para destacá-lo, o melhor é construir esse estádio do espelho com os termos dele. Precisamos construir um *mito*, o que não é pior do que construir um desenvolvimento. Um mito é uma coisa tão real quanto o desenvolvimento da criança. Esse mito apóia-se na idéia de que o ser humano é um ser prematuro no nascimento; sendo prematuro — e deixo bem claro que isso é um mito, cujo substrato biológico não estou preocupado em descobrir, é um mito que tem a mesma importância de reconhecer que Eros é filho de Pênia e Poros, filho da miséria e do recurso... —, pois bem, o ser humano está na miséria, e seu ser é atingido por uma incoordenação motora constitutiva.

Nessas condições, como é que eu vou, como criança, encontrar uma solução para esse marasmo? A idéia é que só conseguirei encontrar uma solução para o tal estado de desamparo por intermédio de uma *precipitação* — termo eminentemente lacaniano — pela qual *antecipo* o amadurecimento de meu próprio corpo, graças ao fato de que me atiro na imagem do outro que encontro como que por milagre diante de mim. Essa precipitação na imagem do outro, é esse o meu recurso, é esse o meu *Poros*, para conseguir sair de minha prematuração neonatal. Daí resulta um certo número de desdobramentos desse estado, a saber, já que o fantoche que tenho diante de mim é aquilo que pode dar coesão a minha incoordenação, decorre daí que esse outro, que de modo algum é constituído por mim, mas sim revelado nesse movimento de precipitação, nesse outro, estou radicalmente alienado.

A alienação no desejo do outro

Estou alienado no sentido de que não tenho unificação — se é que esse termo tem valor em Lacan, mais do que a título ilustrativo — de meu estado incoordenado, a não ser ao preço de ficar alienado naquilo em que consigo me constituir. Não é que eu constitua o outro a partir de mim. Muito pelo contrário, é que, se existe um eu, ele é resultado do efeito que esse outro tem em mim, ao preço de essa imagem de mim, constituída no outro e pelo outro, ficar primordialmente alienada nele.

Nessas condições, o eu nunca é senão a imagem do outro, e é assim que o mundo funciona.

Que resulta disso para o que eu quero, se é que, como ser incoordenado, aquém de minha imagem, tenho quereres — e estou realmente me preservando de decidir se são desejos, demandas ou qualquer coisa do gênero, pois não entendo nada disso? Pois bem, essa imagem do outro os rouba de mim; não só estou alienado nele, como o outro me rouba o que poderia assemelhar-se a uma identificação, rouba-me a tal ponto que, até daquilo que quero, não sei coisa alguma. Constitutivamente, é no outro e pelo outro que aquilo que quero me é revelado, é pela invasão que o outro comete, em resposta a esse movimento constitutivo do meu ser, que tenho uma revelação daquilo que posso querer.

Meu desejo é, *literalmente, o desejo do outro*; passo, no que concerne aos caminhos daquilo que quero, pelos movimentos da marionete do outro, pelos caminhos de seu desejo. Não sei nada de meu desejo, a não ser o que o outro me revela, já que estou obrigado a segui-lo à risca. De modo que o objeto de meu desejo é o objeto do desejo do outro, *meu* desejo não tem nem mesmo a sombra de um sentido; o objeto do desejo é o objeto do desejo do outro, o que os movimentos do olhar ou da voz do outro me indicaram como tendo estatuto de objeto, jogado como alimento diante de mim.

Encontramo-nos diante da historieta tantas vezes contada por Lacan, que também nos é contada por Sto. Agostinho, do menino que ele viu — irmão mais velho olhando para o caçula que mamava no seio, diante daquele estado de gozo que ele atribuía ao bebê — empalidecendo. Essa experiência nos é reveladora do fato de que, para esse irmão mais velho, o outro, o irmãozinho, são seus movimentos, que lhe dão a indicação constitutiva daquilo que ele, aquém, pode desejar: e ele empalidece de inveja.

Assim, e secundariamente, o objeto causa do desejo é constituído como outro, pelo fato de ser o objeto do desejo do outro. Nessas condições, uma definição correlata do desejo nos é dada: *o desejo é, acima de tudo, uma seqüela dessa constituição do eu no outro*.

É essa a experiência fundamental do rapto que o outro introduz no que chamarei de *sujeito*, e que define a alienação constitutiva do ser. O que vem ao encontro do sujeito no espelho não é o outro, mas o rapto que esse outro opera nele.

*

Sair da alienação: a psicanálise

O que equivale a lhes dizer que essa experiência da alienação constitutiva do ser humano no outro não tem, com a psicanálise de Freud, nem sombra de relação.

O problema que se colocou para Jacques Lacan, nessas condições, qual foi? Foi sair dessa experiência inaugural da alienação. Para sair dela, era preciso entrar; era preciso entrar[7] na psicanálise. O problema, no ponto em que ele estava no que lhes apresentei, era: como é que se há de fazer para inserir essa experiência primordial no campo psicanalítico? Era preciso dar-lhe a cobertura da psicanálise, sem o quê grandes perigos me pareceriam ameaçar Lacan, ou melhor, as conseqüências dessa experiência primordial.

Assim se colocou o problema para Lacan quando, tendo posto os pés na psicanálise, ele se deu conta de que convinha sair disso tudo. Que é que lhe permitiria desbloquear essa situação incômoda? Quanto a isso, parece-me que o silêncio guardado por Lacan nos anos quarenta não foi fortuito, e a guerra não é uma explicação suficiente. Penso que Lacan ficou atrapalhado com sua problemática e que lhe faltaram meios de saber como sair dela; esse silêncio me parece ter sido um tempo necessário para encontrar uma saída para as aporias da alienação.

Para sair dessa, Jacques Lacan teria que elaborar muitas novas artimanhas. Eu poderia, a partir daí, dizer-lhes que, graças ao simbólico, ao imaginário e ao real, encontraríamos uma saída feliz para nossas dificuldades. Na realidade, não creio que as coisas tenham sido assim.

A primeira artimanha de Jacques Lacan para se safar foi um *método de distinção dos planos*. Na confusão que é a experiência psicanalítica — estou falando da experiência vivida por todo o mundo; tratem de ler "O pequeno Hans"[8] e vejam o que é uma confusão digna desse nome, um texto em que é impossível, há que se admitir, que alguém descubra seus filhos, e menos ainda seus pais —, como entender alguma coisa daquelas histórias de girafas pequenas, grandes, amassadas, não amassadas, de calças pretas, amarelas, sei lá mais o quê, e o pequeno Hans no meio disso tudo? Jacques Lacan distinguiria *planos* nessa confusão. Se vocês estão pensando que eles foram o imaginário, o simbólico e o real, isso é meio precipitado. Se o simbólico, o imaginário e o real foram realmente os resultados secundários desse método, o método primou sobre esse resultado; devemos ater-nos à maneira como Jacques Lacan procedeu antes de nos prendermos ao resultado, sem o que tomaremos a árvore pela floresta que ela nos oculta.

Outra artimanha: Jacques Lacan inaugurou, tornou original no trabalho psicanalítico, um novo procedimento, um fio condutor de seu trabalho, uma reflexão sobre a *estrutura da ação analítica no que ela concerne ao analista*. Há várias coisas aí: não só essa reflexão concerne à ação psicanalítica, o que certamente foi uma grande contribuição de Jacques Lacan — não esqueçam a série de seminários que teriam como títulos "*O ato psicanalítico*", "*O objeto da psicanálise*", "*Problemas cruciais para a psicanálise*" —, como há uma série de seminários cuja função foi tentar saber em que consiste a ação psicanalítica quando se assume o compromisso de ser analista.

Jacques Lacan não se preocupou com a transferência, em saber como o analisando vivia sua historinha. O que lhe interessava era a psicanálise didática, isto é, saber como a psicanálise ensinava alguma coisa a alguém. Ele tomou desde logo o ponto de vista do analista, pois a psicanálise didática é problema do analista. Uma reflexão sobre a estrutura do analista — e eu disse realmente estrutura, porque o analista não é um ser humano, é uma função endossada. Nessa medida, convém elucidar essa função extraordinária e nova que é o lugar do psicanalista[9].

*

Em terceiro lugar, essa reflexão enveredou por outra corrente inédita na história. Entendamo-nos: houve precursores. Essa coisa inédita foi uma reflexão sobre a estrutura das *funções do pai* e sua intervenção no psiquismo humano.

Em Freud, é claro, o pai é onipresente. Embora nos digam que a mãe é que o seria no complexo do Édipo, é o pai, na verdade, que está em primeiro plano.

Parece-me que o esforço maior de Lacan, nesse ponto, consistiu em levar essas funções a um questionamento. Em que consistia ser pai, ter a função dele.

*

A dívida simbólica

Quanto à dificuldade interna em que Jacques Lacan correu o risco de se encerrar, com o problema da alienação na imagem do outro, o que batizei de "seminários negativos" de Jacques Lacan parece-me importante. Ocorre que o seminário de Jacques Lacan começou a partir de 1953. Cada um desses seminários tem um número: um, dois, três etc. O chato é que há outros dois, e que eles não fazem parte da lista de seu ensino. Então, batizei-os de 'menos um' e 'menos dois'.

Eles datam de 1951-52 e 1952-53. Esses seminários parecem-me ser negativos por outra razão, qual seja, não há traço deles, a não ser alguns vestígios, e também por eles estarem, justamente, fora do campo dos conceitos do simbólico, do imaginário e do real. Esses seminários constitutivos do ensino de Lacan nos propõem o seguinte:
• Em primeiro lugar, uma nova concepção da *transferência*. Particularmente a propósito de Dora, Jacques Lacan, em vez de investigar se a transferência era de amor ou de ódio, esforçou-se por pensar nela em termos de *mudanças de posição* do sujeito. A maneira como, de um modo interno ao próprio progresso da fala, o sujeito muda de posição, foi esse o novo método para conceber o fato da transferência. No sujeito humano se produzem substituições de posição que fazem com que, a partir do momento em que começa a falar, o sujeito já não é como antes.
• Segundo ponto. O ser humano é constituído, de saída, por uma *dívida*. Essa dívida, não foi ele que a contraiu, embora tenha que pagá-la. No entanto, foi nas gerações precedentes que ela foi contraída; o destino do ser humano é absorver as dívidas do Outro, substituir o Outro para pagar a dívida em questão. Aí encontramos, mais uma vez, o termo *substituição*, que já evoquei a propósito da transferência.

O "Homem dos Ratos"[10], na série de sintomas que constituía sua neurose obsessiva, tinha que pagar uma dívida, embora não a houvesse contraído, já que seus pais e, em particular, seu pai, é que a teriam feito. Um de seus aspectos possíveis, sugerido por nosso Homem dos Ratos, é que ele deveria pagá-la. O *pai* havia falhado em várias situações, em particular porque, em vez de levar adiante o amor que sentia por uma mulher pobre, preferira fazer um bom casamento com uma mulher menos pobre, a mãe do Homem dos Ratos, o que lhe permitira saldar suas outras dívidas. Em suma, tudo parecia provar que o erro, a falha do pai consistia em ele haver cedido quanto ao desejo que podia ser seu. Talvez o Homem dos Ratos, justamente, não cedesse.

O ponto importante que pusemos em evidência é o seguinte: o sujeito neurótico paga uma dívida que não contraiu, uma dívida contraída pelos outros, que o antecipa em sua história.

• Como terceiro ponto desses seminários, vemos surgir uma problemática radical sobre *a questão da loucura*.

Só que, agora, essa problemática seria batizada com um termo que encontramos em Freud, a foraclusão, a rejeição, a *Verwerfung*. Esses termos têm por função batizar nossa questão sobre a loucura, que persiste e que não foi resolvida, a saber: qual é a dimensão louca inerente ao funcionamento do ser humano? Fazemos de conta que estamos elaborando uma teoria da psicose, mas, na verdade, o que estamos procurando é uma teoria da loucura do ser humano. Pois bem, é graças a esse recém-nascido conceito de foraclusão que tentaremos abrir caminho.

*

O inconsciente de Freud é o discurso do Outro

Retomemos o que descobrimos sobre a dívida. Também batizaremos essa dívida com um termo que teria muito futuro (Lévi-Strauss, Jakobson): vamos batizá-la de "*simbólica*". Essa mudança de nome nos faz pender para um novo campo. Antes, em nosso primeiro percurso, *a alienação que eu realizava no outro me constituía*; aqui, parece que ocorre algo de novo, que se prenderia a que *ser louco é pagar as dívidas do Outro*.

Conseguimos inserir nosso problema inicial, essa história de alienação no outro, conseguimos, ao torná-la *simbólica*, ao torná-la um processo histórico constituído pelo e no Outro, inseri-la na linguagem; por conseguinte, pensamos poder encontrar uma saída para a repetição da dívida, e poder encontrá-la na *fala*.

A *fala*, eis aí a função que deverá permitir-nos encontrar uma saída para a *repetição da dívida*. Pronuncio aqui, deliberadamente, o termo freudiano "repetição". Vocês certamente devem compreender que a ligação a ser estabelecida entre repetição, no sentido do automatismo de repetição (pulsão de morte), e dívida simbólica ainda está por ser destacada.

Pela definição dessa dívida simbólica, encontramos o contexto que nos permite considerar elaboráveis as diversas dificuldades com que deparamos em nosso caminho: a experiência primordial da alienação no Outro.

- Raciocinemos. Primeiro, se o ser humano é tão estranho a si mesmo que só pode existir como o preço a ser pago por uma dívida em que ele não "tem quase nada a ver"; segundo, se a intuição inicial do *rapto* do ser na imagem do outro é verdadeira; então, na medida em que identificamos o campo da linguagem com a dívida, o estatuto desse ser humano é ser dividido nos efeitos da linguagem.
- O *sujeito*, desta vez batizado, é efeito da linguagem; é o efeito da dívida que ele reconhece.
- Se, por outro lado, essa preeminência de um Outro que ultrapassa a história pessoal do sujeito, se essa preeminência de um Outro radical e trans-histórico é verdadeira, é possível dar uma nova definição dos antigos conceitos e dizer que o inconsciente de Freud *é o discurso do Outro*. O inconsciente é o lugar que ocupo na dívida, na medida em que substituo um outro que a contraiu por mim.
- Por conseguinte, o *desejo*, que não ouso batizar de *meu* desejo, *é o desejo do Outro*. Não tenho outra coisa a fazer senão seguir os caminhos do desejo que o Outro me prescreveu.

Acabamos de introduzir um termo que continua pouco esclarecido, o termo *desejo*. Essa nova situação do desejo como *desejo do Outro*, na medida em que o inconsciente é o discurso do Outro, na medida em que o sujeito humano é efeito da linguagem, isto é, efeito de uma dívida constitutiva, o desejo, é essa a pedra angular da nova construção que nos servirá para progredir na compreensão do seminário de Jacques Lacan.

* * *

II. O Grafo por elementos

O chamado esquema do "Grafo" foi desenvolvido por Lacan no decorrer dos anos de 1958-59, nos Seminários 5 e 6, intitulados, respectivamente:

"*As formações do inconsciente*" e "*O desejo e sua interpretação*". *O Grafo reúne, como nenhum outro matema, a maioria dos principais conceitos da teoria lacaniana. Apresentá-lo aqui pareceu-nos uma das melhores vias de acesso ao essencial da obra de Jacques Lacan. Nossa contribuição*[11] *pretende ser um estudo rigoroso das lições que Lacan consagrou ao Grafo nos Seminários 5 e 6. Por isso, pedimos ao leitor que leia nosso texto paralelamente à leitura desses seminários.*

*

Quando queremos ler Lacan, é necessário reconstituir os elos faltantes no que ele escreve, se não quisermos deixar-nos levar pela parcela de dissimulação que sua escrita comporta. Essa escrita se pretende deliberadamente *apagadora* de seus rastros: assim, basta seguir esses rastros passo a passo para saber ler e evitar as ilusões. Porquanto, nessa prática da escrita, ele satisfaz sua própria definição do significante, que é nascer do apagamento do rastro. Não temos que ratificar esse apagamento.

Para interpretar o Grafo[12], a mesma regra é necessária: é preciso *decompor* o Grafo nos elementos que serviram para sua construção; assim, os mistérios da Trindade são desvendados.

Procedamos assim.

A princípio, o Grafo não tem nos escritos de Lacan nenhuma explicação adequada: todas são retroativas e dissimuladoras de sua verdadeira causa.

Quais são, pois, os elementos reais do Grafo? Diremos que ele partiu de dois pontos totalmente distintos e sem nenhuma relação com a construção do Grafo em si.

O primeiro foi uma reinterpretação do esquema lingüístico de Saussure. O segundo foi a teoria do só-depois, inicialmente apresentada em 1945 em *O tempo lógico*. Observe-se que esse texto não comporta *nenhuma* referência ao simbólico: ou seja, a noção de só-depois, em Lacan, foi anterior a sua teoria do símbolo, que data de 1950-51 (Lévi-Strauss). Por outro lado, convém notar que ela foi igualmente estranha à noção freudiana de *Nachträglichkeit*; será preciso mostrar que, embora Lacan tenha partido de Freud nesse ponto, a verdade é o inverso: foi por dispor de uma teoria do só-depois que Lacan soube ler, em Freud, esse conceito até então desconhecido. Mas as duas doutrinas não coincidem, sendo autônomas e não dedutíveis uma da outra. Restaria nos perguntarmos *de onde* veio a noção de só-depois em

Lacan: ainda não sei. Talvez, de uma interpretação de Descartes cuja origem não enxergo.

Quanto ao primeiro ponto, a leitura de Saussure, é a lição 1 do *Seminário 5* que nos ensina o movimento genético do pensamento de Lacan sobre o significante, ou melhor, sobre o Grafo.

Saussure propôs um esquema[13] da constituição da linguagem: os pensamentos formam uma massa amorfa, um fluxo; o mesmo acontece com os sons, um "reino flutuante".

E o problema, para Saussure, era saber *como* a linguagem intervém nesse reino de fluxo. Ele postulou que a criação do significante (e do significado, por conseguinte) residia no corte de elementos *distintos*, que, separando sons e pensamentos, engendravam o signo:

Daí, para Saussure, a estrutura do signo:

Muito longe, portanto, de o fluxo dos sons ser o dos S^e, é a *criação de cortes* que produz a ordem S^e. Note-se, aliás, que o esquema saussuriano coloca o S^e *abaixo* do S^o, e que Lacan inverteria esse esquema: primeira transformação, que implicou a tese da prevalência do S^e na determinação do S^o, tese *ausente* em Saussure[14].

Ora, notamos que, no *Seminário 5*, lição 1, Lacan interpreta o esquema de Saussure da seguinte maneira: o fluxo I seria o do S^e, e o outro, o do S^o. Vemos que há aí uma *primeira deformação* da tese de Saussure. Em Saussure, o S^e não é fluxo, mas nasce do corte. O mesmo acontece com o S^o.

Essa primeira deformação geraria outras. No lugar do problema saussureano da *relação* entre os dois fluxos, Lacan seria levado a colocar um *outro* relacionamento que não o dos cortes: o ponto de basta. Há várias teses subjacentes aí:

1. O S^e e o S^o formam duas "cadeias" ou fluxos.

2. Essas cadeias são paralelas. Estamos tocando num *problema de base* da teoria da linguagem: por que o S^e e os efeitos do S^e deveriam ser paralelos?

3. Há necessidade de um relacionamento das cadeias. Mas, de onde vem essa tese? E como conceber esse relacionamento?

4. O relacionamento, que em Saussure é o corte, torna-se, em Lacan, o *ponto de basta*. Veremos por quê. Na verdade, não há nenhuma dedução natural das teses 2 a 4. Simplesmente, vemos que o problema do ponto de basta veio substituir, em J. Lacan, a tese do corte em Saussure. Estamos lidando com duas versões de um problema clássico (tese 2). Mais profundamente, pressentimos que o problema do ponto de basta foi, em Lacan, a operação do Nome-do-Pai.

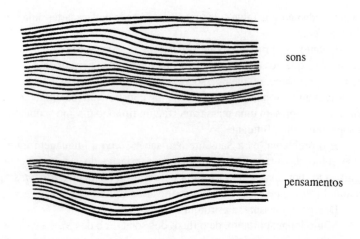

sons

pensamentos

Figura 1

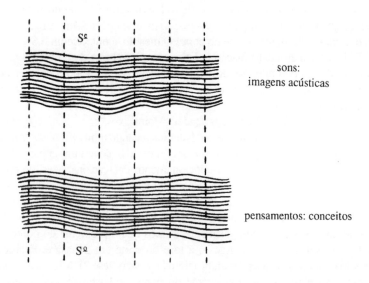

sons: imagens acústicas

pensamentos: conceitos

Figura 2

$$\frac{\text{conceitos}}{\text{imagem acústica}} \quad \text{signo} = \frac{S^{\underline{o}}}{S^{\underline{e}}}$$

(referente)

5. Mas resta explicar por que a ligação entre as cadeias tem que ser uma *retroação* (tese 4).

Para isso, é preciso introduzir aqui um elo a mais, nunca citado por Lacan; trata-se da teoria freudiana da *Entstellung* (deformação), *interpretada* por Lacan. A interpretação postula que a *Entstellung* de Freud é o deslizamento infinito do S^o sob os S^e. E, convém notar, não o inverso. O que levanta um problema não resolvido.

A inserção do elo freudiano, *interpretado*, distorceu inteiramente o raciocínio de Saussure: implicou, com efeito, a transformação dos fluxos em *cadeias* e, além dessa tese desconexa, o deslizamento em *sentido contrário* das duas cadeias.

A bem da verdade, esse ponto, no texto de Lacan, nunca foi claramente estabelecido. Portanto, somos obrigados a criar um modelo aqui. No texto, trata-se simplesmente de um deslocamento relativo das cadeias. A questão é provar a fecundidade dessa interpretação[15].

Introduzido esse elo, foi *sobre ele* que passou a funcionar o elo seguinte, cujo ponto de inserção não deve faltar. Esse elo foi o do só-depois. Compactando as teses 1 a 5, Lacan introduziu a idéia de que a ligação entre as cadeias (que é equivalente ao problema da *Ananké Stenai* em Aristóteles[16])

Figura 3

tem a estrutura do só-depois, ou seja, do ponto de basta, empilhando as duas camadas:

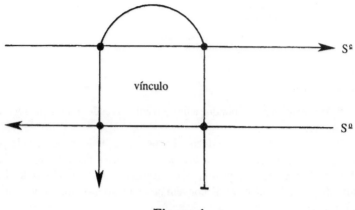

Figura 4

Podemos ver o caráter totalmente novo dessa tese em relação a Saussure e o ponto em que ela o retoma: a necessidade de um vínculo entre os fluxos paralelos. Em virtude disso, a teoria lacaniana do simbólico *é* uma teoria do só-depois. O vínculo simbólico, desde logo, é só-depois. Mas, por que isso? São os elos anteriores dessa teoria do só-depois que nos faltam. Vamos apenas sublinhar mais uma vez que, sendo a teoria do só-depois *heterogênea* e *independente* de qualquer tese sobre o símbolo, a ligação entre as duas é problemática e exigiria uma fundamentação. Embora Lacan siga Saussure nesse ponto, ele o deforma inteiramente.

Conseguido esse elo, obtemos um esquema com duas *camadas* (evitaremos cuidadosamente a noção de *níveis*), que constituiu o proto-esquema a partir do qual o raciocínio do *Seminário 5*, lição 1, pôde se instaurar. Produziu-se uma série de novos saltos, que levaria ao esquema em um nível[17].

1. — A linha do S^e foi mantida com esse nome, não, aliás, sem um acréscimo importante: é que a linha do só-depois fez com ela um circuito em que circula como memória o elemento inconsciente "Família". Não caberia dizermos que foi preferencialmente esse circuito que constituiu a cadeia do S^e? Aqui, outros saltos pareceram anunciar-se.

2. — Seja como for, operou-se um segundo salto, sob uma nova tese:

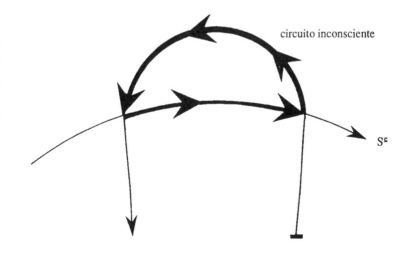

Figura 5

a camada inferior foi então interpretada como cadeia do "discurso comum" (ou, mais tarde, do discurso corrente), do "moinho de palavras".

Essa interpretação da cadeia saussureana do S^o foi muito importante: ela pressupôs a prevalência do S^e, pressupôs que a palavra "plena" só provinha dos efeitos do S^e, e pressupôs que o S^o era "dominado" pelo S^e.

Essa sucessão de interpretações levou-nos, portanto, à essência do esquema em um nível, exceto por alguns detalhes a mais que viriam enxertar-se (a linha do só-depois interpretada como intenção, o lugar do código, a interpretação da linha do S^o como sendo a do objeto metonímico).

Foi então que se produziram, para chegar ao Grafo em sua versão definitiva, dois saltos inteiramente distintos, que subverteram as interpretações já produzidas. O primeiro desses saltos teve lugar no *Seminário 5*, e o segundo, no *Seminário 6*[18].

Na aula de 11 de junho de 1958[19], introduziu-se uma tese inteiramente nova: *a tese do mais-além*. Convém saber que, afora suas consonâncias tradicionais, a noção de mais-além tem uma função sistemática determinante em muitos discursos. Aqui, assistimos a seu funcionamento no discurso de Lacan. Não devemos perder de vista seus efeitos.

De fato, afirmou-se: 1) que existe um mais-além da demanda; 2) que a demanda é dirigida ao Outro; 3) que o próprio Outro demanda, mas 4) que

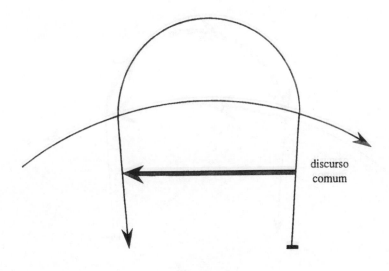

Figura 6

há um mais-além dessa demanda. Esse além assumiu 5) o nome próprio de *desejo*. Esse desejo, em Lacan, foi o nome próprio assumido pelo mais-além da demanda.

Pois bem, foi a partir desse salto no raciocínio que se preparou a *duplicação do Grafo* em um nível.

A *duplicação do Grafo foi a forma lógica do mais-além da demanda*. Convém formular diversas perguntas:

1. Por que o mais-além introduziu esse (des)dobramento?
2. Por que a estrutura resultante do mais além teve que ser homóloga ao que ela duplicava?

Não há nada de evidente nessas teses, as quais, portanto, é preciso fundamentar, se não quisermos que elas sejam sub-reptícias.

Propomos dizer que a duplicação do Grafo resultou da operação idealizadora empregada na questão do mais-além[20].

Com efeito, vimos anteriormente que o empilhamento em ponto de basta foi a retomada da questão tradicional sobre a estrutura do signo. Vemos aqui, novamente, que a duplicação do Grafo *supõe* (pergunta 2) a analogia entre a demanda e seu mais-além: trata-se de um *retorno* da questão do signo e, em particular, da questão referente à determinação do pensamento pela linguagem. Uma questão tradicional retornou sob uma nova forma, por intermédio da pergunta 2.

Assim, seria preciso interrogarmos aqui o valor da *distância* entre os dois níveis do Grafo. Por que é que cabe à fantasia e ao *a* manterem essa distância? Qual é a natureza dessa distância? Estará aí o problema necessário da distância do signo, distância de onde o signo provém e que é mantida por ele?

Todavia, o acabamento do Grafo ainda não fora alcançado, e continuava faltando um ponto decisivo. Disso resultava, em particular, que a interpretação das linhas secundárias do Grafo, d-($◊a) e i(a)-m, como imaginárias ainda não era autorizada pela dedução, embora tudo parecesse clamar por isso.

Tratou-se apenas, no nível do *Seminário 5*, do *objeto metonímico*, das ruínas do objeto, de seus destroços. O texto *ainda não podia* dizer mais, sem forçar a lógica e a história.

Na verdade, faltava ainda um salto importante, que as ambigüidades do texto dissimularam. Esse salto só seria dado no *Seminário 6*. No *Seminário 5*, a interpretação da dupla disposição em níveis foi feita nos seguintes termos: a linha inferior era a do S^e, da demanda articulada. O mais-além, que era o nível 2, foi *simplesmente* interpretado como mais-além dessa linha, e *portanto*, como *mais-além do significante* (ver *Figuras 7* e *8*).

Foi só no *Seminário 6* que apareceu sub-repticiamente uma inversão fundamental, juntamente com a introdução de uma distinção inédita: a do enunciado e da enunciação. Se a enunciação fica devendo ao enunciado, ela só pode situar-se, portanto, no mais-além da demanda, esta interpretada como enunciado.

Mas o salto estava em outro lugar: ele consistiu em que, *pela primeira vez, o mais-além da demanda foi interpretado como o significante*. Essa foi a primeira ocorrência textual clara da concepção *lacaniana* do significante: o significante deixou de ser o lugar do código; ele é o significante inconsciente, marca do *desejo* do Outro; é a pulsão.

O salto foi fundamental: *apagou* efetivamente a problemática do mais-além e passou a dissimulá-la por completo.

Daí resultaram ambigüidades que é preciso saber desfazer. Se Claude Conté foi levado a interpretar a linha superior do Grafo como o enunciado e a outra como enunciação, foi por não ter percebido esse salto[21]. Ele supôs, com efeito, com base no *Seminário 5*, que *o significante é a enunciação*, o que é certo no *Seminário 6*, mas é um equívoco no *Seminário 5*, onde o significante comporta *apenas* seu mais-além.

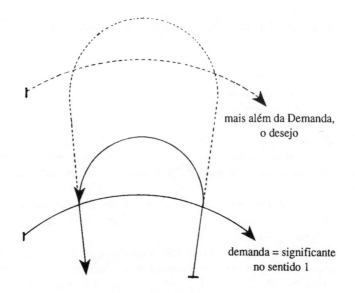

Figura 7

O Grafo no Seminário 5

Denominar esse mais-além de significante e de enunciado é embaralhar a problemática dos dois seminários. A aplicação da distinção enunciado/enunciação não é exeqüível no *Seminário 5* sem distorcer o texto.

Vemos claramente que daí resultou, através dessa série de inversões, que o *Seminário 6* conseguiu retraçar de uma outra forma (um Grafo com dois níveis) as intuições do *Seminário 5*, no Grafo com duas *camadas*:

1. o nível superior voltou a ser o nível do inconsciente e do significante, como nos indicava o Grafo com duas camadas (o S^e "família");

2. o nível inferior voltou a ser o nível do discurso comum;

3. mas também sofreu um certo número de transformações;

4. os dois níveis do Grafo já não distinguem o S^e e o S^o saussureanos; o S^e e o S^o saussureanos ficaram efetivamente *reduzidos à linha do discurso comum*[22] e destituídos da *diferença saussureana*;

5. os dois níveis nem por isso deixam de traçar a *diferença*, mas esta passou a ser a diferença entre a enunciação (o S^e no sentido de Lacan) e o enunciado (os efeitos de S^o, no sentido de Lacan). "A linha saussureana" é

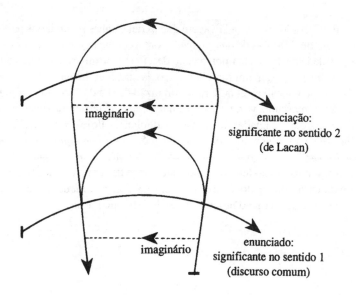

Figura 8

O Grafo no Seminário 6

realmente aquela em que se produzem os efeitos do sentido, mas eles a transgridem, fazendo surgir a operação do S^e *lacaniano*: reencontramos o esquema de funcionamento do Grafo com duas camadas.

A partir daí, porém mediante esse trabalho, resulta uma possibilidade de interpretar as linhas secundárias em termos de imaginário:
• se as linhas principais são a estrutura significante,
• e se as linhas secundárias provêm de uma duplicação do "discurso comum",
• o discurso comum pode ser interpretado como imaginário
• e as duas linhas secundárias são portadoras do imaginário.

Mas isso ainda não é sustentável sem uma clivagem conceitual: de um lado, o objeto metonímico (o "milionário") é cindido em dois, por um lado, torna-se a *causa do desejo*, a partir da problemática do objeto perdido; mas, por outro lado, se ele é o outro em que nos alienamos (o objeto do desejo do outro), ele é também, portanto, *o outro imaginário*, i(a).

É de acordo com essa clivagem que as duas linhas secundárias passam a poder ser qualificadas de *imaginárias*, com a condição *suplementar* de que a necessidade de distância imputada ao desejo transforma-se na linha secundária ($◊a-d), não sem um forcejo gráfico, já que, literalmente falando, essa distância não é localizável no Grafo (em razão de sua duplicação perfeita).

Aqui, mais uma vez, vemos que interpretar em termos de imaginário o Grafo com duas camadas ou o Grafo duplicado do *Seminário 5* é nos *adiantarmos* à problemática do *Seminário 6, somente no qual surgiu, pela primeira vez, o conceito lacaniano do S^e no desenvolvimento do Grafo.*

Mas, nesse meio tempo, vimos que, longe de ser *esse* conceito do S^e o que explica a gênese do Grafo, *o inverso é que é verdadeiro*, coisa que tendemos a esquecer pelo próprio efeito do estilo de Lacan.

Excertos da obra de Lacan

O ser do homem traz a loucura em si

Longe [de a loucura] ser para a liberdade "um insulto", ela é sua mais fiel companheira, segue seu movimento como uma sombra.

E o ser do homem não apenas não pode ser compreendido sem sua loucura, como não seria o ser do homem se não trouxesse em si a loucura como limite de sua liberdade.[1]

*

O mito do estádio do espelho: o ser humano é um ser prematuro no nascimento

A função do estádio do espelho revela-se para nós (...) como um caso particular da função da *imago*, que é estabelecer uma relação do organismo com sua realidade. (...) A noção objetiva da incompletude anatômica do sistema piramidal (...) confirma a visão que formulamos como o dado de uma verdadeira *prematuração específica do nascimento* no homem.[2]

*

O desejo do homem é alienado no desejo do outro

Mais-além do que o sujeito demanda, mais-além do que o outro demanda ao sujeito, há o que o outro (a mãe) deseja. Insistimos em várias ocasiões no que a dimensão do desejo define: ser situado no desejo do Outro. (...) Poderemos reportar-nos, entre outras coisas, à análise do sonho da "bela açougueira", que cria para si um desejo insatisfeito (...) e só assume seu desejo sob a forma do de sua amiga.[3]

*

Nossa fórmula de que o desejo do homem é o desejo do Outro aponta para essa origem, em que o desejo se constitui como desejo de um desejo.[4]

*

(...) o desejo do homem encontra seu sentido no desejo do outro, não tanto porque o outro detenha as chaves do objeto desejado, mas porque seu primeiro objeto [do desejo do homem] é ser reconhecido pelo outro.[5]

*

O destino do ser humano é saldar as dívidas do outro

O pai [do Homem dos Ratos] (...) nunca pôde saldar sua dívida. (...) Por outro lado, há alguma coisa que podemos chamar, na história do pai, de substituição: substituição da mulher pobre pela mulher rica no amor do pai. E, no interior da fantasia desenvolvida pelo sujeito [o Homem dos Ratos], (...) vemos que, para que a dívida seja quitada, não se trata de pagá-la ao amigo, trata-se de pagá-la à mulher pobre. (...) É como se os impasses próprios da situação original, a saber, aquilo que não foi resolvido em algum lugar, se deslocassem (...), se reproduzissem sempre em algum ponto.[6]

*

A neurose do Homem dos Ratos organiza-se em torno da dívida não quitada pelo pai

Do mesmo modo, foi reconhecendo a subjetivação forçada da dívida obsessiva [do Homem dos Ratos] (...) que Freud chegou a seu objetivo: ou seja, fazê-lo encontrar na história da indelicadeza de seu pai, de seu casamento com sua mãe, da moça "pobre mas bonita", de seus amores feridos, (...) a hiância impossível de preencher da dívida simbólica, da qual sua neurose é o protesto.[7]

*

O Grafo mostra a relação do desejo com o sujeito do significante

Convém (...) introduzirmos um certo Grafo (...) que foi construído (...) para situar, em seus níveis, a estrutura mais largamente prática dos dados de nossa experiência. Ele nos servirá, aqui, para expor onde se situa o desejo em relação a um sujeito definido por sua articulação pelo significante.[8]

*
* *

Referências dos excertos citados

1. "Propos sur la causalité psychique", in *Écrits*, Paris, Seuil, 1966, p. 176.
2. "Le stade du miroir comme formateur de la fonction du Je telle qu'elle nous est révélée dans l'expérience psychanalytique", in *Écrits*, op. cit., p. 96.
3. "Les Formations de l'inconscient", sinopse de J.-B. Pontalis in *Bulletin de psychologie*, vol. XII (1958), p. 250 ss.
4. "Le désir et son interprétation", sinopse de J.-B. Pontalis in *Bulletin de psychologie*, vol. XIII (1959), p. 263 ss.
5. "Fonction et champ de la parole et du langage en psychanalyse", in *Écrits*, op. cit., p. 268.
6. "Le mythe individuel du névrosé ou Poésie et vérité dans la névrose", conferência proferida no Collège Philosophique, C.D.U., 1956.
7. "Fonction et champ de la parole et du langage en psychanalyse", in *Écrits*, op. cit., p. 303.
8. "Subversion du sujet et dialectique du désir dans l'inconscient freudien", in *Écrits*, op. cit., p. 804-5.

Biografia de Jacques-Marie Lacan

1901   Nascimento de Jacques-Marie Lacan.
1929-32 Textos pré-psicanalíticos.
1932   Tese sobre as relações entre psicose paranóica e personalidade.
1932-36 Análise pessoal. Psicanalista.
1949-53 Textos preparatórios de seu ensino.
1951   *O seminário*, (I). Seminários de textos freudianos: o Homem dos Ratos, o Homem dos Lobos, Dora.
1953   Conferência sobre "O simbólico, o imaginário e o real". "Relatório de Roma" sobre "Função e campo da fala e da linguagem em psicanálise".
1953-63 *O seminário*, (II). O eu, o desejo, os conceitos fundamentais da ação psicanalítica.
1964   Retira-se da Sociedade Francesa de Psicanálise. Funda a Escola Freudiana de Paris.
1964-69 *O seminário*, (III). O ato psicanalítico, o passe: *"O psicanalista só pode se autorizar por si mesmo."*
1969-72 *O seminário*, (IV). A sexuação, o gozo, o discurso.
1972-81 *O seminário*, (V). O nó borromeano, o *Sinthome*.*
1980-81 Dissolução da Escola Freudiana de Paris.
1981   Morte de Jacques Lacan aos 80 anos de idade.

---

* Termo que faz confluírem as acepções de sintoma e sant'homem, homem santo. (N.T.)

Seleção bibliográfica

LACAN, J.

Les Écrits, Paris, Seuil, 1966.

O seminário, livro 7, *A ética da psicanálise*, Rio de Janeiro, Zahar, 1988.

O seminário, livro 11, *Os quatro conceitos fundamentais da psicanálise*, Rio de Janeiro, Zahar, 1979.

*

DOR, J., *Introduction à la lecture de Lacan*, vols. I e II, Paris, Denöel, 1985 e 1992.

NASIO, J.-D., *Cinco lições sobre a teoria de Jacques Lacan*, Rio de Janeiro, Zahar, 1993.

ROUDINESCO, E., *História da Psicanálise na França — A batalha dos cem anos*, Rio de Janeiro, Zahar, 1989, vol. 1, 1988, vol. 2.

Notas

CAPÍTULO I — FREUD

1. Estas palavras de abertura foram-me inspiradas pela leitura de um texto de Alexandre Koyré dedicado a Descartes, "Entretiens sur Descartes", in *Introduction à la lecture de Platon*, Paris, Gallimard, 1962.
2. A tese que considera o prazer absoluto como um perigo nunca foi formulada com toda essa explicitação por Freud. Nós a desenvolvemos a partir das formulações freudianas sobre o recalcamento, esclarecidos que estamos pelo conceito lacaniano de gozo. A propósito disso, ver nossas colocações em *L'Hystérie ou l'enfant magnifique de la psychanalyse*, Paris, Rivages, 1990, p. 18-21 [*A histeria — Teoria e clínica psicanalítica*, Rio de Janeiro, Zahar, 1991], e em "L'Inconscient et la jouissance", in *Cinq leçons sur la théorie de Jacques Lacan*, Paris, Rivages, 1992, p. 33-63 [*Cinco lições sobre a teoria de Jacques Lacan*, Rio de Janeiro, Zahar, 1993].
3. Essa lógica em quatro tempos serviu-nos, por outro lado, para expor os conceitos lacanianos de gozo e objeto *a*. Cf. nossa obra *Cinq leçons sur la théorie de Jacques Lacan*, op. cit., p. 13-63 [*Cinco lições...*, op. cit.].
4. S. Freud, *L'Interprétation des rêves*, Paris, PUF, 1967, p. 520 [*A interpretação dos sonhos*, E.S.B. IV-V.]
5. As fontes dos conceitos freudianos de recalcamento e representação provêm, em parte, da obra de um filósofo e psicólogo alemão do século XIX, Johann Friedrich Herbart. Podemos ter acesso a sua obra, inédita em francês, pela leitura de uma antiga obra de Marcel Mauxion, *La métaphysique de Herbart et la critique de Kant*, Paris, Hachette, 1894.
6. O leitor de Lacan pensará, neste ponto, no célebre aforismo: "A relação sexual é impossível", ou "Não existe relação sexual". Segundo nossas formulações, ele poderá complementar essa fórmula da seguinte maneira: não existe relação sexual *incestuosa*, existem apenas relações sexuais *substitutivas*.
7. Para aprofundar nossas formulações sobre o estádio fálico, o leitor poderá reportar-se aos capítulos "O conceito de castração" e "O conceito de falo" in *Enseignement de 7 concepts cruciaux de la psychanalyse*, Paris, Rivages, 1988, p. 23-69 [*Lições sobre os 7 conceitos cruciais da psicanálise*, Rio de Janeiro, Zahar, 1989].
8. "L'Identification", in *Essais de psychanalyse*, Paris, Payot, 1981, p. 167-8.

CAPÍTULO II — FERENCZI

1. Temos aí uma língua fino-ugriana, que vai do mais geral para o mais íntimo, mas que é também uma língua aglutinante que conhece a conjugação objetiva, isto é, a marca da incorporação do objeto no verbo:

Kalaf – je: *seu* chapéu
ad – je: ele *o* dá

"A exploração estilística e poética dessas estruturas mostra que os húngaros sentem o objeto definido como uma posse. A dominação (sobre o objeto, no caso da conjugação objetiva; sobre a coisa possuída, no caso do sintagma nominal possessivo) é, efetivamente, a marca semântica comum que liga as duas estruturas", escreveu Georges Kassaï em "Noms propres, énonciations, appropriation". Ainda não compreendemos que o diálogo Freud-Ferenczi foi fruto do encontro de duas línguas muito diferentes. Baseada no princípio da aglutinação, a língua dos magiares cola incessantemente, numa única palavra, o que as outras línguas indo-européias querem isolar. "Eu te amo" — "Ich liebe dich" — "I love you". Em húngaro, é uma única palavra, "Szeretlek". Não há necessidade de distinguir o "eu" do "tu" e não há distinção de gênero. "Ele" e "ela" não existem, há apenas " ", isto é, "o outro". Se vocês quiserem entender por que a Escola Inglesa promoveu, com Melanie Klein, a unidade "mãe-criança", o "ser apenas um" original, o amor primário "balintiano" (de Michael Balint), e também o agarramento "hermaniano" (de Imre Hermann) devem se lembrar de que todos eles foram analisandos de S. Ferenczi, que se orgulhava de falar o húngaro, língua em que os fragmentos de palavras são colados, agarram-se uns aos outros, como sublinhou Kathleen Kelley-Laine em seu artigo "Une mère-une terre, une langue", publicado em *Le Coq-Héron* n° 125, "L'Héritage de Ferenczi" ["A herança de Ferenczi"]. Enquanto, em francês, as palavras que designam o pai e a mãe distinguem-se essencialmente pela letra inicial, "p" e "m", ou "f" e "m" em inglês (*father — mother*) e "v" e "m" em alemão (*Vater — Mutter*), o húngaro esconde no meio das palavras a letra que estabelece a diferença: "anya" — mãe, e "apa" — pai. E 'criança' [*enfant*], que, em francês, é "in-fance", definido como "aquele que não fala", é chamada, em húngaro, "gyerek", que quer dizer "vem cá" (*gyere*). O imperativo do verbo "vir" define a criança, aquela a quem chamamos, "vem!", aquela a quem é sempre preciso chamar, pôr em movimento, para que ela não fique para trás. Não se esqueçam de que o húngaro é nômade: os cavaleiros, ancestrais dos húngaros, deixaram as planícies do Volga em 1500 a.C. e perambularam pelas estepes do sul da Rússia até o século IX da era cristã. "Um longo contato com os tchuaches e os kiptchaks, do século IV ao século IX, valeu à língua uma contribuição de palavras turcas", explica-nos Claude Hagège em *Le Souffle de la langue* (O. Jacob, 1992, p. 206). Foi em 896 que os magiares atingiram os Cárpatos e se instalaram, no início do século X, na antiga Panônia.

Os primeiros documentos escritos em húngaro datam do fim do século XII, isto é, duzentos anos depois do início da cristianização, no reinado de um soberano canonizado com o nome de Santo Estêvão. Com a Contra-Reforma, que, no século XVII, reconduziu ao catolicismo mais de metade da população que se tornara protestante, o domínio do latim ampliou-se no vocabulário confessional, científico, político e administrativo. Era costume, "no Parlamento, nas assembléias nobiliárias, nos debates notariais e nas reuniões dos doutos, exprimir-se apenas em latim, ou utilizar (...) um húngaro entremeado de palavras e construções puramente latinas" (C. Hagège, op. cit., p. 207).

Depois do turco, do eslavo dos missionários e do latim da Contra-Reforma, o alemão marcou profundamente a língua húngara. No fim do século XVIII veio "o sobressalto patriótico, do qual uma das principais manifestações foi, reveladoramente, o culto da língua. O húngaro, que então parecia, nas palavras do poeta moderno E. Ady, uma "pobre

Cinderela", quando comparado às línguas da civilização européia do Iluminismo, era percebido como o símbolo da humilhação nacional. Por conseguinte, restaurar o Estado era, antes de mais nada, reformar a língua" (C. Hagège, op. cit., p. 207). Esse movimento de renovação culminou entre 1848, data da revolução húngara contra os Habsburgo, e 1867, data da derrota austríaca de Sadowa. O latim deixou de reinar no país e o húngaro tornou-se o meio de comunicação oficial de um Estado multinacional. Houve até quem reclamasse o emprego do magiar como língua de comando no exército. Uma língua única, em que o "um", o aglutinado, o indistinto, o agarrado, é tão pregnante que "contém tudo o que junta, comunica, põe-se de acordo, casa-se, se iguala, se individualiza". E esse "um"-*egy*- que atravessa a língua húngara opõe-se ao corte em duas metades — "fel" —, que também significa medo (*félelem* — pavor). "Féleszu" é louco, ou seja, metade da mente; "félarvac" é órfão, "félbemaradni" é fracassar, fazer pela metade, e "felrebeszélni" é delirar, falar de lado. O corte dá medo, a separação é assustadora.
2. *Sigmund Freud–Arnold Zweig, Correspondance 1927-1939*, carta de 21 de fevereiro de 1936, Paris, Gallimard, 1973, p. 167.
3. Em *Chândor*, a sibilante é cantante, mas, no patrônimo Fer-ent-czi, convém fazer soar gloriosamente a sibilante final. O "x" de Alexandros faz-se ouvir no fim do patrônimo pronunciado em voz alta: "Ferenczi". Por isso é que seria um erro pronunciar esse nome dando-lhe um som chiante: *Ferentchi*. Não se trata de um nome que se pronuncie espirrando, trata-se de um nome ilustre!
4. "Im Anfang war die Tat." Foi com essa frase que Freud encerrou seu livro *Totem e tabu*.
5. "(...) a maternidade é atestada pelo testemunho dos sentidos, enquanto a paternidade é uma conjetura, edificada numa dedução e num postulado." S. Freud, *L'Homme Moïse et la religion monothéiste*, Paris, Gallimard, 1986, p. 213 [*Moisés e o monoteísmo, E.S.B.* XXIII].
6. *Golem* é uma palavra hebraica que aparece uma única vez na Bíblia (Sl. 139, 16). Significa "massa informe". O Golem é encarnado por Adão, moldado em barro, antes que Deus lhe insufle a vida e a alma.
7. Para maiores esclarecimentos sobre a biografia de Sándor Ferenczi, o leitor poderá reportar-se ao excelente prefácio de Judith Dupont, "Les sources des inventions", in *Sándor Ferenczi–Georg Groddeck, Correspondance*, Paris, Payot, 1982.
8. Na haptnomia (ciência do contato), essa "confirmação afetiva" é essencial, mas Ferenczi passaria sua vida inteira à espera do que jamais viria.
9. *Katastróphák*, que em francês significa "Catástrofes", é o título húngaro de um dos mais célebres ensaios de Ferenczi. O título completo é "Catástrofes no desenvolvimento do funcionamento genital — Um estudo psicanalítico". Esse ensaio é mais conhecido pelo título de "Thalassa, ou psychogenèse des origines de la vie sexuelle" ["Talassa ou a psicogênese das origens da vida sexual"], in *Œuvres complètes*, vol. III, Paris, Payot, 1974.
10. M. Balint, *Les voies de la régression*, Paris, Payot, 1972.
11. C. Lorin, *Le jeune Ferenczi. Premiers écrits 1899-1906*, Paris, Aubier, 1983.
12. Para maiores esclarecimentos, vocês poderão consultar o livro de Claude Lorin, op. cit.
13. P. Sabourin, *Ferenczi, paladin et grand vizir secret*, Paris, Éds. Universitaires, 1985.
14. *Sigmund Freud–Carl-Gustav Jung, Correspondance*, I, Paris, Gallimard, 1975, p. 149.
15. Ibid., p. 153.
16. S. Ferenczi, *Journal clinique*, Paris, Payot, 1985, p. 144.
17. Ibid., p. 112.
18. Ibid., p. 84-85.
19. Ibid., p. 103. Ler a esse respeito, por outro lado, "Le meurtre du patient par l'analyste", de Peter Rudnytsky, in *Le Coq-Héron*, n° 125, 1992, p. 19-23.

20. J. Dupont, "L'Analyse de Ferenczi par Freud", in *Le Coq-Héron*, n⁰ 127, 1992, p. 51-6.
21. *Sigmund Freud–Sándor Ferenczi, Correspondance*, vol. I, Paris, Calmann-Lévy, 1992, p. 327, 333, 349, 352, 356, 359, 360, 467, 511, 514, 520, 523, 524, 525 e 529.
22. *Sándor Ferenczi–Georg Groddeck, Correspondance*, op. cit., p. 55-7. Lapso de Ferenczi: é no prenome de Freud, *Si(e)gmund*, escrito com um "*e*", e não em *besiegt*, corretamente grafado, que se encontra o erro de ortografia.
23. Em francês, "Thalassa. Psychogenèse des origines de la vie sexuelle", in *Œuvres complètes*, vol. III, Paris, Payot, 1974, p. 250-323.
24. B. This, "Schrei nach dem Kinde", "Le cri de Ferenczi", in *Le Coq-Héron*, n⁰ 85.
25. In *La technique psychanalytique*, Paris, PUF, 1985, p. 127.
26. Dado que Ferenczi, em sua correspondência, não parava de interpretar os sintomas de Freud, podemos considerar que sua análise com Freud já era uma análise mútua.
27. Lembramos que também o próprio Freud havia fixado, num primeiro momento, um prazo para o tratamento do Homem dos Lobos. Mais tarde, renunciaria a essa prática e reconheceria seu erro.
28. Em húngaro, "Szerelem" é a paixão amorosa, e "Szereles", a ternura.
29. In *Œuvres complètes*, vol. IV, Paris, Payot, 1982, p. 98-112.
30. "Plötzlich", que significa subitamente. Vocês encontrarão por toda parte, na obra de Freud, esses "plötzlich" que de repente nos fazem um sinal. Na Gradiva, a moça desaparece subitamente entre duas colunas, "schön und schlank plötzlich". "Que é que, numa imagem, faz participar a criança no interior do adulto? A resposta é perfeitamente clara: o que é verbalizado de maneira irruptiva." J. Lacan, *Le Séminaire. Les écrits techniques de Freud*, aula de 2 de junho de 1954, Paris, Seuil, 1975 [*O Seminário*, livro 1, *Os escritos técnicos de Freud*, Rio de Janeiro, Zahar, 1979].
31. In *Œuvres complètes*, vol. IV, op. cit., p. 125-35.
32. *Utraquista* é um termo derivado do latim *utraque*, "um e outro". O nome foi dado, no século XV, aos hussitas da Boêmia, que se comunicavam sob as duas espécies [a do pão e a do vinho]. Ferenczi chamava de "utraquista" o método que empregava, ao aplicar modelos psicanalíticos para compreender a fisiologia e, inversamente, modelos provenientes da biologia para estudar os fenômenos psíquicos.
33. Ernest Jones assim telegrafou a Max Eitingon em 29 de maio de 1933: "O único consolo é a amarga verdade de que já não há mais um acontecimento ameaçando provocar uma explosão no próprio movimento internacional."

CAPÍTULO III — GRODDECK

1. M. Schatzman, *L'Esprit assassiné*, Paris, Stock, 1974.
2. *Le Livre du ça*, Paris, Gallimard, 1963, p. 290-1.
3. *La maladie, l'art et le symbole*, Paris, Gallimard, 1969, p. 284.
4. *Ça et Moi*, Paris, Gallimard, 1977, p. 35 ss.
5. Como testemunha uma nota de Freud que aparece em "L'Inconscient" (1913), in *Métapsychologie*, Paris, Gallimard, 1940, p. 85 ["O inconsciente", *E.S.B.* XIV].
6. Cf., a esse respeito, o livro de P. Guyomard, *La Jouissance du tragique*, Paris, Aubier, 1992, p. 17.
7. *Ça et Moi*, op. cit., p. 35 ss.
8. Cf. *Georg Groddeck, psychanalyste de l'imaginaire*, Paris, Payot, 1984.
9. Cf. Introdução a *La maladie, l'art et le symbole*, op. cit., p. 18.

10. *Conférences psychanalytiques à l'usage des malades*, vol. I, Paris, Champ Libre, 1978, p. 1.
11. Ibid., p. 159 e 163.
12. Idem., p. 244 ss.
13. Ibid.
14. *La maladie, l'art et le symbole*, op. cit., p. 145-6.
15. "La tyrannie de la bien-pensance", no *Le Monde* de 19 de junho de 1991, p. 2.

CAPÍTULO IV — MELANIE KLEIN

1. M. Klein, "Les origines du transfert", in *Revue Française de Psychanalyse*, 16, n$^{\underline{o}}$ 2, p. 209. Comunicação feita no XVII Congresso Internacional de Psicanálise, 1951, traduzida por D. Lagache.
2. M. Klein, "Autobiographie", 1959, inédita, depositada no Melanie Klein Trust, citada por Phyllis Grosskurth, *Melanie Klein, son monde et son œuvre*, Paris, PUF, 1990, p. 104.
3. M. Klein, *La psychanalyse des enfants* (1932), Paris, PUF, 1969, "Préface à la première édition", p. 2 [*Psicanálise da criança*, São Paulo, Mestre Jou, 1975], e N. Abraham e M. Torok, "Introduction à l'édition française", in M. Klein, *Essais de psychanalyse (1921-45)*, Paris, Payot, 1972, p. 9 [*Contribuições à psicanálise*, São Paulo, Mestre Jou, 1970]. Outra versão da avaliação de Karl Abraham — "O futuro da psicanálise reside na psicanálise das crianças" — é dada por Jean-Michel Petot, in *Melanie Klein, premières découvertes et premier système, 1919-1932*, Paris, Dunod, 1979, p. 23.
Ver também A. Strachey, "Rapport sur une conférence de M. Klein à Berlin", in *Journal de la Psychanalyse de l'Enfant*, 4, "Le Transfert", Paris, Le Centurion, 1987, p. 196.
4. V. Woolf, *Journal, V, 1936-1941* (Anne Olivier Bell, Londres, Hogarth Press, 1984, p. 209), citada por P. Grosskurth, p. 312.
5. M. Klein, "Jeu", conferência interclínica (inédita), 29 de janeiro de 1937, Instituto Welcome de História da Medicina, citada por P. Grosskurth, p. 308-9.
6. H. von Hug-Hellmuth, *Essais psychanalytiques*, Paris, Payot, 1991, p. 224 ss.
7. M. Klein, "Les principes psychologiques de l'analyse des jeunes enfants" (1926), in *Essais de psychanalyse*, op. cit., p. 175 ["Princípios psicológicos da análise infantil", *Contribuições à psicanálise*, op. cit.].
8. A especificidade do psiquismo da criança é esta: seu eu está em processo de constituição. A parte do isso — ou seja, da reserva pulsional — que é modificada sob a influência direta do mundo externo, por intermédio do sistema percepção-consciência, está em processo de fabricação (cf. S. Freud, *O Eu e o Isso*, 1923). Esse eu debutante não tem a capacidade, não tem a aparelhagem necessária para tratar a imensa angústia provocada pelo recalcamento originário. Lembremos: o recalcamento originário faz desaparecer para sempre a satisfação total ou gozo — que se caracteriza, portanto, por estar fora da representação —, mas deixa no sujeito a carga afetiva que lhe era correlata. Essa carga afetiva, poderosa, não pode ser prontamente administrada pela aparelhagem pulsional e pelo funcionamento do princípio do prazer, donde a angústia.
9. M. Klein, "Colloque sur l'analyse des enfants" (1927), in *Essais de psychanalyse*, op. cit., p. 189 ["Simpósio sobre a análise infantil", in *Contribuições à psicanálise*, op. cit.].
10. M.-C. Thomas, "La Play-Technique", in *Le Discours Psychanalytique*, n$^{\underline{o}}$ 5, dezembro de 1982.
11. M. Klein, "Les principes psychologiques de l'analyse des jeunes enfants" (1926), in *Essais de psychanalyse*, op. cit., p. 172 ["Princípios psicológicos...", op. cit.].

12. M. Klein, ibid., p. 173.
13. Esse ato, reconhecido por K. Abraham no congresso de Salzburgo e consignado no capítulo 5 das *Contribuições à psicanálise*, seria reencenado mais tarde, em terra inglesa, quando Anna Freud passou a morar em Londres, por ocasião de um acontecimento memorável na história da Sociedade Britânica de Psicanálise, chamado *As grandes controvérsias* ou *Discussões polêmicas*. Elas se distribuíram, de 1942 a 1944, numa dezena de reuniões científicas em que annafreudianos e kleinianos expuseram seus trabalhos divergentes. Cf. P. Grosskurth, p. 362 ss, e H. Segal, *Développement d'une pensée*, cap. 8, p. 85 ss. Ver também King, P., A. Freud, M. *Klein Controversy, 1941-1945*, Ricardo Steiner, Londres, Tavistock, 1992.
14. M. Klein, "Colloque sur l'analyse des enfants" (1927), in *Essais de psychanalyse*, op. cit., p. 182 ["Simpósio sobre a análise infantil", op. cit.]. Com algumas nuances, cf. M.-C. Thomas, "La Maîtresse" e "Nursery Gossip", in *Le Discours Psychanalytique*, nº 2 e nº 7, 1983.
15. S. Freud, "Le Moi et le Ça", in *Essais de psychanalyse*, Paris, Payot, 1981, capítulo III, "Le moi et le surmoi" [*O ego e o id, E.S.B.* XIX].
16. M. Klein, "Les premiers stades du conflit œdipien", in *La psychanalyse des enfants* (1932), Paris, PUF, 1969, p. 145-6 ["Primeiros estádios do conflito edípico e da formação do superego", in *Psicanálise da criança*, São Paulo, Mestre Jou, 1975].
17. M. Klein, "Les premiers stades du conflit œdipien", in *La psychanalyse des enfants* (1932), Paris, PUF, 1969, p. 148 ["Primeiros estádios...", op. cit.]. Toda essa clínica, elaborada a partir de 1920 e metodicamente exposta em 1932, seria sistematizada em 1946 (fase esquizo-paranóide).
18. Não apenas teorias de Freud datadas de 1924 (*O eu e o isso*), mas também de 1908, nas "Conclusions de l'analyse d'une phobie", in *Cinq psychanalyses*, Paris, PUF, 1970, p. 193-8 ["Análise de uma fobia em um menino de cinco anos", *E.S.B.* XIX.], e de 1918, nos comentários finais do "Homem dos Lobos", p. 418-20 ["História de uma neurose infantil", *E.S.B.* XVII], entre outras.
    Por outro lado, em 1932, M. Klein discutiu muito minuciosamente as duas concepções concernentes à formação do supereu, em "Les premiers stades du conflit œdipien", in *La psychanalyse des enfants*, p. 150 ss ["Primeiros estádios do conflito edípico, op. cit.].
19. Carta de 31 de maio de 1927. Agradeço a Colette Hochard e Jean-Pierre Lefèvre por me haverem dado a possibilidade de ler as cartas de Freud, em processo de tradução, no que tange a M. Klein. Ver também as cartas de Freud a Jones citadas por P. Grosskurth in *Melanie Klein, son monde et son œuvre*, op. cit., especialmente a carta de 22 de novembro de 1928, p. 239.
20. M. Klein, carta citada por P. Grosskurth in op. cit., p. 608. Outra questão concerne à maneira de tratar a influência do supereu arcaico num tratamento, a maneira de tratar o gozo. Melanie Klein, ao que me parece, tratou-o por intermédio da transferência negativa e, em sua concepção da transferência, por intermédio da interpretação e do sentido. Há aí uma pesquisa essencial para os psicanalistas, pois, nesse nível, não se trata de técnica, mas de uma questão de ordem *ética*.
21. M. Klein, "Les stades précoces du conflit œdipien" (1928), in *Essais de psychanalyse*, op. cit., p. 231-2 ["Primeiros estádios do complexo de Édipo", in *Contribuições à psicanálise*, op. cit.].
22. M. Klein, "Contribution à la théorie de l'inhibition intellectuelle" (1931), in *Essais de psychanalyse*, idem, p. 288-9 ["Uma contribuição à teoria da inibição intelectual", in *Contribuições à psicanálise*, op. cit.].
23. M. Klein, "Les premiers stades du conflit œdipien" (1932), in *La psychanalyse des enfants*, op. cit., p. 161 ["Primeiros estádios do conflito...", op. cit.].

24. M. Klein, "Le sevrage" (1936), traduzido e comentado por M.-C. Thomas, in *Le Discours Psychanalytique*, 1982, n⁰ˢ 4, 5 e 7.
25. M. Klein, "En observant le comportement des nourissons" (1952), in *Développements de la psychanalyse*, Paris, PUF, 1991, p. 249, nota nº 1 ["Sobre a observação do comportamento dos bebês", in *Os progressos da psicanálise*, Rio de Janeiro, Zahar Eds., 1978].
26. Lacan, em 1960, rearticulou esses conceitos fundamentais em seu seminário sobre a ética da psicanálise, onde propôs, precisamente, uma chave da noção kleiniana de criação: "A articulação kleiniana consiste nisto — em ter posto no lugar central de *das Ding* o corpo mítico da mãe", p. 127 e 141. A relação do supereu com a Coisa é examinada, em particular, nos capítulos IV e V de *L'Éthique de la psychanalyse, Le Séminaire, livre VII*, Paris, Seuil, 1986, p. 81-2 [*O Seminário*, livro 7, *A ética da psicanálise*, Rio de Janeiro, Zahar, 1988].
27. M. Klein, *La psychanalyse des enfants*, op. cit., p. 36 [*Psicanálise da criança*, op. cit.].
28. Foi esse tipo de concepção da castração, inteiramente fantasística, que levou Freud a dizer que ela anunciava "uma nova maneira de irrealizar a análise" (de torná-la irreal e irrealizável). Cf. carta de Freud a Jones de 23 de setembro de 1927, em tradução. Críticas dessa ordem seriam feitas à teoria kleiniana por J.-B. Pontalis em "Nos débuts dans la vie selon Melanie Klein", in *Après Freud*, Paris, Gallimard, 1968, p. 191 s; e por Mustapha Safouan em "Le fantasme dans la doctrine psychanalytique et la question de la fin de l'analyse", in *Études sur l'Œdipe*, Paris, Seuil, 1974, p. 166 ss. Cf. Lacan, *Écrits*, Paris, Seuil, 1966, p. 728-9. Podemos assinalar este paradoxo: embora a primazia do falo no complexo de Édipo e no complexo de castração não seja destacada por M. Klein, toda a sua concepção da sexualidade infantil está imersa no fálico, sem jamais desligar-se dele. Uma característica do sistema kleiniano está na adequação falo-sadismo. Isso tem conseqüências práticas: toda fala é interpretável, toda fala tem um sentido explicável, não existe o não-senso.
29. M. Klein, "Contribution à l'étude de la psychogenèse des états maniaco-dépressifs", in *Essais de psychanalyse*, op. cit., p. 311 ss ["Uma contribuição à psicogênese dos estados maníaco-depressivos", in *Contribuições à psicanálise*, op. cit.]. Em 1934, M. Klein estava intensamente deprimida. Apesar de um recente período de sete meses de análise com Sylvia Payne, ela estava sofrendo o contragolpe da partida recente de um amigo muito querido, o jornalista Kloetzel, para a Palestina. E isso, num clima de disputas odiosas com sua filha Melitta, que se ligara a seus adversários. Acima de tudo, porém, ela estava abatida com a morte do filho mais velho, Hans, ocorrida na primavera de 1934. Todos esses acontecimentos provocaram uma espécie de catástrofe interna, uma profunda depressão, que foi acompanhada por Paula Heimann. M. Klein fez o relato desse luto e do trabalho de análise que se seguiu no tratamento da "Sra. A." ("Le deuil et ses rapports avec les états maniaco-dépressifs", in *Essais de psychanalyse*, op. cit., p. 354 ss ["O luto e a sua relação com os estados maníaco-depressivos", in *Contribuições à psicanálise*, op. cit.]).
30. Fala-se na "auto-análise" de Freud. Ora, em 1897, ele escreveu o seguinte: "A auto-análise é realmente impossível. Só posso me analisar por meio do que aprendo de fora (como se eu fosse um outro)". Esse outro foi W. Fliess, a quem Freud emprestou um saber (cf. *Freud — uma biografia ilustrada*, Rio de Janeiro, Zahar, 1984).
31. S. Freud, "Deuil et mélancolie" (1917), in *Métapsychologie*, Paris, Gallimard, 1968 ["Luto e melancolia", *E.S.B.* XIV.].
K. Abraham, "Préliminaires à l'investigation et au traitement psychanalytique de la folie maniaco-dépressive et des états voisins" (1912), in *Œuvres complètes*, vol. I, Payot, 1989, p. 212 ss ["Notas sobre as investigações e o tratamento psicoanalítico da psicose maníaco-depressiva e estados afins", in *Teoria psicanalítica da libido*, Rio, Imago, 1970];

"Esquisse d'une histoire du développement de la libido fondée sur la psychanalyse des troubles mentaux" (1924), in Œuvres complètes, vol. II, Paris, Payot, 1989, p. 171 ss ("Première partie: Les états maniaco-dépressifs et les étapes prégénitales d'organisation de la libido") ["Breve ensaio do desenvolvimento da libido, visto à luz das perturbações mentais — Parte I: Os estados maníaco-depressivos e os níveis pré-genitais da libido", in *Teoria psicanalítica da libido*, op. cit.].
32. M. Klein, "Le deuil et ses rapports avec les états maniaco-dépressifs", in *Essais de psychanalyse*, op. cit., p. 341 ss ["O luto e a sua relação...", op. cit.].
33. M. Klein, "Notes sur quelques mécanismes schizoïdes", in *Développements de la psychanalyse*, op. cit., p. 274 ss ["Notas sobre alguns mecanismos esquizóides", in *Os progressos da psicanálise*, op. cit.]. Esse trabalho foi objeto de uma comunicação perante a Sociedade Britânica de Psicanálise em 1946. M. Klein reescreveu esse artigo em 1952, para a edição de *Progressos da psicanálise*; foi então que definiu com precisão o conceito de identificação projetiva.
34. Ibid., p. 274.
35. M. Klein, "L'Importance de la formation du symbole dans le développement du moi", in *Essais de psychanalyse*, op. cit., p. 263 ss ["A importância da formação de símbolos no desenvolvimento do ego", in *Contribuições à psicanálise*, op. cit.]: Dick assimilava seu sadismo a suas fezes más, que eram projetadas no interior do corpo da mãe; a mãe era identificada com os excrementos projetados.
36. H. Rosenfeld, *Impasse et interprétation*, Paris, PUF, 1990, em particular "L'Influence de l'identification projective sur la tâche de l'analyste", p. 185 ss.
37. M. Klein, "Contribution à l'étude de la psychogenèse des états maniaco-dépressifs", in *Essais de psychanalyse*, op. cit., p. 313 ["Contribuição à psicogênese...", op. cit.].
38. M. Klein, "Le deuil et ses rapports avec les états maniaco-dépressifs", idem, p. 362 ["O luto e a sua relação...", op. cit.].
39. M. Klein, "Sur les critères de fin d'analyse" (1949), in *Psychanalyse à l'Université*, 1982, vol. 8, nº 29, p. 5.
40. M. Klein, "Envie et gratitude", in *Envie et gratitude, et autres essais*, Paris, Gallimard, 1975 [*Inveja e gratidão — Um estudo das fontes do inconsciente*, Rio de Janeiro, Imago, 1974]. "Inveja e gratidão" foi objeto de uma comunicação no congresso de Genebra, em 1955.
41. Ibid., p. 15.
42. Ibid., p. 25.
43. Na França, podemos guardar M. Merleau-Ponty, *La prose du monde*, Paris, Gallimard, *Cours à la Sorbonne*, Paris, Cynara, 1988 ("Les relations avec autrui chez l'enfant") e G. Deleuze, *Logique du sens*, 27ª à 30ª séries, Paris, Minuit, 1969.
44. J. Lacan, "De nos antécédents", in *Écrits*, op. cit., p. 70.
45. J. Lacan, "La direction de la cure et les principes de son pouvoir", in *Écrits*, op. cit., p. 614.

CAPÍTULO V — WINNICOTT

1. A. Clancier e J. Kalmanovitch, *Le paradoxe de Winnicott*, Paris, Payot, 1984, p. 17.
2. P. Grosskurth, *Melanie Klein, son monde et son œuvre*, op. cit., p. 518.
3. D. W. Winnicott, *La nature humaine*, Paris, Gallimard, 1990, p. 135.
4. D. W. Winnicott, *Processus de maturation chez l'enfant*, Paris, Payot, 1970, p. 125-6.
5. D. W. Winnicott, *Lettres vives*, Paris, Gallimard, 1988, p. 78.

6. D. W. Winnicott, *Jeu et réalité*, Paris, Gallimard, 1975, p. 11 [*O brincar e a realidade*, Rio de Janeiro, Imago, 1979].
7. Ibid., p. 26.
8. Ibid., p. 11.

CAPÍTULO VI — FRANÇOISE DOLTO

1. F. Dolto, *Dialogues québecois*, Paris, Seuil, 1987, p. 188.
2. Ela justificava essa tese de uma única pessoa nutriz pelo fato de que, durante a oralidade invasiva, o bebê precisa assegurar-se de que não comeu nem excretou essa pessoa maternalizante.
3. *Au jeu du désir*, Paris, Seuil, 1981, p. 251 [*No jogo do desejo*, Rio de Janeiro, Zahar Eds., 1984].
4. *L'Image inconsciente du corps*, Paris, Seuil, 1984, p. 149.
5. *Séminaire de psychanalyse d'enfants*, 2, Seuil, 1985, p. 127.
6. *Au jeu du désir*, op. cit., p. 251 [*No jogo do desejo*, op. cit.].
7. Ibid, p. 80.
8. *L'Image inconsciente du corps*, op. cit., p. 224.
9. Continuemos a citar: "A aproximação exaltadora da satisfação, seguida pelo encontro orgástico numa experiência efêmera de libertação de sua tensão a ser, é uma morte. A experiência repetitiva da atração excitante, provocada pelo complemento da imagem de seu corpo, leva-o, através do ato de união que acalma sua tensão, ao desaparecimento do que era o sentir-se em seu corpo: ao despojamento sensorial da imagem do que lhe pertencia fora desse ato." *Au jeu du désir*, op. cit., p. 63 [*No jogo do desejo*, op. cit.].
10. *La difficulté de vivre*, Paris, Livre de poche, 1988, p. 134.
11. *Les cahiers du nouveau-né, n° 3*, Paris, Stock, 1980, p. 369.
12. *Dialogues québecois*, op. cit., p. 82.
13. Ibid, p. 186.
14. *L'Image inconsciente du corps*, op. cit., p. 78.
15. Ibid., p. 82.
16. Ibid., p. 71.
17. "É pela proibição, portanto, que o sujeito desejante é iniciado na potência de seu desejo, que é um valor (...)", ibid., p. 79.
18. *La cause des enfants*, Paris, R. Laffont, 1985, p. 210.
19. *L'Image inconsciente du corps*, op. cit., p. 90-1.
20. Ibid, p. 99.
21. Ibid., p. 101-2. F. Dolto acrescenta que a linguagem torna-se um símbolo da relação corpo a corpo, "transmudando-se num circuito longo pelo sutil das vocalizações e do sentido das palavras que abrangem as diferentes percepções sensoriais, mas todas 'mamãezadas' pela voz da mãe, a mesma de quando a criança estava no seio", ibid., p. 102.
22. "Uma castração anal sadiamente imposta, ou seja, não centralizada no xixi-cocô, mas na valorização da motricidade manual e corporal, deve permitir à criança substituir os prazeres excrementícios (limitados) pela alegria de fazer, de manipular os objetos de seu mundo (...)", ibid., p. 124.
23. *Le cas Dominique*, Paris, Points, Seuil, 1974, nota da p. 247 [*O caso Dominique*, Rio de Janeiro, Zahar Eds., 1981].

24. "À la recherche du dynamisme des images du corps et de leur investissement symbolique dans les stades primitifs du développement infantile", *La Psychanalyse 3*, p. 297-315.
25. *L'Image inconsciente du corps*, op. cit., p. 23.
26. F. Dolto e J.-D. Nasio, *L'Enfant du miroir*, Paris, Rivages, 1987, p. 13.
27. M.-H. Ledoux, *Introduction à l'œuvre de Françoise Dolto*, Paris, Rivages, 1990 [*Introdução à obra de Françoise Dolto*, Rio de Janeiro, Zahar, 1991].
28. *L'Image inconsciente du corps*, op. cit., p. 58.
29. *L'Enfant du miroir*, op. cit., p. 27.
30. Em nossa obra, expusemos e desenvolvemos o conjunto dessas questões.
31. *Au jeu du désir*, op. cit., p. 70 [*No jogo do desejo*, op. cit.].
32. *L'Enfant du miroir*, op. cit., p. 25.

CAPÍTULO VII — UM TESTEMUNHO SOBRE A CLÍNICA DE FRANÇOISE DOLTO

1. *Lettres de l'École Freudienne de Paris*, n° 20, março de 1977, p. 270.

CAPÍTULO VIII — JACQUES LACAN

1. *Écrits inspirés et schizophrénie*, texto republicado em edição pirata, num volume de *Petits Écrits* de J. Lacan.
2. In *Le Minotaure*. Isso é encontrável em fotocópias piratas, já que, até hoje, é impossível ler Lacan de outra maneira...
3. *De la psychose paranoïaque dans ses rapports avec la personnalité*, Paris, Seuil, 1975 [*Da psicose paranóica em suas relações com a personalidade*, Rio de Janeiro, Forense Universitária, 1987].
4. M. Mauss, in *Sociologie et anthropologie*, Paris, PUF, 1966.
5. "Le stade du miroir comme formateur de la fonction du Je telle qu'elle nous est révélée dans l'expérience psychanalytique", in *Écrits*, op. cit., p. 93-100.
6. Esse estádio do espelho de J. Lacan é uma questão mais delicada do que parece, pois, quando lemos "Le stade du miroir" nos *Écrits*, estamos lendo um texto tardio, de 1949, já inteiramente marcado pelas reviravoltas que viriam à luz no trajeto de Lacan. Como podemos saber se o texto de 1949 nos diz alguma coisa do de 1936 em Marienbad? De modo que, até uma descoberta mais ampla, o texto de Marienbad, não sabemos como era.
7. Essa estrutura do entrar para sair é capital em Lacan e condiciona sua definição do *ato psicanalítico*.
8. S. Freud, *Cinq psychanalyses*, Paris, PUF, 1973, p. 93-198 [*Análise de uma fobia em um menino de cinco anos*, E.S.B. X.]
9. Quanto a isso, J.-D. Nasio acrescentou um bom número de coisas.
10. In *Cinq psychanalyses*, op. cit., p. 199-261 [*Nota sobre um caso de neurose obsessiva*, E.S.B. X.]
11. Esse texto foi publicado em *Le Discours Psychanalytique*, n° 1, outubro de 1981, p. 30-2.
12. Cf. J. Lacan, in *Écrits*, op. cit., p. 793-827 e, em particular, p. 817.
13. F. de Saussure, *Traité de linguistique générale*, Paris, Payot, 1968, cap. 4, p. 156.

14. Cf. O. Ducrot e S. Todorov, *Dictionnaire encyclopédique des sciences du langage*, 1972; J.-L. Nancy e P. Lacoue-Labarthe, *Le Titre de la lettre*, 1973.
15. Temos aí um problema básico da leitura de Lacan, apresentado no *Séminaire VII, L'Éthique de la psychanalyse*, Paris, Seuil, 1991, lições 1 a 5 [*A ética da psicanálise*, op. cit.], também sob o nome de "entrecruzamento" entre linguagem e inconsciente. Esse problema não me parece ter sido estudado até hoje.
16. Cf. Aristóteles, *La métaphysique, a*, Paris, Vrin, 1970, p. 107-18.
17. Cf. J. Lacan, *Les formations de l'inconscient* (seminário inédito), aulas 1 a 5.
18. Cf. J. Lacan, *Le désir et son interprétation* (seminário inédito).
19. Cf. J. Lacan, *Les formations de l'inconscient*.
20. Cf. J. Derrida, "La mythologie blanche", in *Marges de la philosophie*, Paris, Galilée, 1972.
21. Cf. C. Conté, "$◊D", in *Lettres de l'E.F.P.*, n.º 21, agosto de 1977.
22. Comentário devido a Pierre-Gilles Gueguen.

Índice Geral

Liminar 7

Introdução à obra de Freud (J.-D. Nasio) 9

Esquema da lógica do pensamento freudiano. — Definições do inconsciente. Definição do inconsciente do ponto de vista descritivo. Definição do inconsciente do ponto de vista sistemático. Definição do inconsciente do ponto de vista dinâmico. O conceito de recalcamento. Definição do inconsciente do ponto de vista econômico. Definição do inconsciente do ponto de vista ético. — O sentido sexual de nossos atos. — O conceito psicanalítico de sexualidade. Necessidade, desejo e amor. — Os três principais destinos das pulsões sexuais: recalcamento, sublimação e fantasia. O conceito de narcisismo. — As fases da sexualidade infantil e o complexo de Édipo. Observação sobre o Édipo do menino: o papel essencial do pai. — Pulsões de vida e pulsões de morte. O desejo ativo do passado. — A transferência é uma fantasia cujo objeto é o inconsciente do psicanalista.

Excertos da obra de Freud
Biografia de Sigmund Freud
Seleção bibliográfica

Introdução à obra de Ferenczi (B. This) 59

Sándor Ferenczi escreve a Sigmund Freud. — O jogo significante da letra determina a relação entre S. Freud e S. Ferenczi. — A vida de Sándor

Ferenczi. — Falta segurança afetiva ao jovem Sándor. — O elemento líquido marca a obra de Ferenczi. — O encontro com Freud. — Ferenczi entre Freud e Jung. — Seduções e traumas. — Ferenczi, interlocutor privilegiado de Freud. — A análise mútua de Sándor Ferenczi e Georg Groddeck. — O abandono da técnica ativa em prol da técnica de indulgência e de relaxamento. — A neocatarse. Aquilo de que os neuróticos precisam: serem realmente adotados por seu terapeuta. — O método do relaxamento: aceitar o agir no tratamento permite ao paciente rememorar. — Conclusão.

Excertos da obra de Ferenczi
Biografia de Sándor Ferenczi
Seleção bibliográfica

Introdução à obra de Groddeck (L. Le Vaguerèse)........ **103**

A vida de Georg Groddeck. — Groddeck, discípulo de Schweninger. — Groddeck como clínico. — A descoberta do mundo dos símbolos. — As conferências terapêuticas de Groddeck. — O primeiro encontro epistolar com Freud. — O dualismo de Freud e o monismo de Groddeck. — Groddeck e a psicossomática. — A origem sexual da doença. — Toda doença é uma criação. — O lugar de Groddeck no movimento analítico de sua época. — O Isso e os Issos de Groddeck. — Conclusão.

Excertos da obra de Groddeck
Biografia de Georg Groddeck
Seleção bibliográfica

Introdução à obra de Melanie Klein (M.-C. Thomas) **133**

Uma vida. — A técnica psicanalítica do brincar e suas descobertas. — A formação arcaica do superego ou o dever de gozo. — A precocidade dos estádios do conflito edipiano, "fina flor" do sadismo. — Três aspectos do primado da mãe. — A transferência e a castração. — A metapsicologia kleiniana e suas descobertas. — O tríptico da posição depressiva. — A fase esquizo-paranóide. — A posição depressiva. — A inveja. — Conclusão.

Excertos da obra de Klein
Biografia de Melanie Klein
Seleção bibliográfica

Introdução à obra de Winnicott (A.-M. Arcangioli) **177**

A vida de Donald Woods Winnicott. — A obra de D. W. Winnicott. — Fase de dependência absoluta. — As três funções maternas. — A mãe suficientemente boa. — O *self* verdadeiro. — A mãe insuficientemente boa. — Distúrbios psíquicos cuja origem situa-se na fase de dependência absoluta. — Orientações terapêuticas. — Fase de dependência relativa. — Os fenômenos transicionais.

Excertos da obra de Winnicott
Biografia de Donald Woods Winnicott
Seleção bibliográfica

Introdução à obra de Françoise Dolto (M.-H. Ledoux) **203**

A vida de Françoise Dolto. — Introdução e temas principais. — A relação mãe-filho e a triangulação. A díade. A construção do "infans". A noção de triangulação. — As castrações simboligênicas. A definição da castração segundo Dolto. A castração umbilical. A castração oral. A castração anal. A castração simboligênica. — A imagem inconsciente do corpo. Definição da imagem inconsciente do corpo. Os três aspectos da imagem inconsciente do corpo. A patologia das imagens do corpo. — Formulações sobre as entrevistas preliminares e a psicanálise com crianças. As entrevistas preliminares. O enquadre e as modalidades técnicas. — Conclusão. — Glossário dos principais conceitos de F. Dolto.

Excertos da obra de Dolto
Biografia de Françoise Dolto
Seleção bibliográfica

Um testemunho sobre a clínica de Françoise Dolto
(J.-D. Nasio)... 247

Introdução à obra de Lacan (G. Taillandier)............. 259

I — O problema do estilo: loucura de Jacques Lacan. — Que é a personalidade? — O milagre do estádio do espelho. — A alienação no desejo do outro. — Sair da alienação: a psicanálise. — A dívida simbólica. — O inconsciente de Freud é o discurso do Outro.

II — O Grafo por elementos.

Excertos da obra de Lacan
Biografia de Jacques-Marie Lacan
Seleção bibliográfica

Notas 289

Coleção Transmissão da Psicanálise

Não Há Relação Sexual
Alain Badiou e Barbara Cassin

Fundamentos da Psicanálise
de Freud a Lacan
(4 volumes)
Marco Antonio Coutinho Jorge

Histeria e Sexualidade
Transexualidade
*Marco Antonio Coutinho Jorge;
Natália Pereira Travassos*

Por Amor a Freud
Hilda Doolittle

A Criança do Espelho
Françoise Dolto e J.-D. Nasio

O Pai e Sua Função em Psicanálise
Joël Dor

Introdução Clínica à
Psicanálise Lacaniana
Bruce Fink

A Psicanálise de Crianças
e o Lugar dos Pais
Alba Flesler

Freud e a Judeidade
Betty Fuks

A Psicanálise e o Religioso
Phillipe Julien

O Que É Loucura?

Gozo

Simplesmente Bipolar
Darian Leader

Freud e a descoberta do inconsciente
Octave Mannoni

5 Lições sobre a
Teoria de Jacques Lacan

9 Lições sobre Arte e Psicanálise

Como Agir com um
Adolescente Difícil?

Como Trabalha um Psicanalista?

A Depressão É a Perda de uma Ilusão

A Dor de Amar

A Dor Física

A Fantasia

Os Grandes Casos de Psicose

A Histeria

Introdução à Topologia de Lacan

Introdução às Obras de Freud,
Ferenczi, Groddeck, Klein, Winnicott,
Dolto, Lacan

Lições sobre os 7 Conceitos
Cruciais da Psicanálise

O Livro da Dor e do Amor

O Olhar em Psicanálise

Os Olhos de Laura

Por Que Repetimos os Mesmos Erros?

O Prazer de Ler Freud

Psicossomática

O Silêncio na Psicanálise

Sim, a Psicanálise Cura!
J.-D. Nasio

Guimarães Rosa e a Psicanálise
Tania Rivera

A Análise e o Arquivo

Dicionário Amoroso da Psicanálise

Em Defesa da Psicanálise

O Eu Soberano

Freud — Mas Por Que Tanto Ódio?

Lacan, a Despeito de Tudo e de Todos

O Paciente, o Terapeuta e o Estado

A Parte Obscura de Nós Mesmos

Retorno à Questão Judaica

Sigmund Freud na sua Época
e em Nosso Tempo
Elisabeth Roudinesco

O Inconsciente a Céu Aberto
da Psicose
Colette Soler

1ª EDIÇÃO [1995] 13 reimpressões

ESTA OBRA FOI COMPOSTA POR KRAFT EM TIMES NEW ROMAN E
IMPRESSA EM OFSETE PELA GRÁFICA PAYM SOBRE PAPEL ALTA ALVURA
DA SUZANO S.A. PARA A EDITORA SCHWARCZ EM SETEMBRO DE 2023

A marca FSC® é a garantia de que a madeira utilizada na fabricação do papel deste livro provém de florestas que foram gerenciadas de maneira ambientalmente correta, socialmente justa e economicamente viável, além de outras fontes de origem controlada.